'Voor de troon wordt men
niet ongestraft geboren'

'Voor de troon wordt men niet ongestraft geboren'

OOGGETUIGEN VAN DE KONINGEN VAN NEDERLAND, 1813-1890

Samengesteld en ingeleid door
Dorine Hermans en Daniela Hooghiemstra

2008 Uitgeverij Bert Bakker Amsterdam

Eerste, tweede, derde en vierde druk 2008

© 2008 Samenstelling en inleiding
Dorine Hermans en Daniela Hooghiemstra
Omslagontwerp Suzan Beijer
Illustratie omslag Jan Baptist van der Hulst, Koning Willem II, 1848.
Koninklijk Huisarchief, Den Haag
Foto auteurs Bob Bronshoff
www.uitgeverijbertbakker.nl
ISBN 978 90 351 3114 9

Uitgeverij Bert Bakker is onderdeel van Uitgeverij Prometheus

Inhoud

Willem III

Woord vooraf

Nederland weet niet meer wat een koning is. Sinds 1890 zitten er vrouwen op de troon. De herinnering aan de mannen die hun voorgingen, is vervlogen. Als binnenkort Willem IV aantreedt zullen velen zich voor het eerst realiseren dat er ook ooit een Willem I, II, en III moeten zijn geweest.

Iedereen kent de prins van Oranje die in de zestiende eeuw de opstand tegen de Spanjaarden leidde, en iedereen kent koningin Wilhelmina, die tussen 1940 en 1945 via de radio de moed erin hield. Maar de drie mannen die vanaf 1814 in Nederland het koningshuis hebben opgebouwd, zijn uit het collectieve geheugen verdwenen.

Over geen van hen is de laatste zestig jaar een complete biografie verschenen. Film- en theatermakers raakten geïnspireerd door Willem de Zwijger, Wilhelmina, Juliana, Emily of Mabel, maar niet door de drie koningen.

De geringe belangstelling zou begrijpelijk zijn als zij een saai bestaan hadden geleid. Maar het tegendeel is waar, zo blijkt uit dit boek. De levensverhalen van Willem I, Willem II en Willem III staan bol van samenzweringen, bloedvergieten, machtsstrijd, (hopeloze) liefdes, overspel en waanzin. En dat allemaal in het gelijkmatige Nederland, in de ogenschijnlijk zo rustige negentiende eeuw.

Voor de onbekendheid van de drie Willems is een aantal mogelijke verklaringen. Om te beginnen cultiveren de Oranjes zelf het verleden van hun koningshuis niet of nauwelijks. In tegenstelling tot hun collega's in Groot-Brittannië, lijken ze weinig te hechten aan historische traditie. Vooruitkijken is praktischer dan terugblikken. Aan het vermogen om steeds te vernieuwen, danken de Oranjes

7

ook het feit dat zij zich in Nederland al meer dan vier eeuwen in het centrum van de macht bevinden.

Maar niemand kan zich losmaken van het verleden, al was het maar vanwege de genen waarmee vorige generaties zich manifesteren. En zeker koning(inn)en niet, die zich persoonlijk identificeren met hun erfelijke troon.

Misschien worden de drie eerste Oranjekoningen niet salonfähig genoeg gevonden om herinnerd te worden. Willem I ging ten onder aan zijn eigen koppigheid, Willem II leidde een dubbelleven vanwege zijn biseksualiteit en Willem III was half waanzinnig. Schroom om de controversiële kanten van de Nederlandse koningen te belichten, heeft onder historici in ieder geval lange tijd een rol gespeeld. De historicus J.A. Bornewasser, inmiddels met emeritaat, vertelde ons dat, toen hij begon met zijn nog altijd toonaangevende onderzoek naar Willem II, zijn collega L.J. Rogier hem waarschuwde dat daar 'veel tact' voor nodig was.

Niet alle bronnen over de drie koningen zijn openbaar. Voor het raadplegen van documenten in het Koninklijk Huisarchief is speciale toestemming nodig van HM de Koningin. Als zij meent dat de bronnen verkeerd worden gebruikt, heeft zij het recht om publicatie tegen te houden. Mogelijk heeft ook die omstandigheid historici doen aarzelen om zich intensief met de drie Willems te bemoeien.

Maar er is meer verlegenheid. Belangstelling voor de geschiedenis van Nederland, en zeker voor die van het koningshuis, vloeit voort uit nationaal bewustzijn. En met dat bewustzijn is iets raars aan de hand. De nationale gevoelens die aan het begin van de negentiende eeuw opkwamen, zijn in de twintigste eeuw onder het tapijt geschoven. De natiestaat die Willem I vanaf 1814 verpersoonlijkte, werd een vies woord. Nederland en koningshuis zijn na de Tweede Wereldoorlog een nieuw leven begonnen, waarin nationalisme en autoritair bestuur zijn afgezworen en Europese samenwerking en democratie omarmd.

De drie ouderwetse Willems, die vanaf 1814 een op autocratische leest geschoeid koningshuis bestierden, pasten niet in dat nieuwe leven. Liever keek men naar de zeventiende eeuw, toen de Oranjes nog geen koningen waren maar stadhouders en zij de toenmalige republiek – klein maar machtig – bestuurden sámen met de regenten.

De laatste tijd is een opleving merkbaar van belangstelling voor de geschiedenis van Nederland. En voor de negentiende eeuw. Het besef dat in de eeuw van 'Jan Salie' toch wel spannende dingen gebeurden, groeit. Maar het idee dat het koninkrijk dat toen is ontstaan, in de wereld maar weinig voorstelt, blijft bestaan. Alleen als het nationale voetbalelftal wint, is het gewicht van de natie voelbaar. Dan mág het even. Nederlanders zijn streng voor zichzelf. Wat zij voelen, mag niet. Of het moet stiekem. De verering van het koningshuis heeft ook plaats in het geniep. Bij hoog en bij laag wordt volgehouden dat de Oranjes 'gewone mensen' zijn, terwijl hun intussen, heimelijk, de status van zonnekoningen wordt toegekend. Bij die stille afspraak hoort een nederige opstelling van de koninklijke hoofdpersonen. Wilhelmina noemde zichzelf 'niet meer dan de armste bedelaar', koningin Juliana liet zich fotograferen op de fiets en prins Claus verklaarde dat Nederland eigenlijk een republiek is. De verhevenheid van de troon is in Nederland een goed bewaard geheim. Ook dat kan een oorzaak zijn voor het moderne pr-probleem van de drie Willems: zij waren niet nederig. Zij grepen juist iedere gelegenheid aan om hun macht te laten zien. Willem de Zwijger en koningin Wilhelmina stonden alleen tegenover grootmachten. Ze waren klein, maar intussen – stiekem – groot. De drie negentiende-eeuwse koningen daarentegen waren zélf de machthebbers, de 'bad guys' die probeerden om in Nederland de democratie tegen te houden. En dat ook nog eens tevergeefs. Dat is niet zoals de Nederlanders hun Oranjes graag zien. En het is ook niet zoals de Oranjes zichzelf willen láten zien.

Gelukkig hadden de drie koningen tijdgenoten in hun buurt die konden schrijven. Dankzij die ooggetuigen kunnen wij een rechtstreekse blik op hun levens krijgen. Zij schreven op wat ze zagen, zonder rekening te (kunnen) houden met de huidige conventies over wie of wat een koning moet voorstellen. Door hen aan het woord te laten, komen er koningsdrama's aan het licht waarvan wij althans niet hadden gedacht dat Nederland ze in zich had.

Uit de ooggetuigenverslagen die wij vonden in o.a. het Koninklijk Huisarchief en het Algemeen Rijksarchief, maakten wij een selectie. We zochten naar passages die niet alleen historisch interessante feiten vermelden, maar die door de schrijfstijl de geschiedenis ook tot leven brengen. Die op een beeldende manier iets laten zien van de karakters van de koningen en hun familieleden, van de worsteling met hun functies en hun privélevens, en van de relatie met hun onderdanen. We hebben de oude verslagen in chronologische volgorde geordend, zodat zij alle tezamen vertellen hoe het gegaan is: hoe de Oranjes in 1795 uit Nederland werden verdreven als stadhouders, hoe zij in 1814 terugkeerden als koningen en hoe zij gaandeweg veranderden van machthebber in symbool van een parlementair systeem. De meeste teksten in dit boek zijn eerder gepubliceerd, maar door ze in een nieuwe context te plaatsen zijn ze toch onthullend.

Om de stukken toegankelijk te maken hebben wij ze soms 'hertaald'. Ieder hoofdstuk wordt voorafgegaan door een inleiding, waarin wij de historische context van de bronnen schetsen. Zodat ook degenen die vroeger op school alles hebben geleerd over het fascisme, maar weinig over wie de eigen koningen waren, het verhaal kunnen volgen. In de inleidende tekst wordt met nummers verwezen naar de bijbehorende ooggetuigenstukken.

Zoals de titel al suggereert, vertelt dit boek geen vrolijk verhaal. Maar niemand die de levens van de leden van de koninklijke familie een beetje volgt, zal dat verbazen. Dat men voor de troon niet ongestraft wordt geboren, zoals een Franse journalist in 1879 schreef, is een van de vele beschouwingen in dit boek die meer dan een eeuw later nog zeer eigentijds in de oren klinken.

Dorine Hermans
Daniela Hooghiemstra

Haarlem/Amsterdam, september 2007

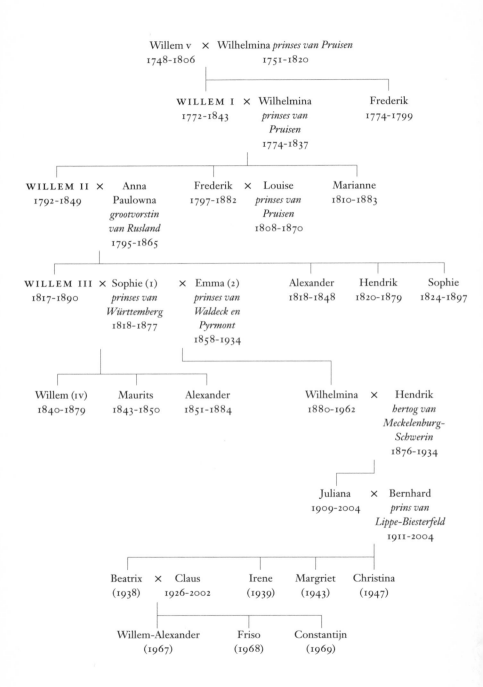

Willem v × Wilhelmina *prinses van Pruisen*
1748-1806   1751-1820

WILLEM I × Wilhelmina   Frederik
1772-1843   *prinses van*   1774-1799
                 Pruisen
                 1774-1837

WILLEM II × Anna   Frederik × Louise   Marianne
1792-1849   Paulowna   1797-1882   *prinses van*   1810-1883
                 grootvorstin   *Pruisen*
                 van Rusland   1808-1870
                 1795-1865

WILLEM III × Sophie (1)   × Emma (2)   Alexander   Hendrik   Sophie
1817-1890   *prinses van*   *prinses van*   1818-1848   1820-1879   1824-1897
                 Württemberg   *Waldeck en*
                 1818-1877   *Pyrmont*
                                  1858-1934

Willem (iv)   Maurits   Alexander   Wilhelmina × Hendrik
1840-1879   1843-1850   1851-1884   1880-1962   *hertog van*
                                                              Meckelenburg-
                                                              Schwerin
                                                              1876-1934

                                             Juliana × Bernhard
                                             1909-2004   *prins van*
                                                          Lippe-Biesterfeld
                                                          1911-2004

Beatrix × Claus   Irene   Margriet   Christina
(1938)   1926-2002   (1939)   (1943)   (1947)

Willem-Alexander   Friso   Constantijn
(1967)   (1968)   (1969)

Willem I

1 'Hij zou in alle vroegte moeten opstaan'
Hoe Willem I de troon veroverde (1795-1815)

Met in de hoofdrol:
De laatste stadhouder Willem v, diens echtgenote Wilhelmina van
Pruisen en hun zoon prins Willem Frederik, die koning Willem I wordt.

1813

Over een terugkeer naar Nederland had Willem Frederik van Oranje al vaak gefantaseerd. Maar dat het zó zou zijn, had hij zich niet
voorgesteld.

Het leek een droom. Vanaf de boot zag hij dat overal op het strand
en de duinen van Scheveningen mensen stonden. Eenmaal aan land,
merkte hij dat er aan de rijen van toeschouwers geen einde kwam.
Langs de weg naar Den Haag zaten ze in de toppen van de bomen
en stonden ze op de daken van de huizen.

Ze riepen dat hij koning moest worden. (7, 10)

Aangekomen in Den Haag, ging hij op het balkon staan van het
huis van Leopold van Limburg Stirum, lid van het driemanschap dat
zijn terugkeer had voorbereid. Toen hij vanaf daar naar de joelende
menigte keek, werd het hem te veel. Hij wendde zijn hoofd af.

Het vreemde was: de mensen die hem zo uitbundig stonden toe te
juichen, kenden hem nauwelijks. (8) Het was negentien jaar geleden
dat Willem Frederik met zijn familie naar Engeland was gevlucht
voor de binnenvallende Fransen. De republiek was geleidelijk aan
Frans geworden. En Willem Frederik en zijn gezin waren inmiddels
meer Duits en Engels, dan Nederlands. De afgelopen jaren had hij
op zijn knieën gelegen voor iedereen die hem weer ergens aan een
positie kon helpen. Fransen, Engelsen en Duitsers, allemaal hadden
ze hem over de vloer gehad. Willem Frederik had maar één ding gewild: regeren. Ergens, het maakte niet uit waar. Op terugkeer naar
de 'Bataafse Republiek', zoals zijn vaderland onder het nieuwe be-

stuur was gaan heten, had hij nauwelijks nog durven hopen. En ook in Holland, dat in 1806 een Franse koning had gekregen, had niemand nog naar terugkeer van de Oranjes durven verlangen. Willem Frederik was zijn eigen weg gegaan. Maar nu hoorde hij de menigte roepen: 'Willem de Eerste, onze soeverein, de prins moet koning van Holland zijn.'[1]

1795-1813

Als hij naar zijn vader had geluisterd, had Willem Frederik die namiddag niet op dat balkon gestaan. Aan hem, de laatste stadhouder van Holland, Willem v, had hij weinig gehad. Willem v onderscheidde zich als bestuurder voornamelijk door zijn vermogen om te wikken en te wegen. En toen hij in 1795 door het Franse leger in een visserspink de zee op werd gejaagd, legde hij zich heel gemakkelijk neer bij een nieuw bestaan als banneling. Zo ging het nu eenmaal met prinsen. Vandaag hebben ze macht, morgen niet meer. Ze dobberen voort op de stroom en hebben hun lot niet in eigen hand.[2]

Na aankomst in Engeland richtte de gevluchte stadhouder zich tevreden op zijn hobby, de jacht. Voor zijn zoon, Willem Frederik, grootgebracht met de boodschap dat het zijn bestemming was om stadhouder te worden, voelde dat als verraad. Zo makkelijk gooi je met bloed, zweet en tranen verworven erfelijke rechten toch niet overboord? Als tweeëntwintigjarige had hij moeten aanzien hoe zijn vader bij het naderen van de Franse troepen in Holland alle hoop had opgegeven. 'Maar ik ben er toch ook nog! En ik heb ook nog een zoon,'[3] had Willem Frederik geroepen. Het maakte geen indruk op zijn vader.

Gelukkig had Willem Frederik ook nog een moeder. En zij, Wilhelmina van Pruisen, was uit ander hout gesneden. Zij geloofde niet zo in die lotsbestemming. Meer in: dat wat goedschiks niet lukt, kwaadschiks een kans maakt. Haar kordate manier van opereren viel op. Toen haar man nog stadhouder was, had de koning van Frankrijk al eens gevraagd of zij diens leidersrol in de republiek niet zou kunnen overnemen. Formeel weigerde ze dat, maar in de praktijk nam zij met enige regelmaat het roer over. In 1787, vóór de vlucht uit Nederland, bestelde ze soldaten bij haar broer, de Pruisische koning Frederik Willem II, omdat antiorangistische patriotten haar bij Goejanverwellesluis beletten door te reizen naar Den Haag. Maar de inval van de Franse legers van Napoleon, acht jaar later, kon ook zij niet verhinderen.

Wilhelmina had zich meer van het leven voorgesteld dan in ballingschap voor het raam te zitten naast haar beschouwende echtgenoot. Ze zag al snel in dat ze zich voor het verwezenlijken van haar ambities beter kon richten op haar oudste zoon, Willem Frederik.[4] In haar pogingen om de familie waarin zij in 1767 was getrouwd niet aan lager wal te laten raken, werd hij haar voornaamste gereedschap. De opvoeding die zij hem had gegeven, was gericht op een grootse toekomst. Vellen had Wilhelmina volgeschreven over wat haar opgroeiende zoon allemaal wel of niet moest en mocht. (2) Meer nog dan een pedagogische handleiding, was het een aanvalsplan. Een plan dat zij niet zomaar wilde loslaten, nu het even tegenzat. Willem Frederik moest worden wat zijn vader nooit was geweest.

En hij stelde zijn moeder niet teleur. Toen Willem Frederik op 30 maart 1814, negentien jaar na de vlucht naar Engeland, in de Nieuwe Kerk van Amsterdam werd ingehuldigd als soeverein vorst van wat inmiddels Nederland heette, zat Wilhelmina huilend van ontroering op haar stoel. (16)

De familie telde weer mee.

1772-1795

Willem Frederik was de zoveelste 'come back kid' uit het Huis van Oranje. Sinds de zestiende eeuw hadden zijn voorvaders met vallen en opstaan een leidende rol vervuld in de Nederlanden, meestal door de functie van stadhouder te bekleden.[5]

Zijn prinsentitel dankte Willem Frederik aan het prinsdom Orange dat ooit familiebezit was. Maar verder hadden de leden van zijn familie hun vooraanstaande posities in de Lage Landen door de eeuwen heen vooral te danken aan het – steeds weer – sluiten van de juiste coalities op het juiste moment.

Willem Frederik, geboren in 1772, werd volwassen toen de Franse Revolutie begon, de omwenteling die in heel Europa de regerende elites van de kaart veegde. In de zomer van 1789, een maand voor zijn achttiende verjaardag, bestormde het Franse volk de Bastille in Parijs. De boodschap van die schokkende gebeurtenis was dat niet één koning, maar het volk de macht moet hebben, dat alle mensen gelijk zijn en dat de een door geboorte niet belangrijker is dan de ander.

Terwijl de revolutionairen in Frankrijk de macht overnamen, probeerden de Franse koning Lodewijk xvi en zijn vrouw Marie Antoinette met hun kinderen naar het buitenland te vluchten. Maar ze werden tegengehouden en opgesloten in een toren. Hun bedienden wisten te voorkomen dat de afgehakte hoofden van hun adellijke vrienden op stokken gespietst voor het raam verschenen. Zij sloten kies de gordijnen.[6] Maar Lodewijk xvi en Marie Antoinette begrepen wel dat het afgelopen was met de rechten die zij altijd aan hun geboorte hadden ontleend. In 1893 werden zij ook onthoofd. Hun oudste zoon, net als Willem Frederik van Oranje voorbestemd om zijn vader op te volgen, stierf een paar jaar later in een cel, tien jaar oud.

De taferelen in Frankrijk maakten de jonge Willem Frederik onzeker. Zijn vader, Willem v, moest niets van de Franse gelijkheidsidealen hebben. En hij leerde zijn oudste zoon ook om die ideeën te wantrouwen. In huize Van Oranje werd afkomst beschouwd als een prima criterium voor het aanwijzen van bestuurders, beter in ieder geval dan dat van de stem van het volk. Zeventien jaar oud was Willem Frederik, toen hij onder leiding van zijn privéleraar, de rechtsgeleerde Herman Tollius, in een opstel uiteenzette waarom een 'volksregering' tot niets anders zou leiden dan tot 'harde slavernij'. In democratische regeringen, schreef de prins van Oranje, maken gekozen leiders 'zich meester van de gedachten van het volk', om zich vervolgens te ontpoppen tot 'tiran'. (1)

Willem Frederiks vader had in Holland geen absolute macht, zoals de Bourbons in Frankrijk. Hij was 'maar' stadhouder en Holland was op het moment dat in Frankrijk de revolutie uitbrak, geen koninkrijk maar een republiek. Een bundeling van zeven zelfstandige gewesten waar een elite van rijke kooplieden de dienst uitmaakte.

Met die elite moest stadhouder Willem v de macht delen. Hij kon de gewesten niet zijn wil opleggen. Hij was eerder iemand die de boel een beetje bij elkaar hield, wat voor de altijd twijfelende Willem v trouwens nog een hele opgave was. Toch was hij het mikpunt van de groep Hollanders die, net als de revolutionairen in Frankrijk, in de republiek meer democratie nastreefde. Deze patriotten kregen na de nederlaag in de Vierde Engelse Oorlog (1780-1784) de wind in de rug, want stadhouder Willem v werd voor die nederlaag verantwoordelijk gehouden.[7] Hij leek ook te zeer op een koning om aan de antimonarchistische stemming in Europa te ontkomen. Zijn functie in de republiek was erfelijk, hij woonde in een paleis met wachten in uniform voor de poort en hij had een hofhouding, inclusief twee zwarte bedienden. Bruiloften en begrafenissen van het Huis van Oranje werden mede op kosten van de staat gehouden. De familie was door huwelijken ook lid van de internationale 'clan' die op grond van geboorte in Europa de dienst uitmaakte. Willem Frederiks vader was bijvoorbeeld getrouwd met Wilhelmina van Pruisen, wier broer sinds 1786 koning van Pruisen was. Zijn grootmoeder was de Engelse koningsdochter Anna van Hannover en zelf trouwde hij in 1790 ook weer met een prinses, een dochter van de Pruisische koning. In 1792 kreeg Willem Frederik een zoon, die ook weer Willem werd genoemd, in de overtuiging dat deze baby ooit stadhouder Willem VII zou worden. Maar in 1795 werd die planning verstoord door de eerdergenoemde inval van Franse revolutionaire legers. Gesteund door uitgeweken patriotten stormden zij Nederland binnen. Als de Oranjes hun hoofden niet wilden verliezen, zoals het Franse koninklijke paar, moesten ze op de vlucht. Op 8 januari 1795 brachten een paar Oranjegezinde vissers het stadhoudersgezin naar Engeland. Met de eerste boot vertrokken de moeder, de vrouw, en het jonge kind van Willem Frederik. (3) In de tweede boot zat Willem Frederik zelf, met zijn vader, Willem v.

1795-1809

Verdreven en berooid begon Willem Frederik in Engeland plannen voor de toekomst te maken. Met zijn moeder, want zijn vader was opgelucht van de bestuurlijke sores te zijn bevrijd. Het was nu toch wel duidelijk dat Willem Frederiks geboorte alleen niet meer genoeg was. Hij moest iets doén. Het liefst wilde hij naar Nederland terug, maar een mislukte Brits-Russische landing in de kop van Noord-Holland in 1799 boorde die hoop de grond in. Daarna vond hij een ander land ook goed. Om zo'n land te bemachtigen, moest hij wel een sterke uitvalsbasis hebben. Engeland was te anti-Frans in een wereld waar de Fransen inmiddels toch de dienst uitmaakten. Wie iets wilde bereiken, moest zich voegen naar de omstandigheden. De koning van Pruisen had dat ook ingezien; hij had zich inmiddels uit de anti-Napoleoncoalitie teruggetrokken. Dus leek het verstandiger om vanuit Pruisen te opereren. Willem Frederik en zijn gezin zouden daar met open armen worden ontvangen. De Pruisische koning was immers naaste familie, zowel via Willem Frederiks moeder als via zijn vrouw.

Willem Frederik keerde Engeland de rug toe en ging zijn geluk zoeken in Berlijn. Vanuit het Pruisische hof zette hij een volgende stap. Hij zocht beleefd contact met de Franse overwinnaar, Napoleon Bonaparte, die sinds 1799 de 'Eerste Consul' was van het nieuwe Frankrijk. Zijn vader kon het niet geloven. Je ging toch niet in gesprek met die Franse koningsmoordenaars? Je onderhandelde toch niet met zo'n parvenu, een omhooggevallen zoon van een advocaat uit Corsica, die door een beetje handig manoeuvreren met zijn legers pretenties had gekregen? De vader scheen niet te begrijpen dat er nieuwe tijden waren aangebroken, waarin rechten door geboorte nu eenmaal minder vanzelfsprekend waren. De zoon zag dat wel. Napoleon was inderdaad een nieuwkomer op het Europese toneel. Maar ja, redeneerde Willem Frederik: 'wat was dan onze eigen voorvader, Willem de Eerste, anders dan een rebel?'[8] Soms moest de voorzienigheid een handje worden geholpen.

Napoleon was niet erg onder de indruk van Willem Frederiks toenaderingspogingen. Hij maakte hem meteen duidelijk dat hij terugkeer naar Holland hoe dan ook kon vergeten. Maar hij wierp hem uiteindelijk toch een kluif toe. In ruil voor afstand van het stadhouderschap en de daarbij behorende Nederlandse domeinen, kreeg Willem Frederik in 1802 een paar gebieden in Midden-Duitsland, waarvan het belangrijkste het bisschoppelijke Fulda was.[9] Alles bij elkaar mocht hij over 110.000 nieuwe onderdanen heersen. Een fractie van de twee miljoen die hij in Nederland zou hebben gehad, maar hij was er dolgelukkig mee. Eindelijk echt regeren! Als vorst en vorstin traden Willem Frederik en zijn vrouw Wilhelmina van Pruisen toe tot het Duitse keizerrijk. De verloren band met Holland deed opeens een stuk minder pijn.

Het was van de buitenkant bezien inmiddels de vraag wat er eigenlijk nog Hollands was aan Willem Frederik en zijn familie. Bijna alles had hij te danken aan de koning van Pruisen, wiens bescherming de onderhandelingen met Napoleon mogelijk had gemaakt. Zonder zijn Pruisische moeder en vrouw was Willem Frederik nergens. En aan Holland had hij niets meer. Ook zijn vader en moeder kwamen het kanaal over; zij vestigden zich in het Slot Oranienstein in Nassau. Hun dochter, Louise, woonde sinds haar huwelijk ook al in het Duitse rijk. De kinderen van Willem Frederik – inmiddels twee zoons en een dochter – groeiden op aan het Pruisische hof, als Duitse prins(ess)en. Ze spraken geen Nederlands, maar Duits en Engels en de familie schreef elkaar in het Frans, de gangbare hoftaal. Alleen aan de letterlijke manier waarop zij Nederlandse uitdrukkingen vertaalden in het Frans was te merken dat het hart nog Nederlands klopte. Over een herstellende zieke schreven ze bijvoorbeeld dat hij 'de nouveau sur la jambe' was.[10]

Hoezeer de herinnering aan het vaderland was weggevaagd, bleek in 1804. Toen probeerde Willem Frederik met de hulp van de Franse staatsman Talleyrand, Nederland een enorme som geld afhandig te maken. Hij vond dat hij recht had op compensatie voor zijn verloren goederen en positie. Napoleon stak er op het laatste moment een stokje voor, maar de toon was er wel door gezet. Het was duidelijk dat populariteit in Holland voor Willem Frederik geen prioriteit meer had en dat zijn ambitie om daar ooit terug te keren, op een laag pitje stond. Hij richtte zich voortaan op Fulda. Zoals zijn moeder zijn jeugd had bestierd, zo bestierde Willem Frederik zijn nieuwe staatje. Met een portret van zijn oudoom, de Pruisische vorst Frederik de Grote, in zijn werkkamer. In Fulda kon Willem Frederik de vorst spelen die hij altijd had willen zijn. Hij sliep maar een paar uur per nacht, om zich met alles te kunnen bemoeien.

Maar na vier jaar regeren, raakte hij zijn nieuwe land weer kwijt.

Door zijn eigen schuld. In 1806 bereidde de koning van Pruisen, Frederik Willem iii, samen met Rusland een aanval voor op Napoleon. Die had, nadat hij de Oostenrijkse keizer bij Austerlitz had verslagen, in het Duitse gebied steeds meer macht gekregen. Willem Frederik besloot mee te doen met zijn Pruisische schoonfamilie. Hij gokte verkeerd: Pruisen leed bij de slag van Jena een verpletterende nederlaag, en Napoleon pakte Willem Frederik Fulda weer af, als straf voor zijn 'collaboratie'.

Als Willem Frederik niet helemaal buitenspel wilde komen te staan, zoals zijn vader, zat er maar één ding op: weer op de knieën bij Napoleon. Dus schreef hij hem een brief, waarin hij jammerde dat hij niet de baas over zijn eigen persoon was toen hij de wapens tegen hem had opgenomen; hij had geen keus gehad, de koninklijke familie van Pruisen was nu eenmaal zijn schoonfamilie. Mocht hij het goedmaken? Hij ondertekende met 'Uw zeer nederige en zeer gehoorzame dienaar, prins Willem van Oranje'.[11] Maar Napoleon had het wel gehad met de prins zonder land. Hij schreef honend terug dat hij liever iemand in Fulda had zitten die zichzelf wel de baas was. De volgende brieven van Willem Frederik liet hij onbeantwoord. Ook toen Willem Frederik in 1806 de dood van zijn toen nog enige dochter, de zesjarige Pauline, aangreep om opnieuw in de pen te klimmen. Kon Napoleon, nu zijn familie door zulk groot verdriet was getroffen, echt niet iets doen? (4) Er kwam geen reactie. De vernedering was groot, vooral omdat de koning van Pruisen door Willem Frederiks aanschurken tegen Napoleon inmiddels ook niets meer met hem te maken wilde hebben. In het najaar van 1807 gaf Willem Frederik het smeken op en vroeg hij of Napoleon dan tenminste zo vriendelijk wilde zijn om hem zijn wijn, zijn wapens en zijn meubels terug te geven. (5) Nu hij nergens meer vrienden leek te hebben, droop hij af naar de familielandgoederen in Posen en Silezië, zijn enige grote bezit. Daar restte hem niets dan zich verder te specialiseren in iets wat hij in Fulda ook al had gedaan: administreren. 'Een leven als schaapsherder lijkt misschien idyllisch,' schreef hij cynisch aan zijn zuster Louise, 'maar is dat niet, als je een naam hebt hoog te houden.'[12]

Die naam, Van Oranje, dreigde in de anonimiteit te verdwijnen. Toen in 1806 Willem Frederiks vader, de oude stadhouder Willem v, overleed, ging dat in Holland haast onopgemerkt voorbij. Daar gebeurde dat jaar iets belangrijkers: Holland kreeg voor het eerst een koning. Een Franse. Terwijl Willem Frederik de verantwoordelijkheid droeg over een kudde schapen, liet Napoleon zijn broer Lodewijk Napoleon de Hollandse troon beklimmen. Als onderdeel van zijn strategie om overal in Europa satellietkoningen neer te zetten. De nieuwe koning deed zijn best om Hollands te spreken, en noemde zich zodoende 'konijn van Holland'. Bijna alle aanzienlijke inwoners stelden zich gehoorzaam op tegenover deze sympathieke Fransman. Voor Willem Frederik zag de toekomst in Holland er somber uit.

Maar voor een leven als schaapsherder was Willem Frederik niet in de wieg gelegd, vond ook degene die aan die wieg had gestaan: zijn moeder Wilhelmina van Pruisen. In 1807 drong zij aan op een nieuwe ommezwaai van haar zoon, de zoveelste in twaalf jaar tijd. Hij moest zijn kaarten zetten op Engeland. Dáár gebeurde het. De Engelsen wilden samen met Oostenrijk Napoleon verdrijven. Als zij daarin zouden slagen, zouden zij de Oranjes vooruit kunnen helpen. Zelf zag Willem Frederik inmiddels ook hoe onverstandig het destijds was geweest om Engeland, de aartsvijand van het revolutionaire Frankrijk, de rug toe te keren. Zoals meestal, luisterde hij naar zijn moeder. Alleen vond hij het moment nog niet rijp om zelf naar Engeland te reizen, zo vlak na zijn geflirt met de verkeerde partij. Hij besloot een 'postiljon d'amour' te sturen: zijn charmante oudste zoon, prins Willem, inmiddels zeventien jaar oud. Hij kon gaan studeren in Oxford. Niet echt natuurlijk, hij zou er geen tentamens hoeven doen zoals de andere studenten. Maar hij zou er zíjn, en hij zou worden voorgesteld in de hoogste kringen, als ambassadeur van de Oranjes zonder land. Bij Willem Frederik en zijn moeder rijpte zelfs nog een ander plan: wie weet zou prins Willem zich kunnen verloven met Charlotte van Wales, de kleindochter van de Engelse koning. Als de Engelse plannen tegen Napoleon zouden slagen, zouden de Oranjes zo'n slechte partij nog niet zijn.

1809-1813

Na de militaire academie in Berlijn te hebben afgerond, vertrok de oudste zoon van Willem Frederik, prins Willem, in 1809 naar Oxford. Meer Duitser dan Hollander en de Angelsaksische cultuur volkomen vreemd, zat hij niet op die emigratie te wachten. Maar in zijn leven was het nu eenmaal zo dat hij moest doen wat zijn vader zei. Als ver familielid van de Engelse koning George III – zijn overgrootmoeder was de Engelse koningsdochter Anna van Hannover – werd de jonge Willem vriendelijk ontvangen aan het Britse hof. De Britse elite nodigde hem uit voor partijen en diners. Maar dat betekende niet dat zijn familie in Europa ook voor vol werd aangezien. Toen het Engelse leger in datzelfde jaar, 1809, een poging deed om Napoleon via Nederland aan te vallen, werd dat pijnlijk duidelijk. Niemand kwam zelfs maar op het idee om de Oranjes bij dat offensief te betrekken. Willem Frederik schreef dat hij 'zijn aanspraken op een herstel in Nederland behouden had', maar geloofde zelf nauwelijks in wat hij op papier zette.[13] In 1810 raakte Nederland ook zijn eigen koning Lodewijk kwijt en lijfde Napoleon het land in bij Frankrijk. Maar Willem Frederik begon steeds meer de hoop te koesteren dat er in Holland voor hem toch een toekomst was. Met de hem kenmerkende vasthoudendheid wurmde hij zich het politieke spel binnen. De ontwikkelingen op het slagveld hielpen hem daarbij. Napoleon ondernam in 1812 een veldtocht tegen Rusland, die succesvol begon maar desastreus eindigde. Napoleons vijanden, Rusland, Oostenrijk, Engeland en Pruisen, sloten zich daarna aaneen en dreven de Franse legers steeds verder Europa uit. Terwijl een overwinning dichterbij kwam, overlegden de Russische tsaar, de Oostenrijkse keizer, de Britse prins-regent en de Pruisische koning over de vraag hoe Europa er daarna uit moest gaan zien. Ze wilden in heel Europa sterke monarchieën vestigen om te voorkomen dat er in de toekomst weer een zoon van een advocaat zou opstaan die zichzelf tot keizer zou gaan kronen. Echte koningen moesten er komen, wier families 'recht' hadden om een kroon te dragen, net als zijzelf. En wie stond er te trappelen om in Holland deze last op zich te nemen? Willem Frederik. Zijn hoop op terugkeer naar Holland had gesluimerd, maar was nooit verdwenen. En als erfelijke stadhouder, prins en nazaat van Willem de Zwijger, was hij een goede, 'legitieme' kandidaat. De Engelsen begonnen dat zo langzamerhand wel in te zien.

Maar tot Willem Frederiks verontwaardiging ontdekten de Engelsen ook de kwaliteiten van zijn oudste zoon, prins Willem. Terwijl zijn vader in Duitsland brieven had zitten schrijven, had hij in Engeland feesten en partijen bezocht. Zo had hij zich populair gemaakt in de Engelse society, die hem veel beter beviel dan hij aanvankelijk had gedacht. De jonge prins Willem was buigzamer, jonger en charmanter dan zijn vader, die de reputatie had stug en onwrikbaar te zijn. En hij was nog dapper ook. De beroemde Engelse generaal Wellington, die hem meenam op veldtocht in Spanje, had niets dan lof voor zijn heldenmoed.[14] Voor vader Willem Frederik was dat des te wranger, omdat hij zelf nooit enige erkenning had gekregen voor zijn vergeefse pogingen om in 1795 de Fransen tegen te houden. Willem Frederiks plan om zijn zoon als hartenveroveraar vooruit te sturen, dreigde wat al te voortvarend te verlopen. 'De zoon is veel populairder in Holland,' schreef de minister van Oorlog Bathurst in april 1813 aan Wellington. 'Als enige actie moet worden ondernomen, is hij de persoon om daarheen te gaan, in plaats van zijn vader.'[15] Voor het eerst zag Willem Frederik zijn zoon als rivaal. Het zou niet voor het laatst zijn. Hij voelde geen vaderlijke trots, wel afgunst. Zagen ze in Engeland dan niet dat zijn zoon – hoe charmant ook – volledig onberekenbaar was? Zagen ze niet dat hij, Willem Frederik, met zijn behoedzame, planmatige aanpak veel geschikter was om Holland te besturen dan zijn impulsieve zoon?

Wellington kwam uiteindelijk inderdaad tot dat inzicht. Prins Willem miste voor het besturen van een land toch wel essentiële eigenschappen, schreef hij in mei 1813 aan de minister van Oorlog. Hij was zo onzeker en onervaren, dat er op bestuurlijk vlak 'niet veel van hem te verwachten' zou zijn, aldus de generaal.[16] Willem Frederik kon weer rustig slapen.

In 1813 leed Napoleon zijn grote nederlaag bij Leipzig. De overwinning van de geallieerden naderde. Willem Frederik achtte het moment rijp om nu zelf naar Engeland af te reizen. Zijn moeder adviseerde hem niet te hoog van de toren te blazen, maar zich nederig aan te bieden als instrument van de Engelsen.[17] Dat deed hij. Voor-

zichtig vroeg hij aan de minister van Buitenlandse Zaken, Castlereagh of hij straks, als Napoleon verdreven zou zijn, in Nederland
de regering zou mogen aanvaarden. De Engelsen zeiden geen ja en
geen nee. Terwijl bevrijdingstroepen Napoleons legers verder te-
rugdrongen, wachtte Willem Frederik af. Innerlijk ongeduldig maar
uiterlijk beheerst.

Aan het eind van het jaar waren de Fransen in Nederland weliswaar nog steeds de baas, maar niet lang meer, dat voelde iedereen.
Ook de Hollanders zelf. Wat moest er gebeuren als ze straks weg
waren? Een van de weinigen die tijdens het Franse bewind altijd
waren blijven geloven dat Oranje terug zou komen, was de vroegere
regent Gijsbert Karel van Hogendorp. Hij voelde dat zijn moment
daar was. Opeens vond hij gehoor voor zijn oude stokpaardje: terugkeer van de Oranjes. Andere oud-regenten zagen ook in dat de kans
om Oranje terug te krijgen, nu voor het grijpen lag. En alles was
beter dan door de grote mogendheden iemand in de maag gesplitst
te krijgen. Nu Rusland, Oostenrijk, Pruisen en Engeland de koers
bepaalden, was de terugkomst van Oranje de enige kans op 'eigen'
bestuur in Holland. Geen enkele andere Hollandse familie zou als
oppergezag geloofwaardig zijn.

De samenzwerende Hollandse elite ging op 17 november 1813
tot actie over. Die dag riepen Van Hogendorp, Frans Adam graaf
Van der Duyn van Maasdam en Leopold van Limburg Stirum, in
het openbaar een nieuwe regering uit. Namens het volk riepen zij
de prins van Oranje uit tot hoofd van die regering. Graaf Van Limburg Stirum en anderen trokken met oranjekokardes [versierselen]
in de hand door Den Haag. Het was een gok, het had fout kunnen
lopen, maar het volk bleek enthousiast. Het 'toverwoord Oranje'
werkte nog. De Nederlanders hadden zich weliswaar makkelijk aan
de Fransen aangepast, maar nu die aanstalten maakten om hun boel-
tje te pakken, kwam het enthousiasme voor Oranje als een duveltje
uit een doosje weer tevoorschijn. De Hollanders herinnerden zich
dat hun land al eens eerder door een Oranjeprins was gered van buitenlandse overheersing. Van de oude tegenstelling tussen Oranjege-
zinden en patriotten was nog maar weinig te merken. Leven met een
Franse koning en daarna keizer was gewoon een kwestie van aanpassen geweest.[18] In een emotionele wave werden overal oranje vlaggen

uitgestoken. Geïmponeerd door de plotselinge massale Oranjeliefde van de Hollanders gaf de Franse generaal in Den Haag zich zonder vechten over. Overal in de stad zag je vluchtende Franse soldaten. 'Nu hebben wij het in handen,' riep Van Limburg Stirum. 'Nu is het onze tijd.' Met een oranjekokarde op zijn hoed paradeerde hij door de straten van Den Haag. (6) Een Hollandse delegatie reisde met een brief van Van Hogendorp af naar Engeland om Willem Frederik naar Holland terug te halen.

Op het moment dat zijn droom leek te gaan uitkomen, liet Willem Frederik zien dat de jaren van ballingschap hem gewiekst hadden gemaakt. Hoewel hij niets liever wilde dan terugkeren naar Holland, reageerde hij lauw op het verzoek om het bestuur daar in handen te nemen. Hij liet zich smeken, zoals hij de afgelopen jaren zelf zo vaak bij anderen had gesmeekt. Hij beweerde dat hij niet naar Holland wilde komen, omdat hij 'niet boven de mensen verheven' wilde zijn.[19] Dat was opmerkelijk voor iemand die zich jarenlang het vuur uit de sloffen had gelopen om ergens chef te worden. Hij meende het ook niet, hij was aan het onderhandelen. Nu de Hollanders hun wens voor de Oranjes uitspraken, ging Willem Frederik zijn huid duur verkopen. Bovendien deed hij niets zonder toestemming van de Engelsen, zonder wie hij – dat zag hij inmiddels wel in – nergens was. Dus legde hij het verzoek eerst voor aan de Britse minister van Buitenlandse Zaken, in de stille overtuiging dat die gunstig zou beslissen. Inderdaad mocht hij van de Engelsen meteen naar Holland afreizen. Op 30 november 1813 kwam prins Willem Frederik in Scheveningen aan, ongeveer op dezelfde plek waar hij negentien jaar eerder was vertrokken. Daar werd hij overrompeld. Het land waar hij ooit uit was verjaagd, was een warm Oranjebad geworden.

1813-1815

Maar dit was niet het moment om zich door ontroering van zijn stuk te laten brengen. Nu Willem Frederik eindelijk leek te gaan krijgen waar hij al die jaren voor had gevochten, moest hij zijn hoofd erbij houden. Vooruitdenken. In deze situatie kon iedere stap een verkeerde zijn. Van de Hollanders wist Willem Frederik één ding: ze hielden niet van machthebbers. Dus was het belangrijk dat hij zich bescheiden opstelde. Wie bescheidenheid wist uit te stralen, kon in Holland veel bereiken. Willem Frederik voelde dat als hij weinig zou vragen, hij veel zou kunnen krijgen. Wat dat betreft had hij met zijn geboorte toch een streepje voor: zijn familie had eeuwenlange ervaring met de complexe verhouding die Hollanders hadden met hun bestuurders. Zijn vader Willem v had de volksmentaliteit in 1799 als volgt beschreven: 'Ze laten zich nog eerder despotisch regeren door de invloed van een stadhouder, dan dat ze hem soevereine rechten geven.'[20] Met deze wijsheid in het achterhoofd, raakte Willem i in de eerste maanden van 1814 met het Nederlandse volk verwikkeld in een 'strijd in edelmoedigheid over wie de minste macht zal krijgen', zoals zijn zuster Louise het formuleerde. (14) Terwijl het volk riep dat hij koning moest worden, wilde Willem Frederik zichzelf aanvankelijk alleen maar 'soeverein' noemen. Voor hij aan de wens van het volk kon voldoen, wilde hij dat er een grondwet kwam, een contract tussen volk en vorst, als bewijs van zijn nederigheid en waarborg tegen machtsmisbruik.[21] Dat was precies de juiste toon. Vanaf nu ging alles vanzelf. Het paleis op de Dam, dat door Lodewijk Napoleon als koninklijk paleis was gebruikt toen hij Amsterdam in 1806 tot hoofdstad maakte, werd Willem i cadeau gedaan door het stadsbestuur. Omdat, zo schreef zijn zuster Louise, iedereen 'zo blij was de familie op de een of andere manier binnen de muren' te hebben. Op het inkomen van de vorst werd ook niet beknibbeld: een twintigste van het nationale budget werd hem toegezegd. Volgens sommigen, onder wie Van Hogendorp, was dat wel erg veel. (17) Zo ging het ook met Willem Frederiks macht. Om die legitiem te maken, liet hij zeshonderd notabelen stemmen over de door Van Hogendorp c.s. geschreven grondwet. Daarna gaf hij alle gezinshoofden (veroordeelden en bankbreukigen uitgezonderd) de gelegenheid om in een register een oordeel te geven over de samenstelling van deze grote vergadering van notabelen. 'Ja', 'nee' of 'idioot' mochten ze achter de namen invullen.[22] Het plan verliep precies zoals Willem Frederik het had uitgestippeld. De overgrote meerderheid van notabelen én volk, onder de indruk van zijn ongehoord democratische aanpak, was het onmiddellijk eens met alles wat de soeverein voorstelde. De vergadering werd goedgekeurd, de nieuwe grondwet werd aangenomen. Willem Frederik kon voort. En de Nederlanders legden zich, in de woorden van de historicus Johan Huizinga, 'rustig te slapen onder de oranjeboom'.

Achter de schermen bleek algauw dat Willem Frederik helemaal niet zo democratisch was. Hij wilde regeren zoals hij in Fulda had geregeerd, het land dat zijn 'vorstelijke leerschool' was geweest.[23] Het hele landsbestuur wilde hij beheersen, tot in de kleinste details. (20) De totalitaire macht van zowel zijn Pruisische zwager als zijn Franse kwelgeest Napoleon was voor hem een bron van inspiratie geweest. En Lodewijk Napoleon, de vorige koning van Holland, die tot 1810 had geregeerd, had het bestuurlijke voorwerk gedaan door in de vroegere republiek een centraal koninklijk gezag te vestigen.

Vanaf het begin hield Willem Frederik personen die zijn ambitie in de weg zouden kunnen staan, op afstand. Daaronder viel bijvoorbeeld de architect van zijn terugkeer: Gijsbert Karel van Hogendorp. Toen de prins nog in Engeland zat, had Van Hogendorp in stilte gewerkt aan een grondwet die het fundament moest gaan vormen voor het nieuwe Oranjebestuur. Juist omdat Willem Frederik veel aan Van Hogendorp te danken had, leek het hem verstandig deze oude regent niet te veel eer te geven. Van Hogendorp moest zich niet verbeelden dat Willem Frederik hem nodig had. Dat had hij al meteen duidelijk gemaakt op de dag van zijn landing in Scheveningen. Hij was toen niet onmiddellijk naar Van Hogendorps woning gesneld om hem te bedanken voor zijn inspanningen. Hij had de trouwe Oranjeaanhanger, door jicht aan huis gekluisterd, laten wachten. Tot diens groeiende verontwaardiging. Pas tegen de avond had Willem Frederik bij Van Hogendorp aangeklopt. Beleefd, niet hartelijk. Hij was zijn weldoener niet in de armen gevlogen, hij had zelfs zijn hand niet naar hem uitgestoken, maar hem de hand pas geschud toen Van Hogendorp de zijne nadrukkelijk uitstak. (9) Toen Willem Frederik een paar maanden later werd ingehuldigd als soeverein vorst, wist hij Van Hogendorp ook weer op afstand te houden. De gehandicapte Van Hogendorp vroeg de prins of hij de nacht voor de inhuldiging in het paleis op de Dam – het cadeau van het volk aan de prins – mocht overnachten, dat zou het voor hem een stuk gemakkelijker maken. Helaas, antwoordde Willem Frederik: dat ging niet. Van Hogendorp vertikte het vervolgens om een hotel te nemen. Dus, op de dag dat Willem Frederik als vorst werd beedigd, huilden 'grijsaards' tranen van blijdschap (15), maar zat Van Hogendorp thuis.[24] In de loop van de volgende jaren betreurde hij het steeds meer dat hij Willem Frederiks terugkomst had bepleit.

De nieuwe vorst richtte zijn bestuur zo in, dat hij en hij alleen het voor het zeggen had. Daarin werd hij gesteund door de grote mogendheden die een zo sterk mogelijk monarchaal gezag in Nederland wilden. De herinnering aan de zwakke stadhouder Willem V lag nog vers in het geheugen. Pruisen had door diens geschipper in het verleden veel werk gehad aan Holland. 'Hoe beperkter en zwakker dit gezag is, des te meer moeten wij iedere keer te hulp schieten,' hield de ambassadeur van dat land zijn thuisfront voor. (13) Ook de Engelsen vonden dat de nieuwe soeverein een sterke uitvoerende macht moest krijgen en de Russische tsaar kon zich bij een vorst überhaupt niets anders voorstellen dan iemand met een ijzeren vuist.

Willem Frederik had de wind in de zeilen. Voor zijn bestuur had hij alleen nog personen nodig die konden helpen om de dingen die hij bedacht, in beweging te brengen. En die waren er. De emotie over de terugkomst van 'vader' Willem voedde het besef dat God de Oranjes had voorbestemd om Nederland te regeren. Jonge intellectuelen verlangden zelfs terug naar de tijd van vóór de Franse Revolutie, toen geboorterecht belangrijker werd gevonden dan maatschappelijke verdragen.[25] 'Eerbiedigen wij onze vorst, niet alsof zijn macht van ons, maar omdat zij van de hemel is,' schreef Isaac da Costa.[26] Van Hogendorp dacht daar anders over. Hij was een groot liefhebber van het Oranjehuis, maar geloofde toch meer in zijn grondwet dan in de goddelijke bevoegdheden van Willem Frederik. Die liet hem de grondwet weliswaar uitwerken, en gaf hem in de nieuwe regering de ministerspost van Buitenlandse Zaken, maar maande hem verder om zijn mond te houden. Zodra Van Hogendorp openlijk kritiek had op Willem Frederiks beleid, werd hij diens regering uit gewerkt. Later, in 1819, nam koning Willem I, zoals Willem Frederik vanaf 1815 heette, Van Hogendorp ook de eretitel 'minister van Staat' af.[27]

Willem I deed het liefst alles zelf. Volgens de grondwet moesten wetten worden gemaakt in overleg met het parlement. Maar besluiten kon de koning zelf nemen. Dus deed hij dat. Zijn parlement stelde hij zelf samen, zoals hij ook zijn ministers zelf koos en benoemde. Die ministers zag hij als veredelde ambtenaren.

Toch doet het beeld van 'despoot' dat van Willem I vaak is geschilderd, hem geen recht.[28] Persoonlijk woog de verantwoordelijkheid van het koningschap, calvinist als Willem I was, hem zwaar. Hij wilde voor Nederland de vader zijn die hij zelf had gemist: de sterke man die zijn kinderen beschermt. Vlak na zijn terugkomst zei Willem Frederik letterlijk dat hij tijdens zijn afwezigheid van het Nederlandse volk was blijven houden, als 'een vader te midden van zijn huisgezin'.[29] Die functieopvatting schepte verplichtingen. Willem I wilde weliswaar alléén besturen, maar niet zonder zich te interesseren voor wat het algemeen belang van hem vorderde. Niet vorstelijke willekeur, maar politieke afweging kenmerkte zijn beleid.[30] Iedere woensdagmorgen hield hij audiëntie in zijn paleis. Al zijn onderdanen, rijk of arm, mochten hem dan komen vertellen wat zij op hun lever hadden. (21) Misschien vergat hij alles daarna ook meteen weer, maar veel mensen voelden zich geholpen door zijn aandacht. De vaderlijke benadering van Willem I was in het begin succesvol. Bij impopulaire overheidsmaatregelen gaf het volk de ministers de schuld. De koning werd vrijgepleit, die zou er vast niets van geweten hebben. Hij zou 'als een vader in vele grieven zijn kinderen voorzien en die wegnemen, als ze hem bekend waren'.[31]

Het gewone volk mocht vaker in het paleis komen dan het had gedacht, maar de elite juist minder vaak. Willem I maakte van zijn hof geen stralend societycentrum waar bevoorrechten konden komen drinken en dansen, zoals zijn buitenlandse collega's wel deden. Willem Frederik noch zijn vrouw Wilhelmina waren feestneuzen. Ze vonden alles ook al snel te duur. Engelse hoge gasten vonden de sobere ontvangsten in Den Haag vaak teleurstellend. (18, 19) Maar voor veel Hollanders was het een geruststelling dat hun koning zuinig aan deed.

Ooggetuigen

I VOLKSREGERING

18 april 1788

WILLEM FREDERIK, PRINS VAN ORANJE

Stadhouderszoon prins Willem Frederik, later Willem I, beschrijft als ze-ventienjarige de gevaren van democratie.

Het beste dat een jong vorst kan doen om zich te kunnen strelen met de gedachte dat hij in staat zal zijn tot het voeren van een voorspoedig bewind, mocht hij daartoe worden geroepen, is zich de behoorlijke kundigheid eigen te maken van alles wat tot het vervullen van zijn plicht behoort.

Alles wat hem daarvan afhoudt moet hij zorgvuldig afkappen: ijdele vermaken, voordelen, vleierij. Hij moet de constitutie van het land en de geaardheid van het volk goed leren kennen. Hij moet zich alle vorstelijke deugden eigen maken, te weten: godsvrucht, rechtvaardigheid en billijkheid, dapperheid, geheimhouding, voorzichtigheid, goedheid en weldadigheid. Dat laatste zonder verkwisting, een zeer gevaarlijke ondeugd.

De nadelen van de democratie of volksregering zijn dat daarbij de toestemming van een groot aantal mensen nodig is. Dat maakt het zeer moeilijk om a. geheimhouding te garanderen en b. tot verstandige besluiten te komen. Een volksregering biedt een al te grote vrijheid, die zeer dikwijls in een harde slavernij verandert omdat er meestal iemand opstaat die zich meester maakt van de gedachten van het volk, en zich door zijn invloed over dat volk vervolgens tot tiran ontwikkelt. In een volksregering zijn er altijd enkele demagogen die zo veel invloed op het volk hebben, dat dit alles doet wat zij goed vinden en dus zijn die demagogen (...) tirannen. Zo worden volksregeringen algauw de ergste aristocratische tirannieën.

2 STUDIEPLAN

1789

WILHELMINA, PRINSES VAN PRUISEN

Prinses Wilhelmina stelt een strikt dagprogramma samen voor haar oudste zoon Willem Frederik als hij in 1789 gaat studeren in Leiden.

Zijn verblijf daar zal kort zijn, hij moet ieder moment zoveel mogelijk benutten, zonder zijn gezondheid te schaden, en zonder hem een afkeer te bezorgen van de eindeloos interessante onderwerpen, waarvan hij meer en meer het belang zal voelen naarmate hij ouder wordt.

Hij zou in alle vroegte moeten opstaan en altijd voor elven naar bed moeten gaan. De hele ochtend (uitgezonderd twee uur bestemd om zijn toilet te maken en het doen van enkele lichaamsoefeningen) zou besteed moeten worden aan de studie, hij zou drie privécolleges moeten hebben van professoren en zou een uur moeten werken met mr. De Stamford.

Hij zou om 2 uur moeten eten en vaak drie of vier personen moeten uitnodigen aan tafel, nooit meer tegelijk. Gedurende twee uur in de avond, zou hij de colleges van de ochtend moeten repeteren met mijnheer Tollius. Twee keer per week zou hij een aantal uur per avond moeten gebruiken voor de studie der fysica.

Hij zou ook twee keer per week 's avonds moeten uitgaan, als de gelegenheid zich voordoet, nooit vaker. Iedere vijftien dagen zou hij ons moeten komen bezoeken in Den Haag, te weten twee zaterdagen, en hij zou moeten blijven tot zondag tegen de avond of tot maandagmorgen. De zaterdag dat hij hier komt, zou ik willen dat hij de studie van de Oudheid opneemt die hij is begonnen met mr. Hemsterhuis en waarmee hij mooie vooruitgang heeft geboekt. De zaterdag dat hij in Leiden blijft, zou hoofdzakelijk gebruikt moeten worden voor de herhaling van de studie van die week.

3 BOOTTOCHT

1795

EEN ANONIEME VISSERSZOON, SCHEEPSJONGEN OP DE
VLUCHTBOOT VAN DE ORANJES

Franse legers zijn Nederland binnengevallen. Prinses Wilhelmina en haar schoondochter Mimi vluchten met de kleine prins Willem naar Engeland. Stadhouder Willem v en zijn oudste zoon prins Willem Frederik volgen een boot later.

We vertrokken ongeveer om twaalf uur. De hemel begunstigde onze tocht. De baker liet de kleine vluchteling met balletjes spelen. De prinsessen waren zeeziek, doordat zij in lange tijd niet gegeten en gedronken hadden. Mijn broer vroeg om de kleine eens te mogen kussen, wat hij van de prinsessen wel doen mocht. Het was een lief jongetje en het huilde bijna niet. Intussen voeren we gestadig verder. In de nacht hadden mijn vader, stuurman op een van de ons vergezellende pinken, en mijn oom, ook stuurman, mekaar praaiende, het volgende gesprek. Oom riep hem toe: 'Wat is het toch goed weer bij onze overtocht, al vriest het dan ook!'

'Ja,' antwoordde vader, 'daarachter werken ze voor ons', daarmee doelende op de gebeden die door de vromen in ons land voor onze veilige overtocht werden uitgestort, aangezien het vóór onze reis nogal ruw weer was.

Ik heb toen, nog maar een jongen van zestien jaar zijnde, de bierpap van ons kleine prinsje gewarmd in heet water. Het overige van de pap heb ik met nog een matroos tijdens de overtocht zelf maar opgegeten! De volgende dag zagen we Yarmouth voor ons. Zonder ongelukken kwamen wij daar behouden op de rede aan. Een sloep voer de andere schuiten voorbij en roeide op onze pink af, om de vorstelijke personen over te nemen. Toen wij de kleine Willem boven op het dek aangaven, loste een schip vóór de haven zijn geschut en nooit vergeet ik het geroep van de kleine Willem: 'Baker, baker!' De saluutschoten bezorgden het jongetje dus een kleine schrik, al was hij er gauw overheen. Nooit had ik kunnen denken, dat die kleine prins zulk een held zou worden. En dat ik uit zijn handen la-ter niet alleen een koninklijke gratificatie zou ontvangen, maar ook, op mijn 67ste jaar, een jaarlijks pensioen, als de enig overgeblevene van de pink, waarmee hij naar Engeland werd overgebracht. Om nu tot mijn verhaal terug te keren, moet ik ook even vastleggen, dat ik nooit het aandoenlijke en vriendelijke karakter van de prinsessen zal vergeten, in het bijzonder dat van de moeder van onze kleine, die het kind, wanneer zij het moest overreiken, telkens in de goede zor-gen der vissers aanbeval. Ook vergeet ik niet haar warme afscheid van ons, ze boog en zwaaide naar ons zolang het kon.

In Yarmouth kregen wij vele bezoeken van aanzienlijke Engel-sen om het kleine vaartuig te zien, waarmee de vorstelijke personen waren overgebracht. Binnen het etmaal waren we over en dankten God voor Zijn bescherming.

Nadat we een tijdje in Engeland waren geweest, keerden we naar Holland terug, met vrees en angst in het hart. Aangezien ons land toen al met Fransen overstroomd was, wisten we immers niet wat er met ons zou gebeuren. Toen we het vaderland naderden, beurde ik mijn medeschepelingen op, door hen op het draaien van de mo-lens te wijzen. Dat leek een goed teken, het wees erop dat niet alles verwoest was. En dat bleek ook zo te zijn. Maar aan land gekomen, zagen we de vlag omgekeerd, ons land ingenomen en bezet en ons afhankelijk van de Fransen gemaakt. Onze stuurlieden werden door de nieuwe regering op het matje geroepen en gevraagd waarom we ons tot zo'n stoute en, zoals men meende, ongeoorloofde tocht hadden laten bewegen. Het antwoord van onze mannen was heel vrijmoedig. Het luidde: 'Onze overheid gaf ons bevel haar over te voeren. Als u ons beveelt hetzelfde morgen met u te doen, nu u onze overheid bent geworden, nou, dan zijn we daartoe bereid.' En dit laatste meenden ze uit de grond van hun hart!

4 SMEEKBEDE

23 december 1806

WILLEM FREDERIK, PRINS VAN ORANJE

Aan Napoleon, keizer der Fransen

Prins Willem Frederik is het vorstendom Fulda dat hij van Napoleon een paar jaar mocht regeren, kwijtgeraakt. En nu is ook zijn zesjarig dochterje Pauline overleden. Zou Napoleon in het licht daarvan eindelijk over zijn hart willen strijken?

Sire! Na het ongeluk van allerlei aard dat sinds enige tijd mijn huis heeft geteisterd, heb ik zojuist een verlies geleden dat mij stort in het allerdiepste verdriet. Mijn dochter de prinses Pauline is vorige nacht overleden in de leeftijd van zes jaar en ongeveer tien maanden. Ik neem de respectvolle vrijheid om Uwe majesteit van deze zo trieste gebeurtenis in kennis te stellen. (...) Ik grijp met nadruk deze gelegenheid aan om u te herinneren aan de belangen van mijn huis, ik heb de eer ze aan te bieden aan uw zeer machtige bescherming, hopende op haar zegening, dat zij de bitterheid van het lot dat ons treft, moge verzachten. Ik heb de eer om te verblijven met het allerdiepste respect,

De zeer nederige en zeer gehoorzame dienaar, WF prins van Oranje

5 WIJN EN MEUBELS

27 september 1807

WILLEM FREDERIK, PRINS VAN ORANJE

Aan mr. Darne, adviseur van Staat en intendant van het Franse leger

Napoleon antwoordt steeds maar niet op Willem Frederiks brieven. Dus gooit hij het over een andere boeg.

Mijnheer! De prinses mijn echtgenote en ik hebben al diverse malen de respectvolle vrijheid genomen om Zijne Majesteit de Keizer en Koning te vragen akkoord te willen gaan met de teruggave van staten en eigendommen die bij de laatste oorlog zijn verloren. Onze laatste brieven zijn tot op heden niet beantwoord. Deze stilte doet ons vrezen dat de intenties van Uwe Majesteit ongunstig zijn voor het Huis van Oranje. Echter de overweging dat u nog niet over mijn staten hebt beschikt en dat u zich over de bestemming van meerdere andere provincies die door de vredesverdragen van Tilsit aan u zijn afgestaan nog niet hebt uitgesproken, staat mij toe de hoop te behouden dat de keizer het nog goed zal vinden om het lot van mijn huis gunstig te schikken en dat wij hem de dankbaarheid kunnen geven die wij hem schuldig zouden willen zijn. Wat ook de beslissing van Uwe Majesteit betreffende het Huis van Oranje zal zijn, ik ben ervan overtuigd dat zijn bedoeling niet is geweest individuen hun privé-eigendommen te ontnemen. Ik neem als gevolg de vrijheid om diegene terug te vorderen van de prinses mijn echtgenote, mijn kinderen en de mijne, en Uwe Excellentie te vragen de nodige orders te geven zodat ons meubilair, mijn bibliotheek, en de wijnen die zich in verschillende kelders bevinden, zullen worden afgegeven aan de persoon die wij zullen machtigen om deze in onze naam te ontvangen. Ik ben geïnformeerd dat het meubilair zich niet meer in de staat bevindt waarin het zich bevond tijdens de bezetting van het land van Fulda. Ik begrijp de moeilijkheden die er zullen zijn om het compleet te maken en beperk daarom mijn vorderingen tot de spullen die nog in de kastelen zijn of makkelijk teruggevonden kunnen worden. Ik meen niettemin te kunnen insisteren op de teruggave van de wapens van de fabriek van Versailles die Uwe Majesteit mij cadeau heeft willen doen, en die zich onder de ontbrekende spullen bevinden. Ik heb ze altijd beschouwd als een teken van de dierbare goedheden van de keizer en ik hecht een te grote waarde aan hun bezit om ze niet speciaal terug te vorderen. Ik vlei mij met de gedachte dat in het geval dat Uwe Excellentie niet gemachtigd meent te zijn om mijn eisen in te willigen, u de goedheid zal hebben ze voor te leggen aan zм de Keizer en Koning. Ik ben ervan verzekerd een gunstige beslissing te krijgen als Uwe Excellentie ze zou willen ondersteunen. Ik durf u daarom te vragen, evenals ik overtuigd ben van de dankbaarheid die ik daarvoor tegenover u zou voelen.

De zeer nederige en zeer gehoorzame dienaar G.F. pr. d'Orange.

6 VLIEGEND VAANDEL

20 november 1813

GIJSBERT KAREL VAN HOGENDORP, GRONDLEGGER VAN HET
KONINKRIJK DER NEDERLANDEN

Negentien jaar na de vlucht uit Nederland krijgt Willem Frederik een nieuwe kans. Vooraanstaande orangisten plegen een coup en het 'toverwoord oranje' blijkt nog te werken.

'Nu hebben wij het in handen,' zei Graaf van Stirum, 'nu is het onze tijd.' (...) Hij nam een oranjekokarde uit de hand van mijn oudste dochter, en stapte met dit sein op de hoed mijn huis uit. Hij was bezield van een edele geestdrift; iedereen gehoorzaamde op zijn wenken; met slaande trom en vliegend vaandel trok hij Den Haag door, onder het uitroepen van de Prins van Oranje en het afkondigen der Publicatie. Van alle kanten kwam de Oranjekleur voor de dag, en Den Haag vlagde als bij een overwinning. De [Franse] prefect hield zich schuil in zijn huis tot 2 uur, totdat de vlag van de toren waaide; toen vluchtte hij door een achterweg, op een paard van de gardes d'honneur. De vlag was uitgestoken op de toren op last van de burgemeesters van 1795, de Heren Slicher, 't Hoen en Bachman, die met een bewonderenswaardige koelbloedigheid hun stoelen hadden ingenomen, waar zij negentien jaar geleden uit gejaagd waren. Het denkbeeld was algemeen: de Fransen verlaten ons en er moet een regering zijn. Inmiddels hield het [Franse] garnizoen zich stil en de generaal Bouvier kwam de optocht van de graaf Van Stirum bekijken, wat hem slecht zou zijn bekomen, als die niet alle mishandeling had verboden. Mijn vrienden stroomden algauw naar me toe, en kregen een oproep aan alle oud-regenten van 1795, om de volgende dag bij mij te vergaderen. De heer Van der Duyn, die al in april te voren gereed gestaan had, was de eerste, met een grote oranjekokarde op de hoed. Vanaf nu werd mijn huis het middelpunt van alle activiteit, en ik stond iedereen te woord, om bij iedereen de goede gezindheid en de moed erin te houden. (...) De [Franse] macht was door de [Franse] generaal verzameld op het Binnenhof, als op een citadel, vanwaar hij leiding gaf. (...) Wij onderhielden het leven op straat en zetten posten uit rondom het Binnenhof. Laat in de avond kwam er een hoop volk onder mijn ramen voorbij, zingende 'die Hogendorp is een meesterknaap'. Maar ik nam het compliment niet aan, zolang als het Franse garnizoen niet opgeruimd was. Eindelijk verzocht de Franse generaal om met de graaf Van Stirum en de commandant der nationale garde te spreken. Bevrijd van het Franse bewind en zijn gewapende macht, kon ik mij nu geheel aan het opzetten van een regering overgeven.

7 PRINS AAN DE WAL

30 november 1813

ANONIEM, TEKENEND MET T.T.

Aan freule le Leu de Wilhelm

De Scheveninger Jacobus Pronk, die de Oranjes in 1795 had geholpen bij hun vlucht naar Engeland, bereidt negentien jaar later Willem Frederiks terugkomst voor.

Pronk ontving diezelfde avond een order dat dadelijk een schuit in gereedheid moest gebracht worden voor een zeker iemand. Onder het lezen kwam zijn dochter binnen, zag hem het hoofd schudden en hoorde hem zuchten, liep naar haar moeder en vroeg: 'moederlief, wat houdt die brief in die vader per expres kreeg? Hij las, schudde zijn hoofd en zuchtte. Er moeten problemen zijn, ga naar vader toe, moederlief.' Zijn vrouw vervoegde zich bij hem en vroeg: 'Pronk, is het goede tijding?' 'Ja,' zei hij. 'Ach, laat mij het zien,' zei ze. 'Gij kunt de brief niet lezen,' antwoordde hij, 'het is lopend en te onduidelijk geschreven. Laat het grootste paard opzadelen, ik moet eens naar Den Haag.' Zij vroeg hem vervolgens de reden van het zuchten en hoofdschudden toen hij de brief las, en of hij dreigend gevaar voor haar wilde verbergen. Hij ontkende, vervolgens stijgt hij te paard, snelde naar Den Haag, kwam bij zijn vrienden. (...)

De heer Fagel, die op een der schepen was, stapte aan wal, fluisterde Pronk in het oor dat zich op een der schepen die gearriveerd waren, de prins bevond en het teken was, wanneer de prins voor de wal kwam, dat Pronk zijn zoon met een oranje vlag om het lijf gebonden naar de gouverneur en de heer Hogendorp zou zenden. Dat werd dadelijk door Pronk bewerkstelligd. Zijn zoon snelde naar Den Haag en beweerde van Scheveningen tot het huis van de gouverneur in acht minuten gereden te hebben. Dit gaf een ontzaglijke oploop, alles wat maar leven had, kwam op de been omdat Pronks zoon zo hard reed waarbij hij de oranje vlag liet wapperen. Hij vertoonde veel vreugde en blijdschap. Hij sprong van het paard, drong met veel moeite door de menigte naar het huis van de gouverneur en bracht hem de heugelijke tijding: 'Wat ik om heb is het teken dat u met mijn vader hebt afgesproken. De prins is voor de wal en daar worden toebereidselen gemaakt om hem met een sloep aan wal te zetten.' 'Waar is uw brief van uw vader?' vroeg de gouverneur aan de zoon. 'Dit is het teken,' antwoordde hij (wijzende op de vlag) dat u, hoogedelwelgeborene, met mijn vader heeft afgesproken en als ik u misleiden mocht, leg dan mijn hoofd voor mijn voeten.' (...) De zoon van Pronk, naar buiten gaande, sprak aldus: 'Vrienden! Ik heb de aangename tijding gebracht dat de prins op dit moment te Scheveningen gearriveerd is.' Dit werd beantwoord met een vreugdegeschreeuw waar de lucht van weergalmde, vervolgens ging hij deze tijding bij de heer Van Hogendorp en aan meerdere lieden brengen. (...) De heer Fagel kwam ook rennende aan, verzekerde de echtheid van de gebrachte tijding.

Het was op de 30ste november dat een grote sloep van een oorlogsschip aankwam in welke de prins was. Pronk zond dadelijk weer rapport. (...) Pronk ordonneerde aan 24 van de knapste en bekwaamste zeelieden die er te krijgen waren, hun leren broeken aan te trekken om de boot recht te houden zodra hij landroering deed, en vier boerenwagens van Scheveningen te laten komen. Terwijl de boot aan land werd gezet, liep het volk in zee, zelfs zij die niet voorzien waren van leren broeken, en men was zeer bevreesd voor ongelukken. Pronk trok van leer, en dreigde het volk dat wanorde veroorzaakte. Dit alles mocht niet baten, hij wenkte toen hij met het paard in zee bij en omtrent de boot stond, een wagen van de voerman A. van Duijn, die de zee in kwam. Pronk zei: 'Rijd zo naar de boot dat de prins uit de sloep op uw wagen stappen kan, want het volk blijft hem aan het lichaam hangen en anders komen gewis ongelukken.' Dat gedaan zijnde, liep alles naar wens af, de prins stapte op de wagen, en gaf zijn tevredenheid te kennen aan de Scheveningse inwoners over de betoonde ijver en welwillendheid. Pronk leidde zijn koninklijke hoogheid naar een der aanzienlijkste huizen van het dorp, waar enige verversing klaarstond. Intussen zorgde hij voor een rijtuig, waar de vorst instapte om de reis naar 's-Gravenhage te ondernemen, wat zeer langzaam te werk ging.

WILLEM I

8 ONBEKENDE ORANJETELG

30 november 1813

EEN ANONIEME HOGE BEAMBTE

De Oranjes zijn zo lang uit Nederland weggeweest, dat het volk met de aangekondigde komst van Willem Frederik in Den Haag niet precies weet wíe er komt.

Op de 30ste van die maand tegen de middag, stapte prins Willem Frederik te Scheveningen aan wal, nagenoeg op dezelfde plek waar hij bijna negentien jaar eerder met zijn ouders en de overige leden van zijn familie de pink beklommen had, die hem naar het oord van zijn ballingschap zou wegvoeren. Het vissersdorp zag op dat ogenblik een nog veel talrijker en natuurlijk veel woeliger en luidruchtiger volksmenigte op het strand en de duinen verenigd, dan op die treurige januarimorgen van 1795. De weg naar Den Haag, de toppen van de bomen, de straten van de residentie, de daken zelfs van de huizen waren zwart van mensen, die de zo lang gesmoorde Oranjekreet aanhieven. (...) Pas toen hij [de prins] zich op het balkon van de woning op de Kneuterdijk, waar hij afgestapt was, vertoonde en rondom hem een storm van toejuichingen losbarstte, die wellicht nooit geëvenaard is, trad hij een paar schreden terug en wendde het hoofd, als door zijn gevoel overstelpt, ter zijde. Net zoals in Frankrijk het volk bij de terugkomst van de Bourbons de bijzondere vorsten uit die familie bijna was vergeten, zo bestond ook bij de grote menigte in Holland – ik spreek natuurlijk niet van de meer beschaafde klassen – weinig bekendheid met de tegenwoordige leden van het Oranjehuis. Men wist dat de oude prins [de laatste stadhouder Willem v] enkele jaren eerder overleden was, en had misschien een flauwe herinnering aan nog andere sterfgevallen, zoals van zijn jongste zoon en schoonzoon, maar was verder weinig meer met de familie bekend. Vandaar dan ook, dat toen het volk vóór de verschijning van de prins, het oude reeds uit de zeventiende eeuw van de minderjarigheid van Willem III dagtekenende liedje aanhief: 'Al is ons prinsje nog zo klein' enz., sommigen werkelijk in de waan

42

verkeerden, dat de komst van een nog zeer jeugdige Oranjetelg tegemoet werd gezien.

9 WACHTEN OP DE PRINS

30 november 1813

GIJSBERT KAREL VAN HOGENDORP, GRONDLEGGER VAN HET
KONINKRIJK DER NEDERLANDEN

*Na de landing in Scheveningen laat prins Willem Frederik de man die
zijn terugkeer heeft bewerkstelligd, lang wachten.*

Zo vergingen twee dagen, toen op de tiende dag van onze regering,
30 november, terwijl ik aan tafel zat, het gerucht kwam, dat de prins
voor de wal lag. (...) Het vooruitzicht nog diezelfde avond de prins te
zien, verwekte een levendig gevoel in mijn hart. (...) Aan de andere
kant was ik letterlijk uitgeput; sedert enige dagen had ik podagra
[jicht] en ik hield het huis; zodat het wenselijk werd, dat de juiste
Baas de teugels in handen nam.

De prins kwam en ging met de graaf Van Stirum naar huis om er
te eten. Ik wachtte lang, door het podagra aan mijn stoel geklonken,
en er was niemand bij mij. Naderhand zei mij de heer Van der Duyn,
dat hij de prins verscheidene malen aangespoord had om naar mij
toe te gaan. De graaf Van Stirum beet mij ook in het oor, dat de
fatsoenlijke lieden niet opgekomen waren. Lord Clancarty, Engels
Ambassadeur, vergezelde de prins. Deze trad eindelijk binnen, aangekondigd door de hoezees van het volk, en gevolgd door de graaf
Van Stirum en enige anderen, doch zonder lord Clancarty. Hij hield
in zijn hand een lange blikken koker, die hij mij overgaf. Ik zei hem
dat nu al mijn wensen vervuld waren en strekte een hand uit in verwachting van de zijne. De hand kwam ook, maar niet ongevraagd,
en het is bij die reis gebleven. In de koker stak zijn eerste publicatie
(...) Ik heb deze zelfde nog in handen, en gis dat ik op dat ogenblik
de Nederlandse natie verbeeldde; zodat dit stuk als het ware, het

eerste maatschappelijk verdrag was tussen vorst en volk. Nu hoop ik, zei de admiraal Melvill, dat wij onze oude constitutie weer zullen krijgen. 'Ja,' riep de graaf Van Stirum uit al lachende, 'en nog iets meer.' Men liet de prins alleen bij mij, hij verhaalde mij hoe het in Engeland stond, en ik gaf hem de laatste berichten van hier. Hij ging slapen in het huis van de heer d'Escury naast het mijne.

10 GEESTDRIFT

1 december 1813

LORD CLANCARTY, ENGELSE DIPLOMAAT EN LATER AMBASSADEUR IN DEN HAAG

Aan lord Henry Stewart Castlereagh, Engelse minister van Buitenlandse Zaken

Het Nederlandse volk lijkt maar één ding te willen: dat prins Willem Frederik koning wordt van Nederland.

Ik heb de eer u mee te delen dat Zijne Doorluchtigheid, de prins van Oranje, gisteren omstreeks 4 uur in Scheveningen is geland en meteen door is gereisd naar Den Haag. Uwedele moet me niet kwalijk nemen dat ik u geen goed beeld kan geven van de geestdrift waarmee hij werd ontvangen, zowel toen hij landde, bij de tocht naar hier, als toen hij aankwam bij het regeringsgebouw. Voor deze taak schiet mijn beschrijvingskracht volstrekt tekort. (...)
De algemene stemming was zozeer ten gunste van Zijne Doorluchtigheid dat, zoals hij en anderen me gisteravond meedeelden, het de bedoeling was geweest hem hier vanmorgen uit te roepen tot soeverein van de Verenigde Provinciën. Door een aantal edellieden, in het bijzonder door de heer Van der Duyn die samenwerkt met de heer Van Hogendorp, werd me verteld dat iedereen er zo over dacht. Hij zei er tegelijk bij dat niemand iets wilde doen dat onverenigbaar zou zijn met de standpunten van de Britse regering, aan wie men

zoveel verschuldigd was, en vroeg me in hoeverre het uitvoeren van hun plannen zou stroken met de besluiten van mijn regering. (...)

Maar een overtuigend bewijs voor de stemming in dit opzicht is dat hier, en ik geloof in Amsterdam, onder alle afkondigingen en maatregelen van de voorlopige regering uitsluitend de naam van Zijne Doorluchtigheid staat. De heer Van der Duyn voegde eraan toe dat er wat dit betreft geen verschil van mening bestaat. Wel zijn er uiteenlopende opvattingen over de titel, sommigen willen dat Zijne Hoogheid meteen tot koning wordt uitgeroepen, terwijl anderen, omdat het land te klein voor een koninkrijk zou zijn, het beter vonden hem de titel Soeverein van de Verenigde Provinciën te verlenen. Ik heb me hierover natuurlijk niet aan een mening gewaagd. In reactie op een vraag van Zijne Doorluchtigheid nam ik de vrijheid om erop te wijzen (en ik vertrouw erop dat ik daarin in de ogen van uwedele niet te ver ben gegaan) dat de snelle stap van een proclamatie hier, de dag na z'n aankomst, zonder enig overleg met Amsterdam waar de contrarevolutie is begonnen, misschien in die stad even enthousiast door het publiek zou worden begroet, maar misschien ook aanstoot zou kunnen geven, wat mogelijk zijn plannen zou dwarsbomen. Deze overweging leek indruk op Zijne Hoogheid te maken, en later op de avond sprak hij zijn voornemen uit morgen naar Amsterdam door te reizen, en verzocht hij mij hem daarheen te begeleiden.

11 CONTRADICTIO IN TERMINIS

december 1813

EEN ANONIEME BEAMBTE

Enkelen betwijfelen of het bevrijde Nederland zich wel door een vorst moet laten regeren.

Maar alle twijfel, niet alleen rond de persoon die de teugels van het bestuur in handen zou nemen, maar ook rond de titel waaronder dit

45

gebeuren zou, was reeds twee dagen na de komst van de prins weggenomen. Hij zou de 2de december zijn intrede doen in Amsterdam en in de voorafgaande nacht was door de commissarissen van het voorlopig bestuur aldaar, Kemper en Fannius Scholten, een destijds met vrij algemene maar toch niet eenparige goedkeuring ontvangen proclamatie uitgevaardigd, waarin niet Willem VI tot stadhouder, maar Willem I tot soevereine vorst der Nederlanden uitgeroepen werd.

Deze wel wat eigendunkelijke daad, geheel zonder medewerking van de natie, maar ongetwijfeld met overleg van het voorlopig bestuur zelf verricht, verwekte bij sommigen die hun republikeinse gevoelens nog niet geheel verzaakt hadden, een moeilijk te verbergen wrevel. Ik hoorde deze en gene, die vooral de zo onbeperkte titel van soeverein hinderlijk vonden, met spot en ergernis de slotwoorden van de proclamatie herhalen: 'Nederland is vrij, en Willem de soeverein van dit vrije land.' Zij meenden in deze woorden een verregaande contradictio in terminis te zien. Hun ontevredenheid werd echter onder het algemeen gejubel van het volk weinig opgemerkt.

12 FAMILIEHERENIGING

8 januari 1814

EMMA SOPHIA COUNTESS OF BROWNLOW, LADY OF THE BEDCHAMBER AAN HET ENGELSE HOF

Na een maand komen ook de prinsessen Wilhelmina en Marianne, Willem Frederiks echtgenote en jongste dochter, uit Engeland over naar Den Haag.

Toen wij hoorden dat de regerende prinses in de loop van de ochtend zou aankomen in het Huis ten Bosch, een klein maar mooi paleis in een bos ongeveer twee mijl van de stad, wandelden lady Castlereagh en ik, vergezeld van lord Bardford, mr. Stewart en mijn broer, daar door de sneeuw naartoe om haar ontvangst gade te slaan. Na een tijdje in de menigte te hebben gestaan, voerde de erfprins (mijn oude kennis), die ons vanuit het raam had zien staan, ons het paleis binnen en liet ons enkele vertrekken zien. In een daarvan stonden twee kleine bedjes, waar de kinderen van koning Lodewijk hadden geslapen en de haast waarin ze waren vertrokken, bleek uit het feit dat de bedden niet opgemaakt waren en enkele zilveren lepels in de kamer waren blijven liggen. [Deze observatie is merkwaardig gezien het feit dat Lodewijk Napoleon al sinds 1810 geen koning meer was van Nederland.] De prins van Oranje kwam met lady Castlereagh praten, maar omdat juist bij hem en zijn zoon werd aangekondigd dat de prinses eraan kwam, vlogen ze naar de deur om haar te ontvangen en we zagen de ontmoeting vanuit een van de ramen. De erfprins hielp zijn moeder de trap op en de prins droeg zijn kleine dochtertje [prinses Marianne] in zijn armen; ze leken allemaal diep geroerd en de lucht werd gevuld door de uitroepen van de menigte beneden. Het was werkelijk een ontroerend gezicht getuige te zijn van de enthousiaste en hartelijke ontvangst van deze prinsen na een ballingschap van negentien jaar en de vreugde van de mensen over hun herwonnen vrijheid. Het koninklijke gezelschap bleef maar korte tijd in het Huis ten Bosch en ging daarna in optocht naar Den Haag, waar bij de entree de paarden werden losgemaakt en het rijtuig door het volk naar het paleis werd getrokken. 's Nachts was de hele stad verlicht.

13 'TO DO'-LIJSTJE

19 maart 1814

KARL CHRISTIAN VON BROCKHAUSEN, PRUISISCH GEZANT IN DEN HAAG

Aan vorst Von Hardenberg, Pruisisch staatskanselier

De ambassadeur van Pruisen ziet dat de vroegere republiek hard op weg is om een koninkrijk te worden. Wat hem betreft krijgt de nieuwe koning zo veel mogelijk macht.

Het lijkt me dat het doel van mijn tussentijdse missie tot de volgende punten beperkt kan blijven.

1 Onze invloed vestigen in dit land, dat voortaan de hoeksteen van ons federale stelsel zal vormen.

2 Zoveel mogelijk verhinderen dat het gezag van de prins soeverein te veel beperkt zou worden, hetzij door de basis van de grondwet, hetzij door een zwak beleid. Hoe beperkter en zwakker dit gezag is, des te meer moeten wij iedere keer te hulp schieten en des te minder kunnen wij medewerking verwachten van het deel van dit land dat, in plaats van ons federale stelsel aan de kant van de Neder-Rijn te versterken, ons tot last zal zijn. De ontwikkeling bevorderen van de bestaansmiddelen van het land, de bevoorrading van de steden, de organisatie van een strijdmacht, en de keuze van goede officieren aanbevelen.

3 Er bij alle gelegenheden op aandringen dat de middelen van het land eerder aangewend zullen worden voor het leger, dan voor de vloot. Die zal altijd moeten achterblijven bij de zeemacht van Engeland, Frankrijk en andere maritieme mogendheden. Het lijkt in het belang van Pruisen en van Engeland dat Holland te land krachtiger blijft dan ter zee.

4 De prins soeverein met sluwe toespelingen zo ver krijgen dat hij de klip omzeilt zich met een bepaalde factie te verbinden. Die brengt gewoonlijk een tegengestelde factie voort, en zo stort het land uiteindelijk door de verdeeldheid in de kloof van burgertwisten. Hij moet zich erop toeleggen de partijen en de oorzaken die hen voeden te laten verdwijnen, schoon schip met het verleden te maken en alleen mensen uit te sluiten die een door en door verdorven karakter hebben. Het zal, denk ik, nodig zijn van de bescherming van de koning gebruik te maken om deze raad door te geven.

5 Aan de Hollandse regering het perspectief bieden dat bij het herstel van het evenwicht een gebiedsuitbreiding voor de Verenigde Provinciën is voorzien, waardoor men meer macht zal krijgen en men meer nut zal hebben voor het stelsel van de federatieve krachten. Met oproepen tot het versterken van de flanken van ons federatieve stelsel in het noorden van Duitsland moeten we nu

eenmaal voortvarend zijn omdat de bezittingen van deze staat er zwak voor stonden en er nog steeds zwak voor staan. Een redelijke en gezonde politiek noopt tot het samenvoegen van de Verenigde Provinciën met het grootste deel van de Belgische gewesten. De Verenigde Provinciën zullen weinig voorstellen zonder deze gewesten en deze gewesten zullen niets voorstellen zonder de Verenigde Provinciën. De prins van Oranje zal er dus goed aan doen de Vlamingen te vleien, naar de mond te praten en hun harten te winnen, en een rol te spelen in dit land.

6 Een onberispelijke verstandhouding bereiken met de Engelse ambassade in Holland. Omdat dit land de plaats is die de belangen van Engeland en Pruisen moet verenigen, dient deze verstandhouding grondig en ook zichtbaar te zijn. Mogelijk kunnen deze voornaamste punten van een voorbereidende richtlijn de goedkeuring van UE en de bijval van de koning wegdragen. (...) Ze berusten op het beginsel onze flank aan de Neder-Rijn zo sterk mogelijk te houden en de invloed en de geloofwaardigheid van Pruisen te vergroten.

14 DE PRINS WERKT DAG EN NACHT

25 januari 1814

PRINSES LOUISE, ZUSTER VAN WILLEM I

Aan G.A. baron de Constant-Villars, luitenant-generaal van de Zwitserse regimenten

Onze prins soeverein neemt geen rust, overdag niet en 's nachts niet, en de enige ontspanning die hij zich toestaat, is de tijd dat hij aan tafel zit, terwijl hij maar één keer per dag eet, op z'n Engels tussen 4 en 5. Tussen 8 en 9 wordt er theegedronken, eindeloos lang, daar is hij maar zelden bij, zelfs niet voor even. De inzet voor het welzijn van zijn vaderland telt voor hem zwaarder dan wat ook: uit angst iets over het hoofd te zien, is hij voortdurend met zijn taak bezig. Ik ben altijd bang dat zijn gezondheid eronder lijdt, en toch begrijp ik heel goed dat voor hem, die geen half werk levert, al deze vele bezigheden te verkiezen zijn boven het far niente waartoe hij in Berlijn was veroordeeld. Maar zou hij het op lange termijn kunnen volhouden? Dat is de enige reden die ik nog kan hebben om me zorgen te maken. Ik hoop dat wanneer de grondwet, waarmee een commissie bezig is, geregeld zal zijn en het schip van staat op een vaste basis kan functioneren, mijn broer weer op adem kan komen, vooral wanneer ook het leger is gereorganiseerd en gereed om te marcheren onder de jonge chef [Willem Frederiks oudste zoon, prins Willem] die z'n vader helpt bij deze grootste taak. Hij is heel aardig en vriendelijk, als je zo mag praten over een jonge held die nu de lessen in praktijk kan brengen van de beste generaal van Europa [de Engelse generaal Wellington, onder wie de prins heeft gevochten in Spanje]. Je kunt dit zeggen zonder anderen tekort te doen. God weet dat het geen kleinigheid is om alles te herscheppen en te herstellen in een uitgemergeld land, dat nog vol vrienden en vijanden zit. Intussen is het even mooi als bijzonder om een prins en een natie te zien wedijveren wie de minste macht zal krijgen. Het ligt werkelijk aan deze strijd in edelmoedigheid, volgens mij uniek in de geschiedenis, dat de voltooiing van die grondwet vertraging oploopt. De grondwet zal vervolgens aan de notabelen van het land worden voorgelegd, en nadat hij grondig is besproken en aanvaard, zal de grote ereceremonie plaatshebben in Amsterdam, in het schitterende stadhuis dat naar men zegt alles in luister overtreft. Toch heeft mijn broer het stadhuis meteen teruggegeven aan de stad. Men reageerde teleurgesteld, men weigerde het te aanvaarden en wilde dat hij het hield, dus weer een strijd in edelmoedigheid, die voortkomt uit het verlangen van de Amsterdammers om op een of andere manier de familie binnen hun muren te hebben. (...) Wat is de houding van het publiek veranderd! Toch is het moeilijk iedereen tevreden te stellen nu zelfs de meest redelijke mensen in hun ongeduld vergeten dat Rome niet op één dag is gebouwd en dat het herstel van deze provincies amper twee maanden geleden is begonnen. Iedereen zou zijn functie weer terugwillen, willen dat alles helemaal in orde was, terwijl dat alleen beetje bij beetje kan. Het had nog voor heel wat verwarring gezorgd als men was begonnen met het ontslaan van al degenen die zich niet kunnen aanpassen. Ze houden voorlopig hun post, maar ze kunnen later, wanneer de nieuwe grondwet er is, vervangen worden door mensen die de voorkeur van de vorst hebben. Toch beklagen heel wat voormalige vrienden zich, ze voelen zich vergeten, de tijd komt dat ze zien dat dit anders ligt, als ze nog in staat zijn zich nuttig te maken voor hun vaderland, wat voor sommigen niet meer het geval zal zijn. Dat zijn in de huidige situatie de doornen op de weg van mijn broer, aan de andere kant zijn er heel wat rozen door de aanhankelijkheid en het vertrouwen dat men aan hem betoont.

15 WENENDE GRIJSAARDS

26-30 maart 1814

JAN VAN 'S GRAVENWEERT, PUBLICIST

Willem Frederik wordt in Amsterdam ingehuldigd als soeverein vorst Willem I.

De straten waren overal opgevuld met toeschouwers; de huizen van de Haarlemmerpoort af, de Herengracht langs, en de Kalverstraat door, tot aan het Paleis, aan alle ramen en tot op de daken toe bezet met welgeklede personen, allen door dezelfde geest bezield; de gevels waren versierd met kransen, vlaggen, wimpels en toepasselijke bijschriften; de hele weg van buiten de stad af, door de Landstorm afgeperkt, om de stoet een vrije doortocht te verlenen, en de Landmilitie voor het Paleis op de Dam geschaard. Eindelijk kondigde het lossen van het geschut de komst van Hare Koninklijke Hoogheid en van de prinsen aan; de vreugdekreet verhief zich onafgebroken langs de gehele weg: een prachtig uitgedoste erewacht, samengesteld uit Amsterdamse jongelingen, en bij voorkeur uit die, die op de 17de en 18de november 1813 de rust in de hoofdstad hadden helpen herstellen, en op deze wijze zich bij hun medeburgers echt verdienstelijk gemaakt hadden, opende de stoet, die langzaam voorttrok langs de aangewezen weg naar het Paleis. Daar stapte de vorstin [de echtgenote van Willem I, Wilhelmina van Pruisen junior, 'Mimi' genoemd] af met haar telgen [prins Willem, prins Frederik en prinses Marianne] maar verscheen kort daarna op het balkon, en ontving in een dikwijls herhaald gejuich de duidelijkste blijken van algemene volksliefde en eerbied. (...)

De kleding van de vorstinnen [de moeder van Willem I, Wilhelmina van Pruisen senior, werd ook met de term 'vorstin' aangeduid] en vooral die van de gemalin van de soeverein, bestaande uit een purperen kleed en hoofdwrong, met een diadeem van juwelen omsloten, was allerprachtigst. Inmiddels was de vorst door de ceremoniemeesters van de aankomst van de prinsessen verwittigd, en toog de stoet daarop in dezelfde orde, en met gelijke statigheid, als de vorige dag, naar het kerkgebouw voort. Een plechtige muziek werd aangeheven, terwijl de stoet voorttrok, en de vorst zich plaatste op zijn troon. Deze muziek werd vervangen door een diepe stilte; toen de president met een treffende aanspraak, die dikwijls door zijn hevige en eerbiedwaardige aandoening afgebroken werd, zich wendde tot de nieuwe soeverein: de vorst beantwoordde deze kort, en ook zijn gelaat en zijn woorden droegen de klaarste blijken van zware gemoedsbeweging.

Eindelijk stond de vorst en alle aanwezigen met hem met gepaste deftigheid op; ontdekte zich, en sprak toen met een duidelijke en vaste, maar ook getroffen stem de plechtige en gewichtige eed uit, hem bij de grondwet opgelegd; waarna ZKH weer ging zitten.

Deze uitspraak werd gevolgd door een pauken- en trompettengeschal, en toen deed de president, andermaal met de leden der vergadering en alle aanwezigen opstaande, de eed van getrouwheid aan de soevereine vorst, terwijl alle leden gelijktijdig door het uitsteken van de rechterhand, hun volkomen toetreding te kennen gaven.

Dit heerlijk ogenblik vergeet ik nooit; grijsaards weenden tranen van blijdschap en verrukking: mannen voorheen van verschillende politieke richting, elkaar uit misverstand misschien vijandig geweest, verenigden zich tot één doel, tot één bestaan, tot één geest; jongelingen schenen te zweren dat zij goed en bloed en leven zouden opofferen, om hun vorst te verdedigen, hun vaderland te beschermen, en hun onafhankelijkheid te handhaven; vrouwen moedigden door de tranen, die in hun ogen schemerden, de brave Nederlanders tot duurzame plichtbetrachting aan, en het staatsgebouw was door eendracht gevestigd. (...) Eindelijk werd die voor mij en alle aanwezigen onvergetelijke dag met een algemene en luisterrijke verlichting van de gehele stad besloten: miljoenen lampions verdreven bij het gunstige avondweer de duisternis van de nacht, en de onafzienbare grachten en straten vertoonden een schakering van ontelbare vuurbollen: ook dit schouwspel vereerde de vorstelijke familie met haar tegenwoordigheid, terwijl het volk haar overal met ondubbelzinnig vreugdegejuich begroet en de dartelste blijdschap, met de grootste orde gepaard, nog laat in de nacht op alle straten heersende bleef.

16 VERMOEIENDE PREEK

30 maart 1814

EMMA SOPHIA COUNTESS OF BROWNLOW, LADY OF THE
BEDCHAMBER AAN HET ENGELSE HOF

Zeker voor buitenlandse gasten is de inhuldiging van Willem I een lange zit.

Dit was de dag die was bestemd voor de inauguratie van de prins en de aanvaarding van de nieuwe grondwet in de Grote Kerk van Amsterdam, waar wij al vroeg in de morgen naartoe gingen. Aan het ene eind van de kerk was een troon voor de prins geplaatst, waar aan weerszijden, maar een trapje lager, stoelen stonden voor de twee zoons van de prins en achter hen stonden de bedienden van de prins. In de rechterhoek stonden stoelen voor de drie prinsessen; achter hen zaten de hofdames en tegenover hen waren de plaatsen die waren bedoeld voor de Engelsen en andere buitenlanders. De zeshonderd notabelen waren op banken tegenover de troon gerangschikt en daar overal omheen waren ruimtes gemaakt voor de mensen van de stad en andere toeschouwers. Toen de prinsen en prinsessen gingen zitten, richtte de voorzitter der notabelen zich tot de prins met een toespraak die, uit de tranen van de prinsessen op te maken, roerend was, maar waar ik geen woord van verstond omdat hij in het Nederlands was. De prins antwoordde daarna in dezelfde taal en legde daarna de eed af voor het handhaven van de constitutie zoals die nu was gevestigd, hetgeen hij op een mannelijke, maar gevoelige manier deed. Hierin werd hij gevolgd door de erfprins en zijn broer, die de eed aflegden van loyaliteit. De laatste werd zo door zijn gevoelens overmand, dat hij nauwelijks kon spreken. Dit deel van de ceremonie was zeker zowel interessant als roerend. Het geheel werd afgesloten met een Nederlandse preek van niet mis te verstane duur, die zelfs degenen die hem verstonden, scheen te vermoeien. Er was nog een diner aan het hof waar enkelen in ons gezelschap naartoe gingen maar waarvoor ik mij excuseerde vanwege vermoeidheid. In de avond gingen we allemaal naar het Franse theater. 's Nachts was de stad verlicht en het effect was goed door de weerspiegeling van het licht in de grachten.

17 RUIME TOELAGE

januari 1814

GIJSBERT KAREL VAN HOGENDORP

Omdat iedereen zo blij is dat Nederland een eigen koning krijgt, is de natie gul voor de Oranjes. Te gul, volgens sommigen.

Ik kan niet nalaten hier aan te merken, hoe ruim de prins en zijn Huis door de natie bedeeld zijn. Domeinen, die een half miljoen opbrengen, de waarde van land tot 4 procent gerekend, zijn twaalfenhalf miljoen waard. Als men de som, die de Verenigde Nederlanden (...) opbrengen, op vijfendertig miljoenen begroot, dan schoot er na de betaling der interesten van de schuld niet veel meer over dan twintig miljoen voor alle staatsuitgaven. Van deze nu een miljoen aan de soeverein voor de inrichting van zijn huis alleen, en een ton goud aan de kroonprins af te staan, was mooi; een half miljoen daarop te leggen was zeer ruim. Daar werd een zomer- en

winterverblijf bij gevoegd; en inmiddels waren inderdaad alle gebouwen van de domeinen in handen van de prins gevallen, ja al het
kostelijk meubilair daaruit, en dit was gezamenlijk gesteld onder
beheer der hofcommissie. Toen de Russen op Het Loo kwamen,
eisten zij ten minste het meubilair, als Frans eigendom, maar ze lieten zich vertellen, dat het al naar de prins overgegaan was, toen hij
nog onder ons verkeerde. Wij hebben lange tijd aan het hof gegeten
met zilver, waar het Franse wapen op stond. Amsterdam zelfs heeft
het zogenaamd paleis afgestaan, ik weet niet werkelijk waarom. De
eerste dag, dat de prins naar Amsterdam ging, moest ik hem over
dit onderwerp adviseren. Het was 's morgens vroeg, en ik lag aan
het podagra in mijn bed. Toen ik de vraag goed begrepen had, antwoordde ik in geschrift, dat Amsterdam Zijne Hoogheid vandaag
soeverein maakte, en dat Zijne Hoogheid wel aan Amsterdam zijn
geliefde stadhuis teruggeven mocht. Lodewijk Napoleon namelijk
had het zich toegeëigend. Ook in dit paleis was een schat van meu-
belen. Het meubilair altoos zou nooit op zulke wijze in handen van
de prins gevallen zijn, zonder de opstand en zonder de uitsluiting
van vreemde beschikkingen over onze zaken, als een gevolg van
de opstand. De rijke toelage aan de soeverein liet ik gaan zonder
enige bemoeienis en gelijk als de stroom vloeide; maar op de nationale vrijheden kon ik niet zo gemakkelijk zijn als op de penningen.
Nochtans maakten de omstandigheden dit werk zeer moeilijk. De
geestdrift voor het Huis van Oranje was groot onder het volk, de
oude prinsgezinden kenden naar gewoonte geen grenzen aan de op
te dragen macht, en de revolutionairen waren voor niets zo bang als
voor oude instellingen.

18 TAFELGELD

1815

GIJSBERT KAREL VAN HOGENDORP

Koning Willem 1 steekt zo weinig mogelijk geld in feesten en partijen.

Als minister van Buitenlandse Zaken kreeg ik een tafelgeld [geld dat moet worden besteed aan het houden van officiële ontvangsten, diners en partijen] van twaalfduizend gulden, of duizend in de maand. Daarmee heb ik de prins eer gedaan. Voortdurend gaf ik partijen, middags, 's avonds, bals, concerten, waar de hele vorstelijke familie kwam, behalve de prins zelf. Ik heb er heel wat bij gelegd, omdat niet alleen geen mens meedeed, maar de prins ook achterbleef, zowel omdat zijn huis klein was, als omdat de prinses er niet van hield.

Van een bal ter ere van de erfprins was de hertog van Clarence zeer onder de indruk en hij verklaarde, dat het souper in Engeland niet mooier geweest zou zijn. Ik keek verbaasd op toen ik merkte, dat ik mijn tafelgelden met de Buitenlandse Zaken kwijt was. [Van Hogendorp verruilde zijn post op Buitenlandse zaken op 6 april 1814 in voor die van vicepresident van de Raad van State.] Na enige maanden zei ik tegen de prins dat ik ze geheel aan feesten en partijen besteed had, ik zelfs op die voet was blijven leven, maar dat ik dit uit mijn eigen beurs niet kon volhouden, en dat ik er zonder tafelgeld mee zou ophouden. Hij was verlegen en antwoordde, dat hij erom denken zou. Falck [als secretaris van staat een van de belangrijkste figuren in de regering van Willem 1] kwam mij erover spreken; ik zei hem, dat ik gedacht had, dat het tafelgeld mijn post als de eerste volgen zou, en dat ik het wilde, niet om het geld, dat ik toch geheel uitgaf, maar om de eer. De volgende dag ontving ik een besluit van verhoging van traktement met drieduizend guldens (op de tien). Ik schreef meteen aan de prins, dat ik die som zou besteden als tafelgeld. Niet lang daarna vernam ik, dat alle ministers ook zo veel opslag gekregen hadden, en toen ik eens in de kabinetsraad aanspoorde tot zuinigheid, zei de prins: 'Dan moet men ook niet meer vragen.' Op deze wijze ben ik mijn tafelgeld kwijtgeraakt, waar ik prijs op stelde, omdat ik er op een ruime wijze door leven kon en veel mensen beleefdheid doen. Nooit had ik mij verbeeld, dat de prins mij van een dergelijk genoegen beroven zou, nadat ik het vier maanden genoten had. Het is altijd onaangenaam zijn staat te verminderen, en ik moest dit in het aangezicht van de wereld doen; ik moest zien, dat dit voorrecht naar een ander overging. De heer Van Nagell [Van Hogendorps opvolger bij Buitenlandse Zaken] pakte het anders aan, en stak de zeven eerste maanden in de zak, zonder enige vertoning te maken. Heden trekt hij twintigduizend guldens tafelgeld.

19 THEEAVOND

1814

EMMA SOPHIA COUNTESS BROWNLOW, LADY OF THE
BEDCHAMBER AAN HET ENGELSE HOF

Sommige buitenlanders zijn van mening dat de Van Hogendorps zich de moeite van het geven van feestjes wel zouden kunnen besparen.

Er leek weinig societyleven te zijn in Den Haag, hetgeen niet verwonderlijk was, want gedurende de afgelopen negentien jaar hadden degenen die banden hadden met het Huis van Oranje hun huizen gesloten en alleen bepaalde vrienden gezien, omdat ze de Fransen niet op hun feesten wilden toelaten maar ze ook niet buiten durfden te sluiten. Ook waren velen zo verarmd door het gegraai van de nieuwe machthebbers dat ze niet meer bij machte waren om hun vroegere staat te voeren. (...) We dineerden aan het hof en gingen daarna naar een 'thé', die werd gegeven door mevrouw Van Hogendorp, echtgenote van de minister van Buitenlandse Zaken. Dit was het eerste grote feest waar ik in Holland naartoe was geweest, en deed mij niet verlangen naar een tweede. In het begin van de avond zaten de dames op stoelen die rond de hele kamer tegen de muur stonden, terwijl de heren in het midden stonden. Deze prettige stand der dingen duurde voort totdat de kaarttafels, 26 in getal, binnen werden gebracht en ieder wezen, jong en oud, whist begon te spelen! Ik, die het spel net genoeg kende om mee te doen, had het genoegen te worden geplaatst aan een tafel met drie heren die ik nooit eerder had gezien en om het plezier nog groter te maken, leek degene met wie ik speelde erg uit zijn humeur; maar geluk was aan onze kant en we wonnen. Niets kon stommer zijn en zeer blij was ik toen het feest ten einde was.

20 TEUGELS

EEN ANONIEME BEAMBTE

Willem Frederik houdt meer van rekenen dan van taal.

De soevereine vorst der Nederlanden was op dit tijdstip in de volle kracht van het mannelijke leven. Middelmatig van gestalte had hij een vrij burgerlijk voorkomen. Zijn gelaat, gemakkelijk te herkennen door de grote mond en een zwarte plek op de linkerwang, hetgeen een en ander juist niet tot sieraad strekte, had niets gedistingeerds. Alleen de vaak op één punt gevestigde blik en de beide lijnen ter zijde van de mond gaven nadenken te kennen. Zonder een buitengewoon genie te zijn, bezat hij een goed natuurlijk verstand, en evenals al de leden van zijn geslacht, een uitstekend geheugen, en veel kennis in onderscheiden vakken van wetenschap. Al in zijn jeugd had een Franse schrijver, van nabij met hem bekend, hem hoog geroemd als 'd'une grande application et un profond dédain des frivolités'. Onder dit laatste woord begreep hij waarschijnlijk ook de schone letteren en poëzie, waarvoor hij weinig gevoel had. Als hij in de loop der tijd dichters of letterkundigen door het schenken van ridderkruisen of op andere wijze onderscheidde, gebeurde dit meestal op aansporing van de staatssecretaris Falck. Alleen in schilder-, zang-, en toonkunst scheen hij enig behagen te scheppen, maar ook dit was eigenlijk 'invitis Musis'. Een ingewikkelde memorie over enig financieel onderwerp boezemde hem oneindig meer belang in dan het kunsttalent van een Catalani of de verheven poëzie van Klopstock of Milton. (...) Al vanaf het eerste ogenblik dat prins Willem de teugels van het bewind in handen nam, bespeurde men dat hij zich met ijver en inspanning daaraan wijdde, maar ook dat hij zich, hetgeen later nog duidelijker bleek, te veel met de details bezighield en soms begeerde ook van de meest onbeduidende aangelegenheden persoonlijk kennis te nemen, waarmee vaak kostbare ogenblikken verloren gingen. Zo verhaalde men, dat hij het uitvoerig plan voor een staatsloterij, ik weet niet door welk rekenkundig genie aangeboden, zelf met de pen in de hand nauwkeurig naging en met veel zeer gegronde aanmerkingen verrijkte. Net zo ging hij te werk met een ontwerp tot reorganisatie van een paardenstoeterij, waarbij hij ook enige opmerkingen voegde, die echter volgens deskundigen juist geen specialiteit in het vak verrieden. (...) Deze zucht om zoveel in persoon te behandelen en zich in kleinigheden te verdiepen, die met de jaren eerder toe- dan afnam en waardoor zijn ministers langzamerhand gewend werden de koning als hoofd van het departement en zichzelf als ondergeschikte ambtenaren te beschouwen, was inderdaad een gebrek; en daarbij bleef geen plaats over voor grote inzichten in het bestuur van de staat.

21 RIJK EN ARM OP AUDIËNTIE

XAVIER MARMIER, FRANS REIZIGER EN SCHRIJVER

Zo afstandelijk als hij zich gedraagt tegenover zijn ministers, zo toegankelijk is koning Willem I voor het gewone volk.

Elke woensdag, omstreeks elf uur, kon je voor het koninklijke verblijf aan het Noordeinde een vreemd schouwspel zien. Mannen in deftige kostuums of in matrozenpak arriveerden te voet of met een rijtuig bij de poort van het paleis, liepen kriskras over de binnenplaatsen en begaven zich naar de vertrekken van de koning. Elke woensdag verleende Willem I audiëntie aan zijn onderdanen. Je ging naar binnen, je schreef je naam op een vel papier, en je werd om de beurt bij de koning binnengelaten. Een adjudant, met de lijst in de hand, riep één voor één ieder die zich had ingeschreven, stelde je aan de koning voor en trok zich vervolgens achter de deur terug. Op een dag sloot ik me aan bij de menigte voor een van deze populaire audiënties, die in Oostenrijk nog bestonden onder het bewind van de laatste keizer en vroeger in Frankrijk rond de eik van Vincennes. Ik kwam als een van de laatsten binnen, en ik had de tijd om dit wonderlijke schouwspel te zien van een volk dat vrijelijk naar de koning toe ging, in een tijd dat de dolk van moordenaars de beste koningen dwong zich met schildwachten te omringen. Er lagen al drie grote vellen vol namen van bezoekers op tafel. Ik zag lieden van allerlei slag en allerlei leeftijden om me heen. Naast hoogleraren uit Leiden, in lange zwarte toga, die met hun vorst kwamen praten over de problemen van hun universiteit, was er een bedeesd kijkende student die hem zijn proefschrift wilde aanbieden; zij aan zij met de hoge officier, met enorme epauletten en een uniform dat fonkelde van het goud en de onderscheidingen, liep de adelborst van de marine, met een eenvoudig blauw uniform en een met één povere bies versierde pet; de rijke koopman, van wie de naam op de Amsterdamse beurs goed was voor miljoenen guldens, zat op een bankje naast de arbeider die om een bescheiden baantje kwam vragen. Op deze dag waren in de woning van de vorst alle rangen gelijk, alle voorrechten door geboorte en sociale positie waren opgeschort. Het enige voorrecht was dat van je inschrijvingsnummer; wie het eerste kwam was als eerste aan de beurt. De werkman met z'n jasje van grof linnen en gepoederde voeten ging vóór de elegante heer van wie je de paarden op straat nog hoorde trappelen; de leerling ging voor de meester, en de soldaat voor de officier. In een aangrenzend vertrek stond de koning, hij leunde tegen een console, hij groette alle mensen die om beurten naar hem toe kwamen vriendelijk, hij hoorde hun bezwaren, hun klachten aan en zond je daarna met een lichte hoofdknik heen. De deur van zijn salon stond open, en ik zag de gezichten van de gewone mensen die zo door hun vorst werden ontvangen meer dan eens glinsteren van vreugde. Wie naar hem toe ging met een treurige blik, het hoofd gebogen, leken plotseling door goede hoop op te leven, als ze zich terugtrokken groetten ze hem met een gevoel van respect en dankbaarheid. Misschien hadden die arme kerels al ondervonden dat de koning werkelijk belang stelde in hun leed. Misschien was het voor hen ook voldoende troost dat ze hun klachten bij de troon kwijt konden en werden gehoord.

2 'Ik word zo gekweld dat mijn hoofd het niet meer doet' Een goed huwelijk voor de prins van Oranje (1814-1816)

Met in de hoofdrol:
Koning Willem I, kroonprins Willem, de Engelse prinses Charlotte
en de Russische tsarendochter Anna Paulowna.

De troon was binnen. Nu nog een goed huwelijk voor de oudste zoon van Willem I, de prins van Oranje. De koning stond daarvoor al een tijdje op de uitkijk. Want als er één manier was om een positie in Europa te krijgen of te behouden, dan was dat door het smeden van familiebanden. En de aandelen van de Oranjes op de huwelijksmarkt waren met sprongen gestegen, toen het er in 1813 naar uit was gaan zien dat Willem Frederik in Holland op de troon kwam. Wat ooit een vrij utopisch plan had geleken van hem en zijn moeder – een huwelijk van zijn zoon Willem met prinses Charlotte van Wales – vonden de Engelsen in de winter van 1813 plotseling een goed idee. Willem was van prins zonder land, gepromoveerd tot aanstaand vorst van de Nederlanden, die door hun ligging tussen Engeland en Frankrijk een spil vormden in het post-Napoleontische Europa. De ambassadeur van Pruisen noemde het bevrijde Nederland zelfs de 'hoeksteen van ons federale stelsel'.[32] Prinses Charlotte was intussen ook opgewaardeerd: zij was nu de officieuze kroonprinses van Engeland. Haar grootvader, koning George III, was in 1811 krankzinnig verklaard, waarna haar vader regent was geworden. En deze regent was er vanaf het moment dat de Oranjes de Nederlandse troon in handen kregen, vurig voorstander van dat Charlotte zou trouwen met de prins van Oranje.

Nu was het Engelse koninklijke gezin bepaald geen ideale schoonfamilie. De prins-regent van Engeland leefde op voet van oorlog met zijn vrouw, en verdacht zijn enige kind, Charlotte, ervan met haar moeder tegen hem samen te spannen. Hij verbood haar om contact met haar moeder te hebben. Daarom haatte Charlotte haar vader. Wat hij wilde, wilde zij bij voorbaat niet. Ze weigerde dan ook pertinent kennis te maken met de prins van Oranje. Het hielp daarbij niet dat een van haar vriendinnen haar schreef dat de jonge prins van Holland 'extreem onaantrekkelijk' was, en dat Charlotte hem vast 'verschrikkelijk' zou vinden, omdat hij zo dun was 'als een naald'. (1) Maar de regent deed er alles aan om zijn dochter tot een ontmoeting met deze 'naald' te bewegen.

Toen hem dat uiteindelijk lukte, met veel paaien, bleek prins Willem Charlotte mee te vallen. Ze vond hem weliswaar 'extreem lelijk', maar ook geanimeerd en levendig, waardoor de conversatie met hem makkelijk op gang kwam. Bij die eerste ontmoeting zorgde haar vader ervoor dat Charlotte en Willem voor ze het wisten, verloofd waren. (2) Charlotte liet dat zo, omdat ze liever onder het gezag van de vriendelijke prins viel dan onder dat van haar vader. Weliswaar leek Holland haar een saai en deprimerend landje, maar ze zou daar toch niet zo vaak hoeven te zijn, dacht ze. (3)

Willem Frederik was zo blij met het goede nieuws uit Engeland, dat hij de verloving van zijn zoon tijdens zijn inhuldiging op 30 maart 1814 meteen bekendmaakte.[33] Het was een van de weinige momenten in het leven van Willem I dat zijn enthousiasme het won van de bedachtzaamheid. Want de onderhandelingen over de voorwaarden van het huwelijk waren nog lang niet rond.

De aankondiging maakte niettemin grote indruk, zowel binnen als buiten de Hollandse grenzen. Dankzij de Oranjes was Nederland (familie)lid van de grote vorstencoalitie die in Europa de rust herstelde. Diezelfde zomer zou het huwelijk worden voltrokken.

Maar toen Charlotte op een dag de kleine lettertjes in haar huwelijkscontract bestudeerde, ontdekte ze dat haar vader woorden had laten weghalen. Ze zou na haar huwelijk alleen met speciale toestemming van haar vader nog in Engeland mogen verblijven. Opeens begreep ze waarom haar vader haar graag wilde laten trouwen. Hij wilde haar, zijn opvolgster, uit Engeland weg hebben zodat ze hem niet samen met haar moeder van de troon zou kunnen stoten. Hij wilde haar verbannen naar het vreselijke Holland. Onmiddellijk liet Charlotte haar verloofde weten op deze voorwaarden niet met hem te willen trouwen. De kroonprins raakte in paniek. Zijn vader moest hem helpen. Hij smeekte hem Charlottes vader op andere gedachten brengen. (5)

De hele zaak klonk Willem Frederik, die zelf een vrouw had die hem zelden tegensprak, laat staan tegen hem samenzweerde, vreemd in de oren. Maar het lukte hem toch de huwelijksvoorwaarden in overleg met de regent te wijzigen. De prins was opgelucht, hij moest er niet aan denken dat het huwelijk zou worden afgeblazen. Zowel de Nederlanders als de Engelsen leefden ernaartoe. En de twee verloofden konden het ook nog steeds goed met elkaar vinden. (6) Het was dan ook een enorme schok voor iedereen toen Charlotte op 16 juni 1814 haar prins alsnog de bons gaf. (7) Volgens sommigen kwam dat door de politieke intriges in haar familie, anderen verdachten de Russische tsarenfamilie ervan te hebben gestookt en weer anderen beweerden dat Charlotte verliefd was geworden op iemand anders.[34] De breuk was in ieder geval een nederlaag voor zowel Engeland als Nederland. Een woedende lord Malmesbury kon er niet over uit dat de 'overhaaste absurde, onwaardige stap' van een 'lichtzinnige' negentienjarige, de mooie kans op bestendiging van de Engels-Nederlandse betrekkingen had verknald.[35] (9) In Nederland leed zelfs de aandelenmarkt onder het liefdesdrama.[36] Om over de prins van Oranje nog maar te zwijgen. Behalve persoonlijk gekwetst, voelde hij zich publiekelijk zwaar vernederd. In tijdschriften verschenen karikaturen waarin hij als een tol werd afgebeeld, die door prinses Charlotte werd rondgezwiept. Hij schreef stoer naar huis dat hij het een 'ware zegen' vond van zijn verloofde af te zijn, (8) maar tijdens een bal in Engeland liep hij rond met tranen in zijn ogen. (10) En terug in Den Haag liet hij de Britse ambassadeur, lord Clancarty, weten álles te willen doen om Charlotte terug te krijgen. (11)

Maar er waren nog meer prestigieuze prinsessen in Europa. Een paar dagen na zijn verklaring tegen Clancarty liep prins Willem recht in de armen van de Russische tsaar Alexander I en diens zuster Catharina Paulowna, die Nederland bezochten. Ambassadeur Clancarty, die de hoop op een huwelijk tussen de prins van Oranje en Charlotte nog niet was verloren, moest tot zijn afschuw aanzien hoe Catharina hem volledig inpalmde. Catharina had toch al de verdenking op zich geladen de kwade genius te zijn achter de verbroken verloving. En nu zat deze jonge weduwe, met haar 'kalmukkengezicht' de prins volgens lord Clancarty nog verder op te stoken tegen Engeland en hem wijs te maken dat zij geen mooier land kende dan Holland. (12) Ook haar broer, de Russische tsaar, deed mee aan het charmeoffensief. Tijdens een bal op Huis ten Bosch liep lord Clancarty ongemakkelijk door de zaal, terwijl tsaar Alexander voortdurend onderonsjes had met de prins van Oranje. Diezelfde nacht berichtte Clancarty aan zijn minister van Buitenlandse Zaken dat zich een ramp dreigde te voltrekken. De Russen leken niet te stuiten. Naast Catharina had de tsaar nóg een huwbaar zusje, waarschuwde hij: Anna Paulowna, die volgens hem nog mooi was ook en geen weduwe zoals Catharina. Als de Engelsen wilden voorkomen dat Rusland er met de prins van Oranje vandoor ging, moesten ze haast maken.

Maar het grootste obstakel voor de Engelse plannen bevond zich toch aan het thuisfront: de nukkige prinses Charlotte. Zij schreef aan haar vriendin miss Mercer Elphinstone: 'Het is echt vreselijk rot dat ze me dat stomme, lelijke Hollandertje dat ik niet wil, met zijn spinnenpoten, door de strot willen duwen.'[37] Uit Engeland kwam die zomer geen nieuw huwelijksvoorstel.

Na deze vernedering was de noodzaak voor de prins van Oranje om zich te bewijzen, groter geworden dan ooit. Vooral tegenover zijn vader. Met hem ontstond gaandeweg een onaangename rivaliteit. In zijn jeugd was zijn vader zelden thuis. Nu ze moesten samenwerken als koning en troonopvolger, leerden ze elkaar pas echt kennen. Hun karakters bleken slecht bij elkaar te passen. De vader was berekenend en introvert, de zoon impulsief en uitbundig.

De koning ergerde zich aan het rusteloze gedrag van zijn zoon. Maar hij was ook jaloers op zijn populariteit en op het gemak waarmee hij mensen voor zich innam. De prins van Oranje liet geen kans onbenut om zijn vader te laten zien dat hij hem kon overtreffen. Die kans kwam precies een jaar na zijn liefdesnederlaag. Napoleon was aan het begin van 1815 teruggekeerd uit zijn ballingsoord Elba en probeerde in de zomer van 1815 opnieuw om Engeland te verslaan. Prins Willem mocht helpen om de man voor wie zijn vader ooit door het stof had moeten kruipen, de nekslag toe te brengen. Dat gebeurde op 18 juni bij het Belgische gehucht Quatre Bras, vlak bij Waterloo. De prins gedroeg zich dapper en raakte gewond aan zijn schouder. (13)

Nog in de roes van de bloedige strijd, kon hij zijn ouders die avond trots berichten: 'Victoire! We hebben deze dag een magnifiek gevecht gehad tegen Napoleon.' Om geen misverstand te laten bestaan over zijn persoonlijke rol bij de militaire zege, schreef hij erbij: 'Het is vooral mijn lichaam geweest dat ons de overwinning gegeven heeft en waar we die overwinning aan danken.'[38] Zijn zorgzame moeder reisde spoorslags naar Brussel om haar zoon daar te verplegen[39] wat hij trouwens maar gedeeltelijk toestond, omdat hij het liefst meteen weer op zijn paard wilde. (14) Voor zijn vader lag de zaak gecompliceerder. Dat zijn eigen zoon 'met zijn lichaam' Napoleon had verslagen, was goed nieuws, want het droeg bij aan de glorie van de familie. Maar zijn zoon moest niet te veel verbeelding krijgen. Van diens uitzonderlijke vechtkunst was hij ook helemaal niet zo overtuigd. Het zou niet de eerste keer zijn dat Willems fantasie aan de haal ging met de feiten. Trouwens, zelf had Willem Frederik de Fransen er ook van langs gegeven bij hetzelfde Quatre Bras, twintig jaar eerder. Alleen had niemand daar toen iets over gezegd, omdat het uiteindelijk niet was gelukt om de Fransen tegen te houden.[40]

Maar de Russische tsaar vond het heldenverhaal van de prins van Oranje te mooi om in twijfel trekken. Snel na de overwinning bij Waterloo stuurde hij Willem I een brief waarin hij zijn zuster Anna Paulowna – dus toch niet de andere zuster Catharina, die zich verloofde met Willem I van Württemberg – officieel aan de prins van Oranje aanbood. (15) De prins hoefde daar niet lang over na te denken. (16) Hij was van mening dat dit huwelijk 'ook politiek gesproken zeer gelukkige gevolgen kan hebben'. Een betere revanche na zijn vernedering door prinses Charlotte was nauwelijks denkbaar. Willem I was op zich tevreden met de herkansing, hoewel de onderlinge verhoudingen tussen hem en zijn zoon er wel weer door op scherp werden gezet. Zijn zoon zou door het huwelijk een prominente positie verwerven aan het Russische hof. Hij zou verwant raken aan de tsarenfamilie, aan wie Willem I zijn hele vorstenstatus mede te danken had. Dus moest de koning maar hopen dat zijn zoon het niet te hoog in de bol zou krijgen. En dat hij zou blijven begrijpen wie er thuis de baas was.

Er was nog een zorg: Engeland. Het besluit om een huwelijk te sluiten met de andere bondgenoot Rusland, zou daar in slechte aarde vallen. Dus stuurde de koning tegelijk met een positief antwoord aan de tsaar, een brief de deur uit aan zowel generaal Wellington als aan de Engelse prins-regent, met daarin de verzekering dat dit huwelijk niets zou veranderen aan Nederlands grote loyaliteit.[41] Als Willem Frederik in ballingschap één ding had geleerd, dan was het wel dat je zorgvuldig om moest gaan met je relaties.

Prinses Charlotte, eindelijk verlost van de druk om 'the PO' – haar afkorting voor de 'Prince of Orange' – te moeten trouwen, liet zich nu snel ten huwelijk vragen door Leopold van Saxen-Coburg. In plaats van een 'lelijk Hollandertje met spinnenpoten' was hij, in zijn huzarenuniform, een 'blonde schoonheid',[42] ook al was hij in de Britse society dan nog maar 'a minor star'.[43] Door zijn huwelijk met Charlotte, die overigens kort daarna stierf in het kraambed, zou dit laatste snel veranderen. Dat zou de familie van Oranje vijftien jaar later nog pijnlijk duidelijk worden.

In het najaar van 1815 ging het gebeuren: de prins van Oranje ging trouwen met Anna Paulowna. Helemaal in Sint-Petersburg. Zijn ouders zagen af van de verre reis, maar voor de prins zelf werd het een onvergetelijke ervaring. Aan het hof van Sint-Petersburg vond hij waar hij in Engeland zo van had genoten en wat hij aan het nieuwe hof van zijn vader in Holland miste: glamour. De hele wereld leek op de bruiloft van de zuster van de tsaar en de prins van Oranje te zijn vertegenwoordigd. In de hofkerk van Sint-Petersburg trok op 21 februari 1816 een eindeloze stoet voorbij van vorsten, vorstinnen, staatslieden, edelen, grootofficieren, kamerjonkers en hofjonkvrouwen, gekleed in een zeldzame verscheidenheid aan galajurken en uniformen. De bruid droeg een gouden kroon en een purperen fluwelen staatsiemantel die door vijf edellieden werd ondersteund. De prins, hoewel behangen met alle gouden en ridderlijke onderscheidingen die hij maar had, stak volgens een ooggetuige wat eenvoudigjes af bij zijn door haar edelstenen bijna lichtgevende bruid.[44]

De bruidegom voelde zich thuis te midden van de symboliek waarin de Russisch-orthodoxe kerk van de tsaar grossierde. Het viel aanwezigen op hoe los en gemakkelijk hij zich tijdens de ceremonie bewoog.[45] God werd in liederen rechtstreeks bedankt voor de vereniging van het paar. De keizerin-moeder leidde het bruidspaar naar een verhoogde plaats in het midden van de kerk. Daar zetten de broers van Anna Paulowna de bruid en de bruidegom ieder een gouden kroon op het hoofd, terwijl buiten 101 kanonschoten werden afgevuurd. (17) Na afloop van de Russisch-orthodoxe viering was het de beurt aan Willems vaderland, met een huwelijksinzegening in gereformeerde stijl. Vanachter een altaar waar slechts een bijbel en een formulierboek op lagen, las een voorganger zonder veel woorden, noch gebaren, de huwelijkse plichten voor, waarna het bruidspaar eenvoudig 'ja' moest zeggen.

Na de zo verschillende huwelijksceremonies werd wekenlang feestgevierd met elke dag nieuwe uitdossingen. Gedurende een halfjaar maakte de prins van Oranje uitgebreid kennis met het Russische hofleven. In Nederland zat iedereen intussen reikhalzend te wachten tot het jonge paar terugkwam. Vooral Willem I. Hij vreesde dat zijn zoon in Rusland niet alleen op veel te grote voet aan het leven was, maar ook grootheidswaan opliep. Had zijn zoon eigenlijk wel door dat het Holland was en niet Rusland waar hij later koning moest gaan worden? Snapte hij nog wel waar hij vandaan kwam en wat hem in de toekomst te wachten stond? En wist hij nog wie zijn baas was? Dat was namelijk níet de tsaar van Rusland.

In de zomer van 1816 stapte het bruidspaar dan toch eindelijk in het rijtuig naar Nederland. Anna Paulowna was inmiddels in verwachting van haar eerste kind, de latere koning Willem III. Onderweg liet het bruidspaar zich overal inhuldigen, zodat de reis veel langer duurde dan verwacht. Nadat Willem I een paar keer tevergeefs aan de Nederlandse grens had staan wachten om zijn zoon te ontvangen, trok hij zich boos terug op Het Loo. Om zijn vaders humeur niet langer op de proef te stellen, joeg prins Willem zijn stoet vliegensvlug door het grensdorp Ubbergen zonder daar de zorgvuldig voorbereide welkomstspeech van de burgemeester aan te horen.[46]

In de buurt van Leiden kreeg Anna Paulowna de schrik van haar leven, toen opgewonden omstanders aanstalten maakten om de paarden van haar koets los te maken en die zelf verder te trekken richting Den Haag. Zo veel spontaniteit van gewone mensen was zij niet gewend. De prins verbood het aanvankelijk, maar stemde daarna, ontroerd door het enorme enthousiasme, toch toe.[47] Later, tijdens de ontvangst op Huis ten Bosch, stond Anna Paulowna er wat bleekjes bij. (18) Hoeveel plechtiger het in Rusland rond koninklijke personen toeging, zou Anna Paulowna's hofdame, Cornélie van Wassenaer, acht jaar later nog merken. Zij vergezelde Anna Paulowna toen bij haar eerste bezoek terug aan Sint-Petersburg. Burgers durfden niet eens in de buurt te komen van de koetsen en Cornélie zag vol afschuw hoe Russische lijfeigenen werden geslagen door hun opzichters. Militairen waren zo strak ingesnoerd, noteerde ze, dat ze nauwelijks konden ademen. En Russische dames hadden zo veel poeder op hun gezicht, dat 'je hen alleen een zoen op hun kin kon geven zonder het risico te lopen sporen achter te laten'. (19) Holland en Rusland waren twee werelden. En Anna Paulowna's aankomst in Den Haag was een voorproefje van wat in de jaren daarna steeds duidelijker werd: zij kon in haar nieuwe wereld niet aarden. Anders dan haar zuster Catharina destijds over zichzelf had beweerd, hield Anna Paulowna helemaal niet van Holland.

Anna Paulowna's moeizame inburgering schepte paradoxaal genoeg een band met de prins van Oranje, die ook niet veel op had met zijn eigen toekomstige koninkrijk. Opgegroeid aan het statige Pruisische hof, vond hij Holland benepen en bekrompen. Hij had een hekel aan 'de ingeboren traagheid, buitensporige zuinigheid en opvallende pedanterie'[48] van de Hollanders. Zijn slechte beheersing van de taal bevorderde het contact met hen ook al niet. En zijn grootste passie, de krijgskunst, wekte bij de Hollanders weinig geestdrift. Dat had hij toen hij in 1813 voor het eerst in Nederland kwam, meteen gemerkt. Niemand was toen enthousiast te maken voor bewapening, die volgens de prins nodig was om het laatste restje Fransen uit Nederland weg te bombarderen. De algemene opinie was dat dit soort grotemensenwerk beter door Engeland, Pruisen, Oostenrijk en Rusland kon worden opgeknapt. 'Wij hebben genoeg van de soldaterij', kreeg de prins tot zijn ontsteltenis te horen.[49] De matige interesse van de Hollanders voor het militaire bedrijf was voor de prins die bij Waterloo zijn leven had gewaagd, onbegrijpelijk. Het Nederlandse volk schonk hem als dank voor zijn heldendaad weliswaar paleis Soestdijk, maar verder wilde het niets van militaire acties weten. Nee, dan Rusland, Engeland, Oostenrijk en Pruisen. In de zomer organiseerden deze overwinnaars in Parijs een wapenschouw, waar de prins van Oranje onder de bewonderende blik van de fine fleur van Europese machthebbers trots over de boulevards mocht paraderen. Met zijn geblesseerde arm in een zwarte doek.[50] Dat gaf toch een heel ander gevoel dan door opgewonden Hollanders te worden rondgetrokken in een koets.

Ooggetuigen

1 EXTREEM ONAANTREKKELIJKE PRINS

10 september 1813

PRINSES CHARLOTTE AUGUSTA VAN WALES, DOCHTER VAN DE PRINS-REGENT VAN ENGELAND, DE LATERE KONING GEORGE V

Aan miss Mercer Elphinstone, vriendin van Charlotte, admiraalsdochter en erfgename van haar moeders fortuin

De troon is binnen. Nu moet Willem 1 er nog voor zorgen dat zijn oudste zoon een goed huwelijk sluit. De keuze valt op prinses Charlotte van Engeland. Zij moet van haar vader trouwen met de prins van Oranje, die ze nog nooit heeft gezien.

Ik heb erg gelachen met Georgiana [Fitzroy, een vriendin van Charlotte] om de prins van Oranje met wie ze de hele avond heeft gewalst op Oatlands, en die ze de beste walser vond die er bestond. Ze vertelde me dat hij extreem onaantrekkelijk was, en dat ik hem vast VERSCHRIKKELIJK vind, omdat hij zo dun is als een naald. Zijn haar is uiterst blond, en dat bij een huid die helemaal bruinverbrand is door de zon; hij heeft ogen die geen enkele uitdrukking hebben, maar mooie tanden die enorm naar buiten steken. Hij is gegroeid sinds de laatste keer dat hij hier was, en is nu een beetje langer dan zijn vader. Hij was zeer gentlemanlike, goed geïnformeerd en prettig. Vandaag of morgen vertrekt hij naar generaal Wellington zonder een van zijn goede leiders, ik neem aan om te laten zien dat hij ook zelf iets kan zonder aan touwtjes vast te zitten. Want tot nu toe heb ik het gevoel dat al zijn goede gedrag komt doordat hij zo goed geadviseerd wordt door graaf Constant, een erg slimme man die veel van de wereld weet. (...) Ik heb terecht vermoed dat het de bedoeling was dat de prins van Oranje hier langskwam. (...) De jongeling was extreem teleurgesteld en verdrietig dat ik me excuseerde. Ik ben benieuwd of ik iets op kan pikken omtrent hun bezoek aan de stad gisteren, omdat ik de avond voor ze vertrokken helemaal misselijk werd van de eeuwige loftuitingen en gesprekken over hem.

2 VERLOVING

13 december 1813

PRINSES CHARLOTTE VAN WALES

Aan miss Mercer Elphinstone, vriendin

De eerste ontmoeting van Charlotte met de prins van Oranje resulteert door doortastend optreden van de prins-regent George meteen in een verloving.

Ik werd voorgesteld en daarna gingen wij aan tafel waar de prins [Willem] rechts van mij zat en lady L[iverpool] naast hem. Hij was verlegen, maar presenteerde zichzelf bevallig en perfect en hoewel hij weinig praatte, beheerste hij de onderwerpen die hij besprak. Hij viel mij op als zeer onaantrekkelijk, maar hij was zo levendig en geanimeerd dat het goed op gang kwam. (...) Wij liepen en praatten wat toen de prins [Charlottes vader, prins-regent George] binnenkwam, waarop hij mij meenam naar de andere kamer en vroeg wat ik ervan vond waarop ik zeker even aarzelde, waar hij zo van schrok, dat hij riep: 'dan wordt het niets', maar toen ik zei dat hij zich vergiste en dat ik goedkeurde wat ik had gezien, schreeuwde hij in de grootste opwinding: 'Je maakt mij de gelukkigste persoon in de wereld.' Lord en lady Liverpool spraken daarna met mij en feliciteerden mij (...) toen werd ik naar buiten geroepen door de prins [Charlottes vader] waarop de jongeling [prins Willem] werd binnengeroepen en toen hadden we zo'n verschrikkelijk indrukwekkend tafereel met de prins [Charlottes vader] dat ik behoorlijk van streek raakte. Zijn hele ziel en hart leken te zijn bewogen door vaderlijke genegenheid. De jonge prins gedroeg zich ongewoon goed en leek behoorlijk vervuld van het tafereel en de belofte die hij deed terwijl de prins [Charlottes vader] onze handen samenbracht en ons zijn zegen gaf. (...)

3 RAAR LAND

4 januari 1814

PRINSES CHARLOTTE VAN WALES

Aan miss Mercer Elphinstone, vriendin

Prinses Charlotte maakt zich zorgen over het leven in Holland.

Holland is een heel raar land geloof ik, waar de society en alle andere dingen totaal anders zijn dan in welk ander land ook. Ik vraag me nu al af of ik me daar wel zal amuseren. Als ik rondreis en daar telkens alleen voor een paar weken achter elkaar hoef te blijven, moeten we maar eens zien wat we kunnen doen om het daar meer Londens en dandyachtig enzovoort te maken, maar het begin daar zal, denk ik, voortdurend 'un peu triste' zijn.

4 DIPLOMAAT PUSHT HUWELIJK

9 mei 1814

JAMES HARRIS, IST EARL OF MALMESBURY, BRITS DIPLOMAAT

Aan Hendrik baron Fagel, politicus en buitengewoon ambassadeur te Londen

Met het huwelijk van Charlotte en Willem is meer gemoeid dan alleen 'huiselijk geluk'. Ook de consolidatie van betrekkingen tussen twee bondgenoten staat op het spel.

Vanaf het eerste moment dat de erfprins in dit land voet aan wal zette, weet je hoezeer ik deze alliantie verlangde. Vanaf het begin beschouwde ik het als essentieel voor de bevordering van onze nationale belangen en het is nu nodig geworden voor de handhaving van ons nationale vertrouwen en eer. Ik kan daarom niet 'sans frémir' [zonder over te koken] denken aan enig mogelijk obstakel dat de vervolmaking ervan ook maar enigszins kan tegenhouden, laat staan teniet kan doen. (...) Laat de erfprins in alles wat hij doet en zegt het verbreken van de verloving beschouwen als iets volstrekt onmogelijks, laat hem onder geen beding openlijk doen vermoeden dat dergelijke publieke en private wispelturigheid kan bestaan. (...) Laat hem recht voortgaan – 'voort' was Blüchers 'cri de guerre' – en er niet aan twijfelen dat vader en dochter vastbesloten zijn; laat hem op krachtige en geestdriftige wijze aandringen op een snelle datum voor het huwelijk en op onmiddellijke bekendmaking aan het parlement. Wat betreft bijkomende en minder belangrijke overwegingen, schuif die volledig opzij. Geen voorwaarden accepteren om ofwel binnen ofwel buiten Engeland te gaan wonen, de komende gebeurtenissen zullen dit punt ongetwijfeld regelen. Geen onenigheid over bedienden. Dat zijn op zichzelf allemaal kleine en betekenisloze omstandigheden die slechts door twist gewicht en consequentie krijgen. (...) Dit is de enige manier om te veroveren en om de verovering te behouden – en daar hangt niet alleen huiselijk geluk, maar ook politiek voordeel van af.

5 LASTIGE WENSEN

17 mei 1814

DE PRINS VAN ORANJE

Aan koning Willem I

Prinses Charlotte is bang dat haar vader het huwelijk met kroonprins Willem gebruikt als middel om haar het land uit te krijgen. De prins

*smeekt zijn vader om te bemiddelen in het conflict dat hierover is losge-
barsten.*

Mijn lot ligt in uw handen, de bestemming van mijn leven en mijn
toekomstgeluk hangen af van het antwoord dat u meegeeft aan Willem Fagel. Ik twijfel er niet aan dat u positief oordeelt, gezien de vaderlijke en vriendschappelijke gevoelens die u me altijd betoont. Ik
kan niet geloven in de mogelijkheid dat u anders zou kunnen doen
dan de prins-regent [vader van Charlotte] in uw en mijn naam te
smeken toe te geven aan de vraag van prinses Charlotte, omdat elk
ander antwoord me voor het leven ongelukkig zou maken. En alles
bij elkaar lijkt me haar vraag niet overdreven, omdat ze eigenlijk
iets normaals vraagt, namelijk de vrijheid te hebben zelf te beslissen
of ze hier verblijft of in Holland, en de zekerheid te hebben dat ze
nooit gedwongen zal worden in het ene of andere land te verblijven
tegen haar zin. Ik geef haar geen ongelijk, gezien de manier waarop
de prins zich jegens haar gedraagt. Hij heeft alles zelf bedorven door
haar zo weinig vrijheid te geven, en door duidelijk te tonen hoe blij
hij is als hij haar uit zijn land kan verwijderen. Zij heeft er helemaal
geen bezwaar tegen af en toe naar Holland te komen, en ik weet
zeker dat ze dat met het grootste plezier zal doen, zodra ze zeker
weet dat het van haarzelf afhangt of ze komt of gaat, alleen al voor
mij, want ze geeft me elke dag meer bewijs van haar gehechtheid
aan mij, en ik ben doller op haar dan ooit, vanwege de charmante
manier waarop ze zich jegens mij gedraagt in al deze moeilijke omstandigheden. Maar de waarheid van het verhaal is dat de prins en
vooral zijn ministers bang zijn dat zij chef van de oppositie wordt,
en daarom de macht willen houden haar te kunnen verwijderen of
terughalen naar wens. Iemand wiens naam Willem Fagel u kan noemen, heeft me aangeraden u te schrijven dat u in uw antwoord moet
laten lijken of u aan de kant van de regent staat: u zou het beste
kunnen schrijven dat u het óók lastig vindt aan Charlottes wensen
tegemoet te komen, maar dat u het alleen wilt doen om mij plezier
te doen, omdat u weet hoeveel ik van Charlotte houd, en omdat
het zo'n slechte indruk zou maken in Holland en heel Europa als
onze verloving zou worden verbroken. En dat u daarom de prins-
regent verzoekt het goed te vinden dat het huwelijkscontract wordt

aangepast. Ik wil het liefste naar Den Haag komen om met u te praten, maar dezelfde persoon die mij adviseert over uw manier van antwoorden heeft me bezworen niet weg te gaan, omdat dat voedsel zou geven aan schadelijke geruchten. Ik hoop dat u ons niet te lang in onzekerheid zult laten, vooral Charlotte niet, wier zenuwen zeer lijden onder dit alles, over de onzekerheid waarin ze zich al drie weken bevindt. Ik vraag duizend keer pardon aan mama dat ik haar niet heb geschreven, maar ik word zelf zo gekweld, dat mijn hoofd het niet meer doet. Alles hangt nu van u af, mijn lieve vader, en dat stelt me gerust.

6 GRIJZE RIJTUIGPAARDEN

24 mei 1814

KROONPRINS WILLEM

Aan koningin Wilhelmina van Pruisen, zijn moeder

Kroonprins Willem verheugt zich enorm op zijn huwelijk.

Ik zie Charlotte iedere dag en onze verstandhouding is zo goed als die maar zijn kan. We treffen al allerlei regelingen voor de toekomst. Ik ben bezig om grijze rijtuigpaarden te zoeken, wat haar favoriete kleur is en zij stuurt mij morgen een schilder om mijn portret te maken omdat ze het exemplaar dat haar uit Den Haag is gestuurd, niet kan verdragen. U ziet dus aan alles dat het tussen ons tweetjes geweldig gaat en dat we helemaal op één lijn zitten. Ze lijkt ook een grote behoefte te hebben om te reizen en om landen te zien. Ze wil vooral naar Parijs, naar Wenen en naar Berlijn.

7 DE PRINS KRIJGT DE BONS

16 juni 1814

PRINSES CHARLOTTE

Aan kroonprins Willem

Vlak nadat prinses Charlottes eisen zijn vervuld, dumpt ze de prins van Oranje alsnog.

Nadat ik, zoals je wilde, onze conversatie van vanochtend nog eens heb overdacht, vind ik nog steeds dat de verplichtingen en affecties die ons aan onze respectievelijke landen binden ons huwelijk onmogelijk maken, niet alleen politiek gezien, maar ook in het opzicht van huiselijk geluk. Door recente omstandigheden ben ik totaal overtuigd geraakt dat mijn belang verbonden is met dat van mijn moeder, en dat mijn verhuizing buiten dit koninkrijk net zo slecht voor haar zou zijn als voor mij. Zoals ik nooit de materiële claims kan vergeten die zij heeft op mijn plicht en gehechtheid, zo ben ik me ook bewust van de claims die jouw land op jou heeft. Daardoor, en omdat ik je plezier wilde doen, stemde ik een tijdje geleden erin toe je af en toe naar Holland te begeleiden, mits ik genoeg verzekering had om zelf terug te kunnen keren wanneer ik wilde. Sinds die tijd hebben de vele onvoorziene gebeurtenissen, met name met betrekking tot de prinses, me het gevoel gegeven dat ik onmogelijk uit Engeland weg kan op het moment, of een verbintenis aan te gaan waarbij dat in de toekomst moet. Na wat vanochtend met betrekking tot dit onderwerp tussen ons is gebeurd (wat veel te beslissend was om verdere uitleg te behoeven) moet ik onze verloving vanaf dit moment zien als TOTAAL EN VOOR ALTIJD TEN EINDE. Ik laat de verklaring van deze affaire aan de prins aan jou over, op een manier die je het meest schikt, dit totaal toevertrouwend aan je eer (waar ik nooit een moment aan heb getwijfeld). Ik kan niet ophouden zonder oprechte zorg uit te drukken die ik voel door je pijn te doen, welke zorg verzacht wordt door de hoop dat je ziet dat ik nooit oneervol ten opzichte van jou heb gehandeld tijdens al deze toestanden, nooit valse hoop bij je heb gewekt dat ik ooit zou toestemmen in wonen in het buitenland. Je herinnert je vast mijn antwoord op jouw brief van 3 mei waarin ik je vertelde dat het onmogelijk voor me was enige belofte te geven over dat onderwerp, omdat het moet afhangen van de omstandigheden.

8 WARE ZEGEN

17 juni 1814

KROONPRINS WILLEM

Aan koning Willem I

Kroonprins Willem zegt blij toe te zijn dat de verloving is verbroken.

Ik stuur Van der Duyn om u het onaangename nieuws te brengen dat alles door haarzelf is verbroken maar kan u er vooruit niets over zeggen. Ik stuur u een kopie van haar brief. Zij heeft zich jegens mij zo opstandig gedragen, dat ik niet anders kan dan mij erover verheugen dat ik haar werkelijke karakter heb leren kennen, waarmee ik nooit in overeenstemming had kunnen komen en het is daarom een ware zegen uit de hemel dat de zaken deze wending hebben genomen. Ik hoop bij u te zijn binnen ongeveer een week. Ik zal nu waarschijnlijk het commando hebben over de Engelse troepen in Brussel en Brabant.

9 BRITSE WOEDE

1 juli 1814

LORD MALMESBURY, BRITSE DIPLOMAAT EN
REGERINGSADVISEUR

Aan Hendrik Fagel, ambassadeur in Londen

De Engelse ambassadeur weigert de goede betrekkingen met Nederland te laten verpesten door een stel kinderen.

Ze [Charlotte] zal de dag betreuren dat ze deze overhaaste en absurde, onwaardige stap nam. Doe al u kunt, mijn beste ambassadeur om de stemming goed te houden, laten de twee landen niet lijden door de lichtzinnigheid en grilligheid van een zwak en onnozel persoon. Of al de kinderen aan beide kanten nu onderling trouwen of hun hele leven oude vrijgezellen en oude vrijsters blijven, het welzijn, en de wederzijdse veiligheid van onze landen moeten hetzelfde blijven.

10 PRINS IN TRANEN

omstreeks juni 1814

EMMA SOPHIA COUNTESS OF BROWNLOW, LADY OF THE
BEDCHAMBER AAN HET ENGELSE HOF

Kroonprins Willem loopt huilend rond op een hofbal.

Enkele avonden na mijn terugkeer hadden wij de eer een uitnodiging te ontvangen van de prins-regent voor een vrij selecte partij die hij gaf voor de keizer van Rusland, de koning van Pruisen, ontelbare prinsen en alle diplomaten, generaals en anderen die in de gebeurtenissen van de laatste tijd een rol hadden gespeeld. Ik herinner mij nog goed dat ik de erfprins van Oranje en prinses Charlotte op dit feestje naast elkaar zag zitten en arm in arm rond zag lopen, terwijl ze er perfect gelukkig en als geliefden uitzagen. Wat de intriges en de invloeden zijn geweest die de gevoelens van de prinses hebben veranderd en haar ertoe hebben gebracht om het huwelijk af te blazen is, geloof ik, een mysterie dat slechts weinigen kennen. Er zoemden allerlei geruchten en verhalen rond, maar geen enkele was betrouwbaar, de enige zekerheid die er bestond, was dat de prins was afgewezen en ik rouwde om zijn vernedering en teleurstelling. De laatste keer dat ik hem zag voordat hij Engeland verliet, was op een groot bal op Devonshire House, toen hij naar mij toe kwam, mijn hand pakte en zei: 'Tot ziens, God zegen u, lady Emma, morgen vertrek ik.' In zijn ogen stonden tranen en hij leek ongelukkig en dat is ook geen wonder want in alle andere omstandigheden is een dergelijke afwijzing vernederend genoeg, maar op zo'n publiek moment moet het helemaal een aanslag op zijn gevoelens zijn geweest. Om de toestand in Londen te beschrijven in de daaropvolgende weken zou onmogelijk zijn, zelfs al zou ik het willen proberen. De vrede, en de soevereinen en de prinsen, en Wellington en Blücher en Platoff, die allemaal tegelijk kwamen om het nuchtere verstand van John Bull in de war te brengen. Dag en nacht was iedereen overal haastig in de weer. (...) Onder deze geweldige mensen was mijn kennis uit Parijs, prins Leopold van Saxen-Coburg – een kleine ster die maar weinig werd opgemerkt te midden van de schitterende constellaties die hem omringden; toch trok hij de aandacht van iemand onder wiens invloed, nog voordat er een jaar voorbij was, zijn hele toekomst veranderde. Prinses Charlotte bewonderde hem en mocht hem. Waar en hoe vaak heeft ze hem ontmoet? Dit is een ander mysterie uit deze veelbewogen periode. Was het brein dat achter de bevordering van dit huwelijk zat hetzelfde dat werd verondersteld het andere huwelijk te hebben gedwarsboomd? En was dit intrigerende brein dat van de groothertogin Catharina [zuster van Anna Paulowna] zoals zovelen dachten?

11 MAGER EN BLEEK

28 juni 1814

LORD CLANCARTY, BRITSE AMBASSADEUR IN DEN HAAG

Aan lord Henry Stewart Castlereagh, Britse minister van Buitenlandse Zaken

Kroonprins Willem zet zijn pogingen om Charlotte voor zich te winnen, in het geheim voort.

Zo groot is de drang van de prins van Oranje om de onderhandelingen voort te zetten, dat er geen offer is dat hij niet zou willen brengen om prinses Charlotte tevreden te stellen. Hij wil nu zelfs een artikel in het huwelijkscontract opnemen waarin staat dat ze altijd, voortdurend en ononderbroken in Engeland móet blijven. (...) We zijn diep getroffen door zijn magere en bleke verschijning, maar gecharmeerd van de goede smaak waarmee hij zich gedraagt. Hij zag er gedeprimeerd uit, zeker, maar gedroeg zich met de vaste mannelijkheid van iemand die lijdt onder andermans gedrag, niet dat van hemzelf.

12 KAPERS OP DE KUST

1-2 juli 1814

LORD CLANCARTY

Aan lord Henry Stewart Castlereagh

De tsaar van Rusland maakt de Engelse ambassadeur zenuwachtig met zijn zusters.

De keizer van Rusland zal hier vandaag komen omstreeks etenstijd. Hij zal maar één dag in Den Haag blijven, en zal ergens in de loop van morgen naar Amsterdam gaan, waar zijn visite waarschijnlijk zal duren tot maandag. (...) Intussen is zijn zuster [groothertogin Catharina] met haar kalmukkengezicht naar Brussel afgereisd. Nadat ze erin geslaagd is zich extreem populair te maken in Amsterdam en Rotterdam gedurende haar vorige visite, gaat ze nu proberen hetzelfde te bereiken in de hoofdstad van de nieuwe landsdelen, waar ze ongetwijfeld in zal slagen. Ze heeft in ieder geval een forse greep weten te krijgen op de mening van de erfprins. Hij was hier gisterochtend, ik was er niet toen hij arriveerde, en toen ik terugkwam trof ik hem in conversatie met lady Clancarty, de dames Napiers etc. Na zijn vertrek herhaalden ze tegen mij wat hij zoal gezegd had voor ik binnenkwam, waaronder dat hij in lofzangen was uitgebarsten over de groothertogin. Hij zei dat haar karakter helemaal verkeerd werd voorgesteld in Engeland, en dat ze daar slecht was behandeld, ze had last gehad van een sfeer van intriges en achterklap, wat lijnrecht staat tegenover haar eigen instelling, en hij voegde daar met aanzienlijke intensiteit aan toe: 'U hebt geen idee hoe dol ze is op Holland!'

De openbare mening hier is zeer gedeprimeerd geraakt door het opbreken van de verloving, het heeft zelfs een effect gehad op de aandelenmarkten, die toen het nieuws hier bekend werd met 1 procent daalden, en sindsdien niet meer zijn gestegen. In België zal het ongetwijfeld bijdragen aan de weigerachtige houding ten aanzien van de vereniging [met Holland], tenzij de Belgen een duidelijk bewijs krijgen dat Groot-Brittannië nog steeds zijn belangen wil verbinden aan die van Holland. Vaarwel voor dit moment, ik zal nog even verder schrijven na mijn terugkeer van het diner en het bal op Huis ten Bosch.

(zaterdagochtend 3 uur) Ik ben niets speciaals te weten gekomen bij ons diner en bal, behalve dat de keizer de erfprins met veel aandacht en vertrouwelijkheid bejegent. U weet dat er naast de groothertogin van Oldenburg [Catharina] nóg een groothertogin is, van ongeveer twintig jaar oud, ongehuwd, ze schijnt mooi te zijn. Haar naam is Anna. Zou niet overwogen worden, (...) dat zij zou kunnen worden aangeboden aan de erfprins, als een verbintenis met Engeland zou mislukken? Ze is vrij van de bezwaren die de andere [Catharina] aankleven, zoals weduweschap, leeftijd etc. en onder de veronderstelde omstandigheden – hij moet nu eenmaal met iemand trouwen – zou het moeilijk voor ze zijn een excuus voor een weigering te vinden. Als ze zo'n excuus al zouden willen maken. Misschien zouden ze zo'n aanbod wel heel graag accepteren. Ik zal zeker mijn best doen zo'n verbintenis te voorkomen, of die nou met de ene of met de andere zuster gesloten zou worden, door bij een daarvoor geschikte gelegenheid met nadruk te wijzen op alle gevaren van een alliantie met Rusland voor dit land, in tegenstelling tot een alliantie met Engeland. Maar de enige zekere manier om dit te bewerkstelligen, en ik hoop oprecht dat dat nog in onze macht ligt, is door de onderhandelingen voor een huwelijk tussen de erfprins en prinses Charlotte te hernieuwen.

13 BOMMM BOMMM!

16-18 juni 1815

JAN DE REM, WATERLOOVETERAAN

Na zijn liefdesdebacle met Charlotte, draagt kroonprins Willem zijn steentje bij aan de definitieve verdrijving van Napoleon.

De prins van Oranje kwam erbij, met een kijker in zijn hand. Hij tikte de bombardier zachtjes op de schouder. 'Kijk,' zei hij, 'daarginds zit Napoleon in die hoogste bomen.' Wij keken mee. We zagen dat vier of vijf toppen van zeer hoge bomen samen de gedaante van een piramide vormden, en ook dat die bomen met elkaar door kruisbanden verbonden waren. Door de duisternis en de afstand konden we het niet goed zien, maar niemand zou een monarch daar in die hoge bomen verwacht hebben. In een oogwenk had de bombardier de batterij gericht: Bommm bommm! De bomen bewogen, de drie overige kanonnen werden ook afgeschoten en... de piramide liet haar hoofd hangen, terwijl de schoten klonken. Napoleon verloor. Hij zat dáár op de uitkijk om de positie van ons leger in zich op te nemen en zijn eigen positie dan daarop in te stellen. Maar onze prins had in weer en wind zelf ook op de uitkijk gestaan, en zo Napoleon dat voordeel ontnomen. Dit was een halve overwinning, want Napoleon wist nu niet meteen waar hij aanvallen zou. De prins stond nog bij de kanonnen. Altijd even vriendelijk zei hij tegen de bombardier: 'Kijk, daarginds gaat de koets van Napoleon uit het bos.' (Het was intussen beginnen te dagen.) De bombardier begreep de prins. Het schot volgde snel, en nog een, en... de koets was gedeeltelijk te pletter. Door de verre afstand konden we het niet goed onderscheiden met het blote oog, maar het leek ons dat Napoleon erbij was. Het paard of de paarden werden voor de koets weggehaald, en de koets bleef waar hij was. Wij lachten er wat om en waren wel in onze schik. Dit gebeurde op de vroege ochtend van de 18de juni. (...) Ongeveer om negen uur 's morgens sprak de prins ons allen aan: 'Jongens, houd moed! Het is vannacht guur en koud weer geweest, ik zal zorgen dat jullie vlees, brood en brandewijn krijgen', en dat deed hij, want het kwam gauw. 'Jongens,' zei hij verder, 'het zal vandaag wel warm worden.' En dat werd het ook. Tenminste: van kegels en kardoezen. Ons brood en brandewijn verkwikten ons en redde velen die uitgeput waren van kou en nattigheid. Ons vlees moesten wij nog koken. Ik zocht een paar takkenbossen om het te koken en zag dat de prins van Oranje zich net zo moest behelpen als wij. Hij zat net als wij op de kale grond te eten, hij had evengoed honger als wij en hapte er goed in. O, wat doet het een soldaat goed, als hij ziet dat zijn overste gelijk op deelt met de soldaat. Toen ons vlees bijna gaar was, zodat wij het konden eten, leek Napoleon niet al te goed te spreken. Zeker omdat bij onze rechtervleugel vandaan hem 's morgens een stuk of wat zespondskogeltjes toegezonden waren. Hij kwam rechttoe rechtaan op ons aanrennen met zijn volk. Wij gooiden onze kookketels omver, lieten ons vlees in de steek en grepen de wapens aan. Het vuur was hevig, maar de vijand kon ons niet verdrijven. (...) Maar nu werd de prins van Oranje gewond, dat vonden we heel erg, want we hielden veel van hem. De legerartsen waren meteen bij hem. Het gevecht duurde voort, maar niet lang meer. Onze aanval was nu ook woedend, waarop de vijand zich terugtrok, zonder stil te staan, want wij zaten hem dicht op de hielen. Wij vervolgden hem nacht en dag, dat moest wel, tot in Frankrijk, en zijn doorgemarcheerd totdat we in Parijs halt hielden en ons bivak opsloegen. We zagen er erg gehavend uit, want we waren al die tijd van Waterloo af niet uit de kleren geweest. (...) Het was 30 juni, 's avonds acht ure, toen we voor Parijs halt hielden en het speet ons allen zeer, dat prins Willem daar ook niet bij was.

14 ZWAKHEID OVERWINNEN

6 juli 1815

G.A.G.P. BARON VAN DER CAPELLEN, GOUVERNEUR VAN BELGIë

Aan koning Willem 1

Kroonprins Willem weigert zich te houden aan de rust die hem na zijn verwonding bij Waterloo is voorgeschreven.

De prins schijnt te denken, dat men door moed te tonen en alle zwakheid te overwinnen, de natuur kan dwingen en de genezing bespoedigen. Ik vrees echter dat helemaal integendeel, door deze aanpak de genezing aanmerkelijk vertraagd en moeilijker gemaakt zal worden, omdat niets beter is voor de prins dan rust en kalmte. De suppuratie is vrij sterk, en dit is zeer gelukkig en tot zuivering noodzakelijk, maar daarbij moet men zich stilhouden en niet 's avonds in een gezelschap gaan, vooral niet te paard rijden, hetgeen Zijne Koninklijke Hoogheid reeds gedaan heeft, maar met veel moeite van het paard afgestegen is. Niemand kan Zijne Koninklijke Hoogheid hier met enige hoop van goed gevolg op aanspreken. (...) De prins zou mij dit schrijven zeer kwalijk nemen, als hij daarover zou worden ingelicht en ik moet wensen dat het Zijne Hoogheid niet bekend wordt. Ik heb het niettemin als mijn plicht gezien om Uwe Majesteit met mijn zienswijze over dit zo belangrijke onderwerp bekend te maken.

15 TSAAR BIEDT ZUSTER AAN

23 juli 1815

TSAAR ALEXANDER I VAN RUSLAND

Aan koning Willem I

De verrichtingen op het slagveld van kroonprins Willem zijn het laatste duwtje dat de tsaar van Rusland nodig had om hem zijn zuster aan te bieden.

Ik heb de brief ontvangen die Uwe Majesteit mij hebt willen sturen vanuit Huis ten Bosch op 19 juli, en ik dank u voor de felicitaties daarin over het gelukkige succes van de campagne. Ik bid Uwe Majesteit te geloven dat ik geen enkele gelegenheid voorbij laat gaan om uw belangen te behartigen. Ik grijp deze gelegenheid om u met totale eerlijkheid te spreken over een onderwerp dat mij zeer na aan het hart ligt. Sedert lange tijd heb ik de uitnemende kwaliteiten van uw zoon, de kroonprins, weten te appreciëren. Hij heeft ze onlangs verhoogd door al zijn glorie in de memorabele dagen van 16 tot 18 juni. Zolang ik in onzekerheid verkeerde of zijn oude engagement met prinses Charlotte van Wales nog bestond, geloofde ik dat ik me moest onthouden van elk formeel aanzoek bij Uwe Majesteit. Maar sinds ik tijdens mijn missie in Engeland de zekerheid heb gekregen dat het tussen hen over is, voel ik me gerechtigd om zonder terughoudendheid met Uwe Majesteit te praten over een huwelijksplan voor de kroonprins met mijn jongste zusje, waarvan de verwerkelijking veel bevrediging zou schenken aan mijn moeder en mij. Ik snijd dit onderwerp liefst zelf met Uwe Majesteit aan, zonder intermediair. Ik heb er zelfs met geen woord over willen spreken met de kroonprins, voordat ik uw mening wist. Het lijkt me dat een dergelijke verbinding, los van de hoop op geluk die hij zou bieden voor het toekomstige koppel, uiterst nuttig zou kunnen worden om de betrekkingen van intieme vriendschap tussen onze twee landen te bestendigen. Ik bid Uwe Majesteit om mij in herinnering te brengen bij de koningin, en de uitdrukking van de oprechte aanhankelijkheid die ik haar toedraag over te brengen, evenals de gevoelens van hoge achting met welke ik verblijf.

16 KROONPRINS AANVAARDT HUWELIJKSVOORSTEL

1 augustus 1815

KROONPRINS WILLEM

Aan koning Willem 1

Ik heb uw brief gekregen met de twee afschriften en die hebben mij zeer grote vreugde bezorgd. U weet dat ik deze verbintenis al heel lang wilde en door de gracieuze manier waarop tsaar Alexander zich erover uitspreekt, is mijn verlangen nog groter geworden. Ik aanvaard het voorstel dus met grote dankbaarheid. Ik kan in deze verbintenis na alles wat ik hoor over de groothertogin alleen maar een groot geluk voor mij zien. Alle leden van de keizerlijke familie die ik nu ken (en dat zijn ze allemaal behalve zijzelf) zijn mij altijd enorm bevallen, met de groothertogen heb ik altijd intieme banden gehad; het zou dus wel heel vreemd zijn als ze zó verschilde van haar zusjes en broers dat ze een andere indruk op mij zou maken. Mijn egoïsme opzijzettende lijkt mij dat dit huwelijk ook politiek gesproken zeer gelukkige gevolgen voor ons kan hebben, want ik heb het gevoel dat onze buren de Pruisen heel gevaarlijk voor ons kunnen worden en het lijkt mij dat alleen Rusland hen in bedwang kan houden en ons kan beschermen tegen hun beledigingen. Ik durf te hopen dat mijn moeder geen bezwaar zal hebben tegen dit alles, want uit de conversaties die ik met haar heb gehad is mij gebleken dat ze niets tegen dit huwelijk had.

17 BRUILOFTMARATHON

21 februari 1816

GERBRAND BRUINING, PUBLICIST

Eind november 1815 vertrekt kroonprins Willem naar Rusland om op 21 februari te trouwen met Anna Paulowna in Sint-Petersburg.

De 21ste februari werd 's morgens om acht uur van de vesting Sint-Petersburg met een salvo van vijf kanonschoten aangekondigd dat de dag van de hoge huwelijksplechtigheid was aangebroken. De stoet, waarbij de dames in Russische, de heren in galakleding waren, begaf zich in dezelfde volgorde naar de hofkerk als waarin hij de 9de uit de kerk was teruggekeerd. HH Keizerlijke MM werden er evenals toen ontvangen, en bij het begin van de dienst leidde de keizerin-moeder haar innig geliefde dochter en de bruidegom naar een verheven plaats. De personen, bestemd om de kronen boven de hoofden der hoge ondergetrouwden te houden, naderden die plaats op datzelfde moment. De grootvorstin droeg een kroon op het hoofd, en over haar allerprachtigste kleed een roodfluwelen mantel met hermelijn gevoerd, waarvan de lange sleep door vier kamerheren, en aan het eind door de hofmeester van hare keizerlijke hoogheid vastgehouden werd. Daarna werd de huwelijksplechtigheid volgens de gebruiken der Griekse kerk aangevangen. (...) Toen werd, onder een salvo van 101 kanonschoten, het 'Te Deum' aangeheven, en na afloop van de hele godsdienstige verrichting ontvingen HH Keizerlijke MM de gelukwensen van de heilige synode en de hoge geestelijkheid, en begaf de stoet zich in dezelfde orde waarin hij gekomen was uit de kerk naar de vertrekken van het paleis, in welke witte zaal het hoge huwelijk in tegenwoordigheid van HH Keizerlijke MM en het corps diplomatique door de Waals gereformeerde leraar De la Sansai bevestigd werd. (...) Op dezelfde dag werden in alle kerken der stad dankgebeden uitgeboezemd. De klokken luidden de ganse dag en de twee volgende en de stad was op de avonden van die drie dagen verlicht.

Op de tweede van die drie dagen werden de heren en de dames

der twee eerste klassen bij HM de Keizerin-moeder op een maaltijd onthaald, gedurende welke er bij het drinken op de gezondheid van de hoge gehuwden 21 kanonschoten werden afgevuurd. 's Avonds bezocht men de schouwburg van de Hermitage. Op de derde dag was er om elf uur voor de hogere geestelijkheid, de officieren en verdere heren audiëntie van gelukwensen bij de jonge getrouwden in hun vertrekken, en 's middags voor de buitenlandse ministers, de hofdames en verdere vrouwen van aanzien, die er alweer in Russische kleding verschenen.

Twee dagen later was er bal bij HM de Keizerin-moeder. De achtste dag speelde de genoemde schouwburg opnieuw. De tiende dag werd er voor het keizerlijk paleis van de Tauris een heerlijk vuurwerk afgestoken. Tevens was er daar gemaskerd bal voor de adel en de kooplieden, die van entreebiljetten voorzien werden. Het ganse keizerlijk huis nam deel aan de dans en het prachtige souper was duizend couverts. De elfde dag hield men een luisterrijke sledevaart. Met dit vreugdebedrijf eindigden de openbare feesten in Ruslands hofstad, en kort daarna namen zij te 's-Gravenhage een aanvang.

18 ONBESCHRIJFLIJK RIJKE TOOI

GERBRAND BRUINING, PUBLICIST

Het pasgetrouwde paar komt in augustus aan in Den Haag. Anna Paulowna is dan inmiddels in verwachting van een zoon, de latere koning Willem III.

Hier werd de kroonprinses door haar schoonbroer [prins Frederik] uit het rijtuig naar binnen geleid. De muziek van de Haagse schutterij verhief zich inmiddels op de trap aan weerskanten van de ingang. In het portaal strooiden enige meisjes uit de aanzienlijkste stand de prinses en haar gemaal met bloemen. Bij de ontvangst door HM de Koningin, de gezamenlijke prinsessen die zich op het paleis verenigd hadden en het ganse hof, waren ook de ministers van de koning aanwezig. Enige tijd daarna vertoonde het koninklijke gezin zich voor

de vensters aan de enorme menigte, die haar vreugde over het verleende gezicht van het jeugdige vorstenpaar in een luid gejuich uitte.
Uiteindelijk ging ZM de Koning met de beide prinsessen beneden
aan de trap staan. (...) Toen pas begon Hare Keizerlijke Hoogheid
echt te voelen wat een lange reis zij had afgelegd en hoe moeilijk deze
haar in gezegende omstandigheden gevallen was. Evenwel bleef zij
zich nog enige tijd vermannen, om de felicitaties aan haar en haar
gemaal zoveel mogelijk mee te ontvangen. Ondanks alle zwakheid
verscheen de kroonprinses dadelijk, op maandag 2 september, in een
allervorstelijkste en onbeschrijflijk rijke tooi, maar veelal zittende,
aan de zijde van de kroonprins, toen de buitenlandse ministers in de
namiddag ter audiëntie gevraagd werden.

19 HOLLANDS HOF IN RUSLAND

10-17 oktober 1824

MARIE CORNÉLIE GRAVIN VAN WASSENAER OBDAM, HOFDAME
VAN ANNA PAULOWNA

*In 1824 reist Anna Paulowna naar Rusland met haar Nederlandse hof-
houding. Die incasseert de ene cultuurshock na de andere.*

1 Schurftige schapen

Om halfzes in de ochtend was het nog niet licht genoeg om iets
van het paleis te kunnen onderscheiden. We reden eerst een binnenplaats op, waar we niet moesten zijn. Uiteindelijk mochten we
uit het rijtuig stappen en werden we naar ons onderkomen gebracht.
Maman [zo werd Anna Paulowna genoemd] en ik kregen een aardig
appartement op de benedenverdieping, Pauline op de eerste verdieping. Na het ontbijt kropen we gauw weer in bed om nog wat
uit te rusten. Maar het daglicht hield me uit mijn slaap. Na een uur,
toen ik net begon te dommelen, werd ik met een aangenaam bericht
gewekt. We moesten ons zo snel mogelijk kleden in een japon met

sleep en diamanten om na de mis voorgesteld te worden aan de weduwe van de overleden tsaar, tsarina Maria Fjodorovna.

(...) Het gezelschap bestond uit hofdames, hofdienaren en officieren van het regiment van de tsarina, die te Gatsjina in garnizoen liggen. Als drie schurftige schapen stelden wij ons op bij de deur. Tegenover bevond zich het zeer indrukwekkende hof – dat was het althans voor een debutante zoals ik.

Na enkele ogenblikken schreed de tsarina op ons toe. Zij is een grote vrouw met voor haar lengte een goed postuur. Dankzij duizend kleine schoonheidsgeheimpjes is zij voor haar vijfenzestig jaar zeer goed geconserveerd. Zij draagt onder andere een korset, dat zo strak zit dat zij alleen heel kleine pasjes kan nemen. Bukken lukt niet en ze kan zelfs haar armen niet ver genoeg naar voren steken om haar lange handschoenen aan te trekken. Dit doet ze door haar ene hand op haar rug te houden. Ze straalt veel waardigheid uit en heeft tegelijkertijd beminnelijke omgangsvormen.

11 Rijke Russen

Nadat we een ronde japon hadden aangetrokken, gingen we om kwart over twee naar de prinses. (...) Gravin Litta, de grootmeesteres die de gasten voor zou stellen, arriveerde al snel daarna. Zij is een vrouw op leeftijd, maar met een aangenaam uiterlijk. Al deze dames, die we naar voorschrift van de etiquette moeten omhelzen, zijn zo gepoederd dat je hun alleen een zoen op hun kin kunt geven zonder het risico te lopen sporen achter te laten. Gravin Litta en haar echtgenoot, die grootmeester is, zijn zo rijk als Croesus. Zij hebben een kleindochter, gravin Julie Pahlen, die ook ontzettend rijk is, en die door haar aanstaande huwelijk haar schatten gaat verbinden met die van graaf Samoilov, een jongeman met een nogal aardig uiterlijk. Nadat de beide gravinnen een teder moment van herkenning met de prinses van Oranje hadden genoten, kwam deze uit haar kamer en liet naar hofgebruik haar hand kussen door alle mensen die gekomen waren om haar te ontmoeten. Ondertussen bleven wij bij de deur staan. We ontvingen iedereen aan een diner. Ik zat aan tafel één plaats van gravin Pahlen verwijderd. Ze droeg een zeegroene kasjmier sjaal over haar schouders, een schitterend cadeau van haar verloofde dat twintigduizend roebel had gekost. Om haar armen droeg ze twee armbanden: één met het portret van graaf Samoilov als antieke buste, de andere – een heel eenvoudige – was gesloten met een klein slotje, waarvan haar uitverkorene de sleutel bewaart. Hij had zijn aanstaande niet naar Gatsjina vergezeld, maar de tsarina vroeg haar hem uit te nodigen voor de volgende dag. Hierop schreef zij hem tijdens het diner een brief in potlood op haar knieën van ten minste drie velletjes. Ze had rust noch duur voordat men haar het nodige had gebracht om de brief te verzegelen en wat inkt om het adres te schrijven. Het gezicht van gravin Pahlen is niet onaangenaam. Zij heeft mooie bruine ogen, maar zij heeft iets smachtends dat irriteert.

iii Wespentailles

Er staan banken vanwaar de dienst niet te volgen is, als je je tenminste niet tegen de balustrade drukt. De hele gemeente probeert zoveel mogelijk tegen de muur te leunen, omdat men in de orthodoxe kerk nauwelijks durft te gaan zitten. De prinsessen die zwanger zijn of ongesteld nemen deze vrijheid soms wel. De gezangen troffen me niet zo bijzonder als ik verwacht had. Ik geef de voorkeur aan die in de kleine kapel van de prinses van Oranje.

Hoewel het voor zoiets niet het meest passende moment was, kon ik me er niet van weerhouden om tijdens de mis met verbazing naar de slanke tailles te kijken van de heren officieren van het regiment van de tsarina. Omdat ze tegen het licht stonden, leek het alsof je ze als een wesp in tweeën kon snijden. Alle Russische militairen zijn zo vreselijk strak ingesnoerd dat ze nauwelijks kunnen gaan zitten. Behalve het uniformjasje en de sjerp, die zoals een officier mij zelf verteld heeft, door twee mannen moet worden aangetrokken, dragen ze strakke broeken in hoge laarzen, waardoor ze hun knieën niet kunnen buigen. Niet alleen de officieren, maar ook eenvoudige soldaten worden op deze manier ingesnoerd. Dit veroorzaakt onvermijdelijk slagaderbreuk of andere ongevallen. De keizerlijke familie vormt geen uitzondering. Vanaf hun vroegste kinderjaren worden de militairen in verschillende scholen zo ingesnoerd. Hierdoor wordt hun borstkas naar voren gedrukt, zodat ze helemaal opgevuld lijken.

Deze onnatuurlijke staat veroorzaakt een vroegtijdige dood en het is daarom heel zeldzaam als een Russische soldaat het einde van zijn vijfentwintigjarige diensttijd bereikt, ongeacht de leeftijd waarop hij onder dienst is gegaan. Na afloop van de mis keerde iedereen terug naar zijn eigen kamer. Aangezien het sneeuwde hebben we niet gewandeld.

3 'U gaat nu zúlke afschuwelijke dingen horen'
Vader versus zoon (1816-1830)

Met in de hoofdrol:
Koning Willem I, kroonprins Willem, diens vrouw Anna Paulowna
en de 'slechte' vrienden van de kroonprins.

1815-1817

Voor de prins van Oranje en zijn vrouw was het duidelijk waar zij na hun huwelijk gingen wonen. In Brussel natuurlijk. 'In Brussel doet men nog steeds niets anders dan dansen', had de prins anderhalf jaar eerder vanuit het zuidelijke deel der Nederlanden enthousiast geschreven aan zijn moeder.[51] Hij danste graag mee. De Belgen dreven tenminste niet de spot met zijn gebrekkige Nederlands, zoals in Holland vaak gebeurde. Ook zijn vrouw, Anna Paulowna, voelde zich in het zuiden meer thuis dan in het noorden. En de Belgen vonden geestverwanten in het kroonprinselijke paar. De meeste Belgen wilden niet horen bij het stijve Holland. Ze wilden geen protestantse koning zoals Willem I: een prototype Hollander, zuinig, koppig en stug. Het lidmaatschap van de Nederlanden was hen bij de conferentie van Londen opgedrongen. Daar was, na stevig lobbyen van Willem Frederik, besloten om noord en zuid te verenigen, zodat Willem Frederik zich vanaf 1815 'koning der Nederlanden' mocht noemen. Die Nederlanden moesten een bastion vormen tegen eventueel nieuw revolutiegevaar uit Frankrijk. De 'Hollandse rekenkunde' van Willem I had van de volksraadpleging die in het zuiden over de grondwet was gehouden, een farce gemaakt. De meerderheid van de Belgische regenten had tegen vereniging met het noorden gestemd en toch luidde de uitslag dat de meeste Belgen vóór waren. De koning omringde zich bijna uitsluitend met Hollandse adviseurs. Maar tot opluchting van de Belgen verzette kroonprins Willem zich tegen de eenzijdige oriëntatie van zijn vader. (1) Hij verdiepte zich wél in de volksaard van de zuiderlingen. En hij meende daarin aanknopingspunten te vinden, die zijn vader negeerde. De Belgen hielden bijvoorbeeld wel van de pracht en praal die aan hoven kleefden. Ze wilden ook best een koning, maar dan eentje die hun spel meespeelde. De kroonprins had daar geen moeite mee; hij genoot ervan om in Brussel de ene na de andere bijzondere onderscheiding op zijn revers gespeld te krijgen. Maar het lukte hem niet om zijn vader het belang van dat soort poespas te doen inzien. De prins vond dat de koning meer begrip moest hebben voor de Belgische zucht naar hofvertier. Dat zou volgens hem de eenheid van de Nederlanden ten goede komen. Maar Willem I was te zeer een koning van het volk om zich te bekommeren om de zucht naar vermaak van de Belgische aristocratie. Het stak de kroonprins dat zijn vader hem niet serieus nam. Hij die voor het hele land de luisterende vader wilde zijn, leek voor zijn eigen zoon geen oor te hebben. De koning, op zijn beurt, vond zijn zoon niet loyaal. Het ergerde hem dat hij altijd de kant van de Belgen koos en altijd in Brussel zat. Hij wilde dat de prins vaker naar Den Haag kwam. Hoe moest dat later, als hij hem zou opvolgen? Zou hij Brussel dan soms tot hoofdstad maken van zijn koninkrijk? Dat wilde Willem I tegen iedere prijs voorkomen.[52]

Kroonprins Willem bleef zoveel mogelijk uit de buurt van zijn vader. Daarin werd hij gesteund door zijn vrouw Anna Paulowna, die zichtbaar neerkeek op Holland. Bij officiële verplichtingen in Den Haag meldde zij zich vaak ziek. Maar zodra er 'een stelletje Belgen' voor haar poort stond, mensen die erom bekendstonden dat ze 'niet gehecht' waren aan de koning, kreeg ze volgens de gezant van Pruisen onmiddellijk weer energie. (17) Zo ontstonden in het koninkrijk der Nederlanden langzaam maar zeker twee rivaliserende hoven: een in Den Haag en een in Brussel. De spanning tussen koning en kroonprins symboliseerde de politieke en culturele tegenstellingen tussen noord en zuid.

Anna Paulowna trad niet sussend op in de ruzies tussen vader en zoon. Vaak deed zij er juist een schepje bovenop. Ze vond haar schoonvader gesloten, stiekem en schijnheilig. Als tsarendochter was ze van het gezag van de koning van Nederland, met zijn kleine paleisjes en zijn bekrompen hofje, niet zeer onder de indruk. Haar hooghartigheid werd door de koning weer beantwoord met snerende opmerkingen als: 'Heel Rusland en ook jouw broer worden geregeerd door Polen.'(4) Dat briefde Anna Paulowna dan door aan haar moeder, die het kon doornemen met haar zoon: tsaar Alexander. Als architect van de 'Heilige Alliantie' van vorsten in Europa stond hij ver boven de Hollandse koning en keek hij soms geërgerd, soms geamuseerd maar altijd verbaasd naar wat zich in de soevereine familie van dat kleine landje aan de Noordzee allemaal afspeelde. De prins van Oranje schermde tegenover zijn vader graag met zijn Russische familieconnectie. Hij beweerde dat de tsaar hem, de held van Waterloo, wél op waarde schatte. Hij dreigde tegen zijn vader zelfs wel eens dat hij voor Rusland zou gaan werken, in plaats van voor het kleine koninkrijk der Nederlanden. Of hij daagde hem uit door op een hofbal te verschijnen in Russisch uniform, ter ere van de naamdag van de tsaar. (4)

De hoge opvattingen die prins Willem, mede geïnspireerd door Anna Paulowna, over zichzelf had, strookten niet geheel met de werkelijkheid. Vanaf de wal had hij makkelijk praten. En op Willem I was veel aan te merken, maar hij koerste wel op praktische doelen af, terwijl dat van zijn zoon met de beste wil van de wereld niet gezegd kon worden. Anders dan zijn vader kon de prins niet stilzitten. Tegenwoordig zou hij misschien het etiket ADHD opgeplakt hebben gekregen. Het liefst zat hij op een paardenrug. Honderden kilometers reed hij in ijltempo door het land. 'Terwijl de vader acht uren achtereen in het kabinet arbeidde, reed de zoon in acht uren te paard van 's-Gravenhage naar Brussel,' schreef zijn biograaf en tijdgenoot Johannes Bosscha.[53] De prins stelde zijn lichaam graag bloot aan ontberingen. Met de schouderwond die hij bij Waterloo had opgelopen, weigerde hij rust te nemen. Hij scheen te denken, zo schreef de verontruste zuidelijke provinciebestuurder Van der Capellen, 'dat hij door moed te tonen zijn zwakheden kan overwinnen'.[54] Nog jaren sliep de prins van Oranje op het eenvoudige veldbed dat hij als militair bij Waterloo had gebruikt. Tijdens tochten naar Warschau en Sint-Petersburg trotseerde hij in open koetsen de ongenadige Oost-Europese hitte of kou. Willems lijfarts, Everard, waarschuwde hem dat hij roofbouw pleegde op zichzelf en minister Anton Falck zei dat de prins langzaam bezig was zelfmoord te plegen.[55]

De prins vond weinig rust bij zijn echtgenote, die zelf kampte met een overspannen zenuwgestel. Anna Paulowna had aanvallen van de-

Frederika Sophia Wilhelmina, prinses van Pruisen (1751-1820). Zij
spoorde haar zoon Willem Frederik aan om geen genoegen te nemen
met een 'leven als schaapsherder'. (Door: C. Cels, 1817) (Koninklijk
Huisarchief)

Staatsieportret van Frederica
Louisa Wilhelmina (1774-
1837), prinses van Pruisen,
echtgenote en volle nicht van
Willem 1. Zij trouwde met de
(toen nog) stadhouderszoon
Willem in 1790.
(Door: J. Paelinck, 1815)
(Stichting Historische
Verzamelingen van het Huis
Oranje-Nassau, Den Haag.
Foto: RKD/Iconografisch
Bureau, 's-Gravenhage)

Staatsieportret van
koning Willem 1. Met zijn
rechterhand wijst hij op een
landkaart de omgeving van
Waterloo aan. Daar vocht
zijn oudste zoon, de prins
van Oranje, tegen Napoleon.
(Door: J. Paelinck, ca. 1816)
(Paleis Het Loo, Apeldoorn,
bruikleen Stichting
Historische Verzamelingen
van het Huis Oranje-Nassau.
Foto: E. Boeijinga)

Willem I (1772-1843) op de dag van zijn terugkomst uit ballingschap in het huis van Leopold graaf van Limburg Stirum in Den Haag. (Door: Louis Moritz) (Paleis Het Loo, Apeldoorn, bruikleen Stichting Histori- sche Verzamelingen van het Huis Oranje-Nassau. Foto: R. Mulder)

Koning Willem I en zijn nageslacht. Links het gezin van zijn oudste zoon, de prins van Oranje, met v.l.n.r. diens zoontje, prins Alexander, diens echtgenote prinses Anna Paulowna, kroonprins Willem, zijn dochter Sophie en zijn oudste zoon, erfprins Willem. In het midden koning Willem I en koningin Wilhelmina. Rechts de jongste zoon van kroonprins Willem en Anna Paulowna, prins Hendrik. Daarnaast prinses Marianne en het echtpaar prins Frederik en prinses Louise van Pruisen, respectievelijk jongste dochter, jongste zoon en schoondochter van koning Willem I. (Litho door: Linatti) (Gemeentearchief Den Haag)

Willem II op een paard,
waar hij het liefst zat.
Uren achtereen kon hij
door het land draven.
(Door: J. B. van der Hulst)
(Koninklijk Huisarchief)

Willem II als jonge prins van Oranje.
Omstreeks deze tijd zat hij vol plan-
nen. Hij wilde onder meer proberen
om de Franse troon te bemachtigen.
(Door: G. Dawe, 1819) (Stichting
Historische Verzamelingen van het
Huis Oranje-Nassau, Den Haag.
Foto: RKD/Iconografisch Bureau,
's-Gravenhage)

Het gezin van de prins van Oranje enkele jaren nadat het schandaal omtrent diens homoseksuele activiteiten succesvol in de doofpot was gestopt.
V.l.n.r. erfprins Willem, prins Alexander ('Sasja'), de prins van Oranje,
zijn vrouw Anna Paulowna, prinses Sophie en prins Hendrik. (Door: J. B.
van der Hulst, omstreeks 1825) (Stichting Historische Verzamelingen van
het Huis Oranje-Nassau, Den Haag)

Gravure waarop is weergegeven hoe de verdachte Constant Polari in 1829 de juwelen van Anna Paulowna zou kunnen hebben gestolen uit haar paleis in Brussel. Polari bekende de roof, maar wist niet overtuigend te maken dat hij deze in zijn eentje had gepleegd: via een laddertje tegen de paleismuur. Het gerucht ging dat kroonprins Willem, die veel schulden had, zelf bij de roof betrokken was. Maar Polari verzekerde de rechtbank dat de prins er niets mee te maken had. (Koninklijke Bibliotheek, Den Haag)

Prinses Anna Paulowna in 1832 tijdens een bezoek aan het Willems-hospitaal te Den Haag, waar de (Noord-Nederlandse) gewonden werden verpleegd die waren gevallen tijdens de bloedige gevechten in de oorlog met België. (Door: J. W. R. Kachel) (Gemeentearchief Den Haag)

Henriëtte d'Oultremont, de katholieke Belgische gravin voor wie Willem I tegen het einde van zijn leven de troon opgaf, gefotografeerd in Parijs rond 1862. (Fotocollectie Koninklijk Huisarchief, Den Haag. Foto: Ch. Reitlinger, Parijs)

De inhuldiging van koning Willem II op 16 november 1840. (Door: N. Pieneman) (Paleis Het Loo, Apeldoorn, bruikleen Stichting Historische Verzamelingen van het Huis Oranje-Nassau. Foto: R. Mulder)

pressiviteit en heimwee naar haar vaderland, terwijl zij intussen haar man opjutte om het leven in dat kleine moerasland een beetje op te luisteren. De uitputtingsslag van de prins leek een diepe innerlijke onrust te bedwingen. De oorzaak van zijn zelfkastijding had mogelijk ook te maken met een geheim dat hij al sinds zijn volwassenwording met zich meedroeg. Op dat geheim komen wij nog terug.

Het alles overvleugelende verlangen naar vrijheid van de kroonprins botste met de controledrang van zijn vader, die zijn zoon geen bewegingsruimte gaf. Hij had hem wel tot minister van Oorlog bevorderd, maar dat was een eretitel. Het was niet de bedoeling dat de prins ook echt zijn stempel op het beleid drukte. Daarvoor had de koning de commissaris-generaal, Van der Goltz, benoemd. Maar twee kapiteins op één schip was vragen om moeilijkheden. In 1817 brak een groot conflict uit tussen de kroonprins en Van der Goltz over de zending van militairen naar Indië. De prins stapte naar zijn vader om het ontslag van Van der Goltz te eisen, wat de koning weigerde. Heel Brussel kon er getuige van zijn hoe de koning uit Den Haag kwam om de ruzie uit te vechten met zijn zoon, die de confrontatie vermeed door op de vlucht te slaan. (2, 3, 4) De affaire kwam kroonprins Willem op een vermaning te staan van zijn grootmoeder, Wilhelmina, de grote roergangster die de verrichtingen van haar nageslacht nog altijd nauwgezet volgde. 'Heel kinderachtig' vond ze het gedrag van haar kleinzoon, en ze dwong hem om bij zijn vader excuses te maken. Dat maakte de prins verongelijkt: waarom gaf iedereen altijd hem de schuld?[56] Schoorvoetend verzoende de prins van Oranje zich rond de kerstdagen van 1817 met zijn vader. (5) Maar de vrede duurde niet lang.

1817-1820

De behoefte van kroonprins Willem om zelf te regeren in plaats van naar zijn vader te luisteren, maakte hem tot een makkelijke prooi voor samenzweerders. In Brussel waren die er in overvloed. Na de Franse Revolutie waren in Frankrijk in 1814 de Bourbons weer op de troon gekomen. Hun teleurgestelde tegenstanders verzamelden zich in de Brusselse koffiehuizen om nieuwe plannen te smeden.

De prins van Oranje wist van die bijeenkomsten in zijn stad. En in plaats van zich ervan te distantiëren, encanailleerde hij zich met de deelnemers. Volgens zijn vader was de prins hun 'speeltje' en had hij in al zijn onnozelheid niet door dat ze hem gebruikten om, 'nadat ze het sap eruit hebben geperst' het 'schors' weer weg te gooien. (15) Maar de prins voelde zich thuis bij rebellen. Hij was zichzelf ook steeds meer een rebel gaan voelen tegen de almacht van zijn vader.

De Franse samenzweerders beloofden de prins dat ze hem op de Franse troon zouden helpen als híj hén hielp. Koning van Frankrijk worden, dat leek hem wel wat. En als hij dan ook België nog van zijn vader zou kunnen afpakken, zou dat helemaal mooi zijn. En zo raakte de kroonprins bij de plannen voor een 'coup' in Frankrijk betrokken. In het verschieten van een komeet aan de sterrenhemel zag hij in het voorjaar van 1819 een teken van boven dat er zegen rustte op de plannen.[57] Alleen al het geloof in dergelijke bovennatuurlijke krachten toont hoezeer hij van zijn rationele vader verschilde.

Maar ook van zijn zwager, de tsaar van Rusland. Toen die lucht kreeg van het complot, werd hij razend. Hij stond juist op goede voet met de Bourbons. Anders dan de prins eerder had verondersteld, bleek nu dat hij helemaal niet zo'n hoge pet van hem op had. 'Dat die jonge gek van een prins van Oranje dergelijke ideeën heeft, verbaast me niet,' riep hij volgens een ooggetuige toen hij van Willems plannen hoorde. Maar dat zijn zuster, Anna Paulowna, die 'dwaze ideeën' had omarmd, verbaasde hem wél. Zijn eigen vlees en bloed dat nota bene bezig was zijn zorgvuldig bedachte systeem voor vrede in Europa te ondermijnen! (7) Als een klein kind werd de prins van Oranje in september 1820 door zijn vader naar Warschau gestuurd, om daar aan tsaar Alexander zijn excuses aan te bieden, zodat die de Franse koning weer kon kalmeren. (14) Maar de betrokkenheid van de prins van Oranje bij de samenzwering raakte in brede kring bekend, waardoor hij internationaal veel krediet verspeelde.

Rond dezelfde tijd dat de plannen voor de Franse 'coup' uitlekten, dreigde voor kroonprins Willem een mogelijk nog grotere publieke vernedering. Hij deed niet alleen geheime dingen op politiek gebied, maar leidde ook persoonlijk een dubbelleven. In november dreigde zijn grootste geheim te worden onthuld. Het geheim dat misschien wel de bron was voor alle onrust in zijn leven. Het geheim dat hem met het verdonkeremanen van zijn innerlijke roerselen al vroeg vertrouwd had gemaakt.

Kroonprins Willem hield naast vrouwen ook van mannen.

Homofilie, destijds 'sodomie' genoemd, werd in de negentiende eeuw gezien als een ernstige ziekte. In de praktijk gebracht gold die ziekte zelfs als misdaad.[58] Maar net als tegenwoordig, bestond aan het hof een groot verschil tussen publiek en privégedrag. Achter de schermen werd meer getolereerd dan ervóór. In een tijd zonder massamedia konden seksuele uitspattingen van hooggeplaatste personen ook makkelijker verborgen blijven dan tegenwoordig. Het strenge burgermansfatsoen enerzijds en de weerbarstige praktijk anderzijds, creëerden de voor de negentiende eeuw zo typische dubbele moraal: er mocht weinig, maar er kon veel, zeker voor mannen met geld en/of macht.[59]

Maar kroonprins Willem had de pech dat een kaartvriend zijn kans greep om hem te chanteren. En daardoor werden zijn seksuele capriolen staatszaak. In het najaar van 1819 ontving de kroonprins een brief, waarin een zekere A. Vermeulen dreigde om zijn 'schandelijke en onnatuurlijke lusten' bekend te maken. (9) Alsof de reputatie van de held van Waterloo niet al genoeg was beschadigd, zouden nu ook zijn 'criminele' lusten nog aan de grote klok worden gehangen. Niet alleen zijn vader, de koning, zou ervan op de hoogte worden gebracht, maar ook de tsaar van Rusland en de koning van Pruisen, zo stond in de brief. Bovendien zouden in de grote steden overal aanplakbiljetten verschijnen met het nieuws. Als de prins dit wilde voorkomen, moest hij op 3 november 63.000 gulden betalen.

De prins zag geen andere mogelijkheid dan zijn vader te waarschuwen, hoe pijnlijk dat ook was. De onthutste koning Willem I schakelde onmiddellijk zijn goed georganiseerde geheime politieapparaat in – een erfenis van Lodewijk Napoleon. Bij de Amsterdamse posterijen werd een brief onderschept van A. Vermeulen, waarin deze de herbergier van Het Wapen van Hamburg aan de Nieuwendijk in Amsterdam meldde dat hij op 3 november 1819 zou komen overnachten. Tientallen politieagenten, vermomd als ober, klant of voorbijganger, gingen die dag bij de herberg op de uitkijk staan. Toen A. Vermeulen de door hem gereserveerde hotelkamer betrad, had een spectaculaire arrestatie plaats door een menigte agenten. (11) Tijdens ondervraging door de politie bekende de afperser dat zijn werkelijke identiteit Adam Adriaan Boers was en dat hij een kaartvriend was van de prins. (10) Hij had de afpersing niet in zijn eentje beraamd, vertelde hij, maar met een Brusselse kompaan, Pierre Matthieu Bouwens van der Boyen. Die werd ook gearresteerd, met nog een paar vermeende handlangers. De arrestaties, waar haast niemand van afwist, gaven aanleiding tot gissingen onder diplomaten. Was er weer een samenzwering tegen de koning verijdeld? (12)

Een publieke rechtszaak was niet in het belang van de koning, laat staan van de prins. De toedracht van deze aanval op de troon moest tot elke prijs geheim blijven. Boers werd verbannen naar Suriname en Bouwens van der Boyen naar Batavia. Dat hun verhalen over de prins grond hadden, blijkt uit het feit dat ze zwijggeld meekregen, een maandelijkse toelage en een aanbevelingsbrief om overzee aan de slag te komen.[60]

Maar van Boers waren de koning en de prins nog niet af. De verwikkelingen rond deze persoon, te herleiden uit brieven in het Koninklijk Huisarchief, hebben een hoog Louis de Funès-gehalte, waardoor je bijna zou vergeten dat Boers wel degelijk gold als een serieuze bedreiging voor de continuïteit van het koningschap. Op weg naar Suriname leed hij schipbreuk voor de kust van Engeland waarna hij erin slaagde om zwemmend de wal te bereiken. Verstoken van reispapieren meldde hij zich bij de Nederlandse ambassade in Londen, die hem onmiddellijk in staat stelde om opnieuw af te reizen naar Suriname. Maar in plaats daarvan vluchtte Boers naar Parijs om vanuit daar zijn chantagepraktijken voort te zetten.

Opnieuw werd de geheim agent ingeschakeld die ook de leiding had gehad tijdens de eerdere inval in Amsterdam, de ex-acteur Bernard Fallée. Dit keer schaduwde hij Boers vermomd als vrouw. Hij observeerde dat Boers opzichtig gekleed ging in een lichtgroene overjas met daaronder een rood vest, verdacht veel geld uitgaf en zich ophield in slecht bekendstaande gelegenheden. Maar handlangers schenen er niet te zijn. Boers werd gearresteerd en opnieuw naar Suriname verscheept.[61] Van hem werd daarna nooit meer iets vernomen, maar van Bouwens van der Boyen had de prins van Oranje nog lang last.[62] In Batavia ontmoette Bouwens een andere intrigant, de officier Van Andringa de Kempenaer die later, via een tussenpersoon, nog 2500 gulden los wist te peuteren voor een pakket schadelijke 'familiegeheimen' van de prins. (13)

Het kostte geld en moeite, maar het lukte toch om de chantagezaak die de biseksualiteit van de prins tot politiek probleem verhief, in de doofpot te stoppen. Pas meer dan 180 jaar later, in 2004, werd voor het eerst in een proefschrift onthuld dat de arrestaties van Bouwens en Van der Boyen niet te maken hadden met een politieke samenzwering tegen de koning, zoals historici altijd hadden aangenomen, maar met persoonlijke chantage van de prins.[63] In de politieverhoren en andere officiële stukken werd van de aard van de chantage geen melding gemaakt, waarschijnlijk om te vermijden dat het schandaal zwart op wit zou komen te staan. Maar in het Koninklijk Huisarchief vonden wij één document waarin de aard van de chantage wél wordt genoemd: de aantekeningen van minister van Justitie Van Maanen. Op 5 november 1819 schreef hij dat 'een of meer personen van plan waren om bepaalde schandelijke en onnatuurlijke lusten[64] van ZKH, waarvan zij de bewijzen hadden, openbaar te maken.' (9) Het woord 'onnatuurlijk' kan ons inziens op weinig anders wijzen dan op de homoseksuele neigingen van de prins.

Steunbewijs voor de biseksuele geaardheid van de prins is ook te vinden in andere bronnen, die losstaan van de chantageaffaire. Boers en Bouwens van der Boyen probeerden een slaatje te slaan uit de 'afwijking' van de prins, maar zij waren duidelijk niet de enigen die ervan afwisten. Een 'verstompt zedelijk gevoel' had de prins bijvoorbeeld volgens zijn tijdgenoot en biograaf J. Bosscha. Zonder verdere details te melden, noemde Bosscha dit de schaduwzijde van zijn grote 'verbeeldingskracht'. Anna Paulowna meldde in een brief terloops een veelzeggende opmerking van haar man: dat een 'vrijgezel gelukkiger was dan een getrouwd man'.[65] En zijn latere schoondochter Sophie noemde het opmerkelijk dat Willem noch zijn vrouw, noch een maîtresse in zijn buurt had. 'Andere mannen hebben hun vrouw of hun maîtresse om hem te verplegen of op te vrolijken, hij heeft niemand,'[66] schreef zij. De journalist Eilert Meeter noteerde dat een zekere Petrus Jansen op een dag 'innig' werd gekust door een hijgende Willem[67] en eind jaren twintig circuleerden onder diplomaten geruchten over een dubieuze relatie die de prins had aangeknoopt met een knappe, elegante dandy, Pereira genaamd. Volgens de Russische gezant Gourrieff maakte de prins van Oranje met hem arm in arm lange wandelingen in de velden rond Brussel, hield hij intieme dinertjes met hem in zijn paleis en betaalde hij zijn kleding. (19)

Alle consternatie die de prins in 1819 door de couppoging in Frankrijk en de chantageaffaire had veroorzaakt, deed hem in het najaar van 1820 wat meer in de pas lopen. Voor de zoveelste keer wist hij zich met zijn vader te verzoenen, wat hij dit keer beschreef als: 'een droom'.[68] Maar diep in zijn hart bleef hij vinden dat zijn vader de schuld was van zijn publieke ontsporingen. Zijn vader, die hem in de armen van verkeerde vrienden had gedreven door hem niet te waarderen zoals hij was. Die hem door zijn eeuwige vermaningen altijd klein had gehouden. Die nooit naar hem had willen luisteren. Deze kritiek verwoordde de prins van Oranje in het opvoedingsplan dat hij in 1822 schreef voor zijn eigen zoons: 'Als prinsen het vertrouwen van hun jonge harten (...) niet vanuit het gevoel kunnen geven aan hun ouders, dan zullen zij het zoeken bij anderen, hetgeen de ernstigste consequenties kan hebben voor henzelf, voor hun ouders en voor de staat,' schreef hij. (16)

Echt goed kwam het niet meer tussen vader en zoon. Van 1820 tot 1829 maakte kroonprins Willem geen deel uit van de Raad van State, waarin troonopvolgers volgens de grondwet vanaf hun achttiende levensjaar zitting hebben. Het lidmaatschap had in zijn ogen geen zin, omdat zijn vader zich toch door niemand liet beïnvloeden.[69]

Het was moeilijk om publiekelijk de schijn op te houden van een harmonieus gezin. Tijdens een hofbal in 1825 noteerde een ooggetuige dat de leden van de koninklijke familie hard hun best deden om eensgezind te lijken, maar daarmee juist het tegenovergestelde bereikten. 'Juist de rigoureuze stiptheid waarmee de vormen geobserveerd werden, heeft mij een bewijs gegeven van werkelijke verwijdering,' schreef de bezoeker van het bal. 'Alles was stijf en van beide zijden gemaniëreerd.' (18)

Zonder belangrijke taak maar wel in een hoge positie, moest

de prins van Oranje het hebben van zijn charme. Waar hij kwam, nam hij het publiek voor zich in. Tijdens de overstroming van de Zuiderzee in 1825 bijvoorbeeld, maakte hij grote indruk door zijn 'menslievendheid'. In het aalmoezeniersweeshuis waar de slachtoffers bijeengebracht waren, riep hij volgens ooggetuigen genereus tegen een zwangere vrouw: 'Ik geef 100 gulden voor de kraam en neem het peetschap van het kind op mij.'[70]

Maar de geruchten over zijn homoseksuele activiteiten wonnen aan het eind van de jaren twintig opnieuw aan relevantie. Dit keer draaide het om de eerdergenoemde Pereira, met wie de prins een opvallend intieme relatie had. Volgens de Russische diplomaat Gourrieff was Pereira 'uitgekotst' door de Brusselse society en werd hij ervan verdacht een spion te zijn voor de Franse regering. De prins had voor deze 'dandy' een ongelimiteerd krediet geopend bij een kleer- en schoenmaker en verstrekte hem een pasje waarmee hij altijd het paleis in kon. Toen bleek dat in de nacht van 25 op 26 september 1829 de juwelencollectie van Anna Paulowna was gestolen uit haar paleis in Brussel, waren alle ogen onmiddellijk op Pereira gericht. De spectaculaire juwelendiefstal was wereldnieuws en de geheimzinnige omstandigheden waaronder hij plaatsvond, voedden geruchten dat Pereira, en mogelijk zelfs de prins, er meer van wisten. Ook Anna Paulowna had vermoedens in die richting, bleek uit een brief die ze haar broer, de tsaar, schreef. (22) Mettertijd was zij minder hoge opvattingen van haar man gaan koesteren. Achteloosheid en 'verwaarlozing' regeerden volgens haar in zijn – en dus ook haar – huis. Ze schreef dat ze het raar vond dat hij niets had gedaan om haar vertrekken in het Brusselse paleis te laten beveiligen. Hij had geen bewakers willen installeren op het terras bij haar kamers. Er was überhaupt geen levende ziel in het appartement geweest op de dag van de diefstal. De huisbewaarder die beneden had moeten slapen, was er om onverklaarbare redenen niet. En door wie was die huisbewaarder aanbevolen? Door Pereira. In de nacht van de diefstal had een 'orgie bij vrienden van Pereira' plaatsgehad, schreef Anna Paulowna in dezelfde brief. Of de prins bij de 'orgie' ook aanwezig was, meldde ze niet, maar wel dat zij en haar man geen van beiden thuis waren en ook niet samen elders. Dat de prinselijke huishouding al tijden niet degelijk was, schreef Anna Paulowna ook.

Ze vond het ergerlijk dat haar man hun zaken liet besturen door een 'tweederangs individu' als secretaris, een van de vele foute types in zijn omgeving. En er was nog iets: de prins zat in de schulden vanwege allerlei cadeaus die hij aan zijn vrienden gaf. Hij sloot lening op lening.

Het politieonderzoek naar de roof werd bemoeilijkt, omdat de prins van Oranje de politie pas twee dagen na de roof toestemming gaf om te komen. Inmiddels was op de plaats delict al een en ander 'opgeredderd'. (19)

Iedereen speculeerde over de toedracht. In de gevangenis van Gouda stak een gedetineerde zijn vinger op: uit de tijd dat hij nog op vrije voeten was, zo zei hij tegen de politie, herinnerde hij zich hoe randfiguren in Brussel met 'mannen in livrei' – paleisdienaren – plannen hadden beraamd die Brussel naar hun zeggen 'op zijn grondvesten zouden doen beven'. Hij vroeg zich nu af of het misschien de juwelenroof was geweest, die toen beraamd was. (21) De politie wist zich geen raad. Tot juli 1832, toen de douane in New York een Zwitser arresteerde, Constant Polari, die de juwelen in zijn bezit had. Hij was verraden door zijn maîtresse. Volgens de Amerikaanse grondwet mochten burgers voor misdaden die buiten Amerika waren gepleegd, niet worden uitgeleverd. Maar de invloed van de Oranjeregering bleek ver te strekken. Na veel diplomatiek getouwtrek werd Polari op spectaculaire wijze naar Nederland ontvoerd. Op de New Yorkse kade schreeuwde hij tevergeefs naar Amerikaanse passanten dat hun wetten werden verkracht. (23) In Nederland werd Polari een jaar in een tuchtgevangenis gezet. Hij hield vol dat hij de juwelen niet had gestolen, maar er op een andere manier aan was gekomen. Op de ochtend na de juwelendiefstal was hij naar zijn zeggen in een bos bij Brussel champignons aan het plukken, toen hij mannen had zien aankomen met een paar kistjes. Ze begroeven de kistjes in het bos zonder hem op te merken. Na hun vertrek had Polari de kistjes opgegraven en was later met zijn vondst naar Amerika vertrokken.

Het proces tegen Polari, dat in 1834 begon, werd ademloos gevolgd door krantenlezers over de hele wereld. Polari bleef consequent bij zijn verhaal dat hij de roof niet zelf had gepleegd. Des te verrassender was zijn plotselinge ommezwaai tegen het einde van het proces. Opeens nam hij de volledige schuld op zich. Hij stelde voorop dat de prins van Oranje er niets mee te maken had, en excuseerde zich ervoor dat deze hooggeplaatste onschuldige mede door zijn toedoen belasterd was. Hij verklaarde dat hij de spectaculaire diefstal in zijn eentje had gepleegd, door een laddertje tegen de paleismuur te zetten. (24) Dit verhaal maakte een onwaarschijnlijke indruk. De simpelste vragen over 'zijn' inbraak wist Polari niet te beantwoorden. Opmerkelijk was dat Polari's advocaat de verklaring van zijn eigen cliënt volledig onderuit haalde. Polari had alleen bekend omdat hem uit koninklijke kring gratie was beloofd, beweerde hij. (25) Toch gingen de rechters tot veroordeling over. Polari kreeg een gevangenisstraf van twaalf jaar.

Ooggetuigen

I COMMANDO

3 april 1816

Aan generaal Wellington

De kroonprins wil het commando over de troepen in België. Hij vraagt zijn goede vriend de Britse generaal Wellington om zijn vader daarvan het belang te doen inzien.

Vertrouwende op uw gebruikelijke vriendelijkheid jegens mij, vraag ik u om hulp en advies in een zaak die mij van groot belang lijkt. De gezindheid van de Belgen wordt dagelijks slechter en ontevredener over de algehele invloed van de Nederlanders, die alles in handen hebben, en België met de dag meer beschouwen als een geannexeerde provincie die ondergeschikt moet zijn aan het moederland. Het lijkt mij van het grootste belang om aan deze slechte stemming zo veel mogelijk tegenwicht te bieden. Maar de koning is uitsluitend omgeven door Hollanders die, hoewel zijn intenties de eerlijkste en de beste zijn, hem ertoe bewegen om beslist partijdig te zijn in het voordeel van de Hollanders. Dit zo zijnde, is hij behoorlijk tegen het feit dat ik, sinds ik vanuit daar ben teruggekeerd, het grootste deel van ieder jaar in Brussel verblijf. Terwijl dit de algemene wens is van de Belgen en het zeer handig zou zijn, want u weet hoe makkelijk die natie te winnen en te vermaken is door een hof. (...) Dat is op dit moment het enige is wat ik probeer, gezien het feit dat ik geen radicale middelen kan toepassen, omdat mijn ideeën en opmerkingen nooit aandacht krijgen, of, als dat wel zo is, zij verkeerd worden geïnterpreteerd door de Hollanders die de koning beïnvloeden. Dit zo zijnde, zou ik u willen vragen, als u akkoord bent met deze maatregel [de overweging de prins in Brussel te laten wonen], om dit als beleidsmaatregel voor te stellen aan de koning, die, door mij het commando te geven over de troepen aan de Franse grens, op die manier mijn verblijf in Brussel misschien zeer aanvaardbaar zou maken voor de Hollanders; en als het u zou lukken om dit ook door uw regering te laten voorstellen, denk ik dat de koning ermee akkoord zou gaan.

2 KONING HALSOVERKOP NAAR BRUSSEL

15 november 1817

VORST HATZFELDT, PRUISISCH GEZANT IN DEN HAAG

Aan Frederik Willem III, koning van Pruisen

Er is een ruzie losgebarsten tussen koning Willem I en zijn oudste zoon, waar niemand het fijne van weet.

De koning is eergisteren onverwachts naar Brussel vertrokken, nadat hij vanuit daar twee uur eerder een koerier had ontvangen. Dit plotselinge vertrek heeft stof gegeven voor allerlei verhalen in de stad. Het grootste deel van het publiek dacht dat de koning hier niet wilde zijn, terwijl de minister van Financiën de enorme begroting zou indienen. Maar ik denk Uwe Majesteit uit goede bron te kunnen verzekeren dat het een nieuwe behoorlijk ernstige ruzie met zijn zoon de prins van Oranje is, die na een zeer levendige correspondentie zou hebben geweigerd om Brussel te verlaten en hiernaartoe te komen, die de koning ertoe heeft gebracht om zelf met hem te gaan praten. De prins van Oranje, lichtzinnig en inconsequent in zijn gedrag en zijn acties, lijkt zich uitsluitend te willen verbinden aan de Belgen, door hen in alles hun zin te geven en door op onwelgevallige wijze gewag te maken van zijn onvrede met de bestuurlijke maatregelen van de koning zijn vader. Het werkelijke kwaad dat daaruit voortkomt is des te opvallender en gevaarlijker, nu een scheidingslijn tussen België en Holland wordt getrokken door de haat tussen de twee naties die bijna onmogelijk valt uit te wissen. De koning komt waarschijnlijk voor de 18de terug, de verjaardag van

Hare Majesteit de Koningin, en we mogen hopen dat de prins van Oranje daarvoor met zijn echtgenote overkomt. Na de terugkomst van de koning zal ik waarschijnlijk iets positievers weten.

3 PRINS WIL MACHT

18 november 1817

VORST HATZFELDT, PRUISISCH GEZANT IN DEN HAAG

Aan Frederik Willem III, koning van Pruisen

Schandaal in de Nederlanden: het conflict tussen vader en zoon is inmiddels overal bekend. Kroonprins Willem wil invloed op het leger en eist dat zijn vader zijn kant kiest in een conflict dat is ontstaan met zijn rivaal bij het ministerie van Oorlog: graaf Van Goltz.

De ruzie tussen de koning en de prins van Oranje waarover ik heb gesproken in mijn laatste rapport, is helaas meer dan gegrond. Zij is het onderwerp van verhalen in de hele stad en heeft een schandaal veroorzaakt dat alle wijze en weldenkende mannen diep betreuren. Dit is het feit. De prins, die reeds lange tijd ontevreden is over het geringe vertrouwen dat de koning zijn vader in hem stelt; die vooral ontevreden is dat hij geen enkele invloed heeft in het leger waarmee hij met zijn eigen bloed België heeft veroverd op de vlakten van Waterloo; die zichzelf een held vindt, geroepen tot de hoogste bestemming, sinds enkele intriganten uit Brussel en partijmensen hem dat gedurende een jaar voortdurend hebben herhaald; die van een afstand een hekel heeft aan de graaf Van Goltz, minister van Oorlog; die slechte vrienden heeft en nog slechtere adviezen krijgt; die wordt opgehitst door Franse bannelingen en hun vrienden die hij meer dan vaak heeft bezocht sinds zijn verblijf in Brussel, en die, om op een dag de projecten te doen slagen waarvan hij bij lange na de gevaarlijke consequenties niet vermoedt, misbruik maken van zijn vertrouwen en zijn lichtzinnigheid, probeert bij de koning sinds enige tijd gedaan te krijgen om een dertigtal jonge Belgen, die vroeger in dienst waren van Frankrijk, in het leger te plaatsen. (...) Hij moet daaraan hebben toegevoegd (...) dat als Goltz niet zou worden ontslagen, hij zijn ontslag zou nemen als generaal, en omdat er een regiment ten dienste van de Russische keizer bestaat, hij met zijn echtgenote naar hem zou gaan en dat hij durfde te hopen dat die hem graag zou zien komen. Daarop is de koning naar Brussel gegaan om hem onmiddellijk ertoe te bewegen hier te komen met zijn echtgenote en dat het publiek, aan wie men zijn komst al had aangekondigd, zeer verbaasd zou zijn als hij niet gezien zou worden bij de verjaardag van Hare Majesteit de Koningin, maar hij heeft de prins, zonder twijfel door zijn vrienden geïnformeerd over het vertrek van de koning, er niet gevonden, en hij was de volgende dag nog niet terug. De prinses van Oranje-moeder, [Wilhelmina sr.] die voor vandaag een bal had gearrangeerd, heeft dat af laten gelasten met ziekte als excuus. De koningin zal niemand zien, men weet niet of de koning vandaag zal terugkomen; men weet niet waar de prins naartoe is gegaan en voor wie de koning partij heeft gekozen. Hoe dan ook is het schandaal er, de hele stad praat erover. Sommigen geven de koning de schuld, anderen beschuldigen de zoon, en zelfs in de oordelen ziet men de partijgeest die altijd in alle gevallen aan de oppervlakte treedt, tussen de beide volken.

4 KLACHTEN OVER DE SCHOONFAMILIE

30 november 1817

ANNA PAULOWNA, ECHTGENOTE VAN KROONPRINS WILLEM

Aan haar moeder, Maria Fjodorovna, geboren Sophia Dorothea Augusta Louisa van Württemberg, weduwe van tsaar Paul I van Rusland en moeder van de tsaren Alexander en Nicolaas van Rusland

Anna Paulowna kiest in de ruzie met de koning de kant van haar man. Ze brengt verslag uit aan haar familie in Rusland.

En toen kwam men ons op een ochtend vertellen dat de koning was gearriveerd. Omdat Willem niet in staat was de koning te ontmoeten, om de redenen die ik hierboven heb uiteengezet, lieve mama, heeft hij Brussel verlaten. Ik voeg hieraan toe dat de koning, wanneer hij zich mondeling onderhoudt met zijn zoon, een heftigheid en een scherpheid aan de dag legt die het Willem onmogelijk maken een antwoord te geven.

Willem kan op dergelijke momenten slechts proberen zijn zelfbeheersing te bewaren en hem niet op oneerbiedige wijze te antwoorden. Denkt u zich in, lieve mama, dat de koning zijn zoon bedreigt en dat hij hem enige tijd geleden al heeft gezegd dat hij zou weigeren hem nog langer als zijn zoon te behandelen. Daarom kreeg ik van Willem de opdracht de koning een brief van hem te geven en hem te vertellen dat Willem een tocht door het land maakte van onbepaalde duur. Dat was ook inderdaad het geval. Nadat de koning een van zijn aides de camp had gestuurd om me te vragen wanneer Willem zou terugkeren, op welke vraag ik geantwoord heb dat ik het niet wist, heeft de koning mij persoonlijk bezocht. Mijn allerliefste mama, u gaat nu zulke afschuwelijke dingen horen! Ik zend u hier mijn brieven aan Willem, die de meest gematigde woorden van de koning bevatten. De andere woorden waren soms zo verschrikkelijk, dat ik ze voor Willem verborgen moest houden.

In het eerste gesprek met mij probeerde hij op mijn gevoel in te werken, mij te vleien en mij angst in te boezemen. Hij zei me dat Willem een ontaarde zoon was, een rebel. Het ontbrak hem totaal aan gezond verstand en het was zijn ongeluk dat hij hier het bevel had gevoerd in het Engelse leger. 'Maar,' zei hij, 'ik zal ervoor zorgen dat deze driftkop geen enkele macht meer heeft. Als hij nog enige macht wenst te hebben, zal hij over mijn lijk moeten gaan. Hij of ik zal ten onder gaan en ik zal natuurlijk niet aarzelen: hij zal vallen. Of anders laat ik hem gevangenzetten.' Ik zweeg. Nadat ik mij had hersteld van de emotie zei ik hem dat hij zijn zoon niet bang kon maken door hem te bedreigen, maar dat hij zijn hart zou breken. En wat mij betreft, mijn persoonlijk belang zou nooit enige rol spelen in deze kwestie en ik was bereid het lot van mijn echtgenoot te delen, wat dat ook mocht zijn, maar ik smeekte hem bovenal te bedenken dat hij krachtens de grondwet van het koninkrijk niet de bevoegdheid had een van zijn onderdanen gevangen te zetten, en zeker niet de prins van Oranje. Ik zei hem ook dat Willem hem zeer was toegewijd, dat hij tegen mij altijd met de grootst mogelijke toewijding en eerbied over hem had gesproken. (...) De volgende dag ontving ik een antwoord van Willem aan de koning, waarin hij de hele affaire nog eens voor hem samenvatte en hem vroeg ofwel het ontslag van Goltz ofwel dat van hemzelf te aanvaarden, omdat hij immers van Goltz zelf had gehoord dat deze zijn ontslag had aangeboden. De koning was woedend. 'Mijn zoon zet me met de rug tegen de muur, want hij laat mij geen enkele keuze tussen mijn minister en hemzelf. (...) Ik heb hem vervolgens vele vragen gesteld over de beweerde onrechtmatigheden van Willem en deed daarbij of ik niets van de zaak wist. Ik slaagde erin hem zo goed uit te horen, dat in al zijn opmerkingen de jaloezie jegens zijn zoon doorklonk en hij zei tegen mij: 'Hij is een slecht soldaat en een slecht generaal.' Toen heb ik hem gevraagd hoe het dan kwam dat de hertog van Wellington zo met hem ingenomen was. En ik heb hem erop gewezen dat Willem op zowel de 16de als de 18de [bij Waterloo] de Fransen had verslagen. 'Ja,' zei hij, 'dat is waar, maar hij had geluk dat hij gewond raakte, want anders zou hij zijn verslagen. Ik heb de Fransen tijdens de revolutie ook verslagen bij Quatre Bras en wij hadden het ongeluk dat niemand er iets over heeft gezegd.' (...)

De volgende dag kreeg ik antwoord van Willem voor de koning. En toen, geliefde mama, had ik het onderhoud met de koning dat bijna in zijn geheel is weergegeven in mijn brief nummer 3. (...) En hij zei: 'Herinner je je nog de afschuwelijke opmerking die Willem in jouw aanwezigheid heeft gemaakt over het huwelijk? Hij zei dat een vrijgezel gelukkiger was dan een gehuwd man.' 'Ik herinner het me,' zei ik, 'en ik ben het met hem eens dat een man die niet goed past bij zijn vrouw zeer ongelukkig is. Maar ik weet ook dat Willem mij volmaakt gelukkig maakt.' 'Ik meen te hebben gemerkt dat je denkt dat ik niet van mijn zoon houd.' 'Dat dacht ik,' antwoordde ik. 'Mijn mening kon alleen gebaseerd zijn op uw eigen opmerkingen, sire, en op uw gedrag jegens hem.' Hij stond op en vertrok. (...) Kort daarna ontving ik het besluit van Willems ontslag van alles, van al zijn functies en militaire rangen, met daarbij een brief die Filips II waardig zou zijn. De volgende dag kwam de koning bij mij (...).

Hij begon zijn zoon te beledigen. Ik herinnerde hem aan zijn verdiensten; ik liet hem de splinters van zijn botten zien. Mijn emotie, noch iets wat ik zei, kon hem beroeren. Het enige antwoord dat hij me gaf was: 'Verdiensten en vergoten bloed zijn geen vrijstelling van het respecteren van de juiste vorm.' Ik antwoordde hem: 'Uw zoon is daarin nooit tekortgeschoten, dat is laster.' Op dat moment kwam Willem binnen. Zij omhelsden elkaar. Willem was tot wanhoop gedreven en kon niets anders doen dan wenen en zijn vader en mij omhelzen, en dit was het ogenblik dat de koning koos om hem verwijten te maken. Ik zag dat er een scène zou komen en zei tegen de koning: 'U ziet toch, sire, in welke staat uw zoon verkeert, hoe kunt u hem verwijten maken?' Bevend van woede keerde hij zich naar mij en zei: 'Als ik niet tot mijn zoon kan spreken in tegenwoordigheid van mijn schoondochter, zal ik hem alleen spreken.' (...) Voor hij vertrok omhelsde hij me met op zijn gezicht de uitdrukking van een echte gemene judas. Ik was verscheidene malen ziek en toen ik eindelijk herstelde zag ik Willem aan mijn zijde en hij zei dat hij me niet alleen had gelaten omdat hij bang was toen hij mij in deze toestand zag. Hij vertelde me dat hij de koning had geschreven om hem te vertellen dat hij mij niet alleen kon laten. De koning was diezelfde avond naar 's-Gravenhage vertrokken. Sindsdien hebben de koning en de beide douairières [Wilhelmina van Pruisen sr. en Louise van Oranje, grootmoeder en tante van kroonprins Willem] het Willem kwalijk genomen dat hij op dat moment bij mij is gebleven en zij hebben hem verwijtende brieven geschreven. Ik ben sinds die dag niet één dag gezond geweest, lieve mama. Mijn zenuwen zijn geheel ontregeld door de heftige emoties die ik heb ondergaan. Ik heb gedaan wat ik kon, geliefde mama, om te voorkomen dat dit zou gebeuren, in alles wat ik tegen de koning heb gezegd. Sinds ik in het land ben heb ik niets verzuimd om de vrede binnen de familie te handhaven; maar sedert mijn ziekbed, en in het bijzonder sedert het vertrek van generaal Tsjernisjev, zegt de koning vaak onaangename dingen tegen mij, bovenal tegen Rusland. Hij haat dit land [Rusland] en ik meen te hebben bemerkt dat hij een persoonlijke wrok koestert jegens de keizer. Hij was boos omdat Willem op de naamdag van mijn broer een Russisch uniform droeg op een bal dat wij gaven, zozeer zelfs dat hij hem de rug toekeerde. Hij maakte tegen mij ook een grove opmerking op die dag. En één keer zei hij aan zijn tafel tegen mij: 'Heel Rusland en jouw broer zelf worden geleid en geregeerd door Polen.' Ik antwoordde dat dat geheel onwaar was.

(...) De prinses van Oranje [Louise] houdt zich uitsluitend bezig met kwaadspreken in de familie en probeert zich overal in te mengen. In de Engelse couranten heeft men geschreven dat ik niet van 's-Gravenhage houd en dat ik, in plaats van in de rouw te gaan wegens de dood van prinses Charlotte, in kleur in het openbaar ben verschenen. Het eerste is al even onwaar als het tweede. (...)

Welnu, de koning probeert over ons beiden rechten uit te oefenen die hij niet heeft, en hij beweert dat hij de enige is die het recht heeft te beslissen over alles wat ons zoontje betreft. Hij wordt zelfs kwaad omdat wij niet zijn toestemming hebben gevraagd om hem te laten vaccineren en hij wil niet dat er een kindermeisje voor hem wordt aangenomen zonder zijn toestemming. Hij heeft Willem verweten dat hij een bal heeft gegeven ter viering van mijn kerkgang. En om de schande die hij over zijn zoon wil brengen te bezegelen, liet hij Goltz de order van de dag schrijven waarin zijn ontslag aan het leger werd medegedeeld, iets wat hier in het verleden nooit is gebeurd. (...) Ik omhels onze geliefde keizer, mijn goede broer, en dank hem opnieuw dat hij Willem tot mijn echtgenoot heeft gekozen, want ik ben gelukkig met hem en mijn liefde en respect voor hem groeien iedere dag. Ik vraag slechts één enkele gunst, namelijk dat mama mij zegt of zij tevreden over mij is en of zij vindt dat ik juist heb gehandeld. Ook smeek ik mijn broer te zeggen of hij tevreden over mij is. Meer dan ooit heb ik nu de liefde en de achting van mijn familie nodig. Ik kus uw geliefde handen duizend en duizend keer, goede, lieve, voortreffelijke mama. Ook Willem doet dat en wij blijven tot in het laatste uur van ons leven uw toegewijde kinderen.

5 VERZOENING

23 december 1817

Aan lord Henry Stewart Castlereagh

De ruzie tussen vader en zoon is gesust. De Engelse ambassadeur Clan-
carty hoopt dat de koning de kroonprins – in zijn ogen een ongericht projec-
tiel – en diens Brusselse vrienden voorlopig op afstand houdt.

Alles lijkt in de richting te gaan van een volledige verzoening tussen
de koning en de prins. Ze hebben met elkaar gedineerd, bezoekjes
en omhelzingen zijn gevolgd; en beiden lijken tevredener en in be-
teren doen dan toen Zijne Koninklijke Hoogheid aankwam in Den
Haag. Tot dusver is alles goed, maar de onderhandelingen gaan nog
steeds in alle hevigheid door. Het lijdt geen twijfel dat de prins zich
opnieuw wil laten benoemen in het bevel van het leger als minister
van Oorlog. Ik hoop oprecht dat Zijne Majesteit niet zo zwak is om
hem daarin zijn zin te geven. Als hij dat zou doen, zal een volledige
triomf ten koste van het koninklijke gezag worden gegund aan de
jakobijnse club in Brussel, die al meer invloed uitoefent over Zijne
Koninklijke Hoogheid dan in overeenstemming is met zowel zijn
werkelijke belangen als met goed beleid. Ik zou het erg jammer vinden als, na dat wat er is gebeurd, Zijne Koninklijke Hoogheid op
wat voor een voorwaarde dan ook weer zou worden geïnstalleerd.
Dat echter de intentie bestaat om hem ergens een functie te geven,
betwijfel ik niet; er is sprake geweest van het admiraliteitendeparte-
ment en daar zou hij misschien in staat zijn om minder schade aan
te richten dan elders. Maar hoewel ik het niet op mij neem om Zijne
Majesteit over zulk een delicate kwestie van advies te dienen, zou,
als ik hem zou adviseren, dat zijn om de prins tenminste een tijdje
geheel werkloos te laten. Behalve dat hij heeft gedineerd met de koning en gisteren met mij, is Zijne Koninklijke Hoogheid sinds zijn
aankomst niet uit geweest.

6 'beetje dom'

31 aug. 1818

SALVIATI, PRUISISCH GEZANT

Aan Frederik Willem III, koning van Pruisen

Kroonprins Willem schoffeert de Hollanders met zijn voorkeur voor de Belgen, en maakt tijdens het verjaarsdiner van zijn vader een blunder.

Dat de prins zich zo kort liet zien in Den Haag – hij bleef geen moment langer dan moest om de doopplechtigheid [van de latere Willem III] en de daaropvolgende festiviteiten bij te wonen – heeft een erg slechte indruk gemaakt op iedereen. De mensen zijn toch al weinig gelukkig met de houding van de prinses [Anna Paulowna] jegens hen, en ze geloven dat deze enorme haast om hen te verlaten evengoed te wijten is aan te weinig verbondenheid met deze residentie als aan de onmin tussen de prins en de koning die nog steeds lijkt te bestaan, en waarvan de aanstichtster hierboven is aangewezen. Bovendien heeft men de indruk dat de blijken van verbondenheid met en publieke vreugde over de prins zwak, om niet te zeggen treurig zijn. Dat is volgens velen een vanzelfsprekend uitvloeisel van de voorliefde die de prins te pas en te onpas luid en duidelijk uitspreekt voor Brussel als residentie en voor de zuidelijke provincies in het algemeen. (...) HM de Koningin toostte aan tafel op de koning, wiens verjaardag werd gevierd; de koning op de pasgeboren prins die men had gedoopt. De prins van Oranje reageerde fluisterend op deze toost, maar wel zo hard dat de mensen die het dichtst bij hem zaten het konden horen, ongeveer zo: 'Heren, ik ben zeer gevoelig voor wat u mijn zoon toewenst, voor mijn echtgenote zal dat ook gelden; ik hoop dat hij een nieuwe steunpilaar voor het volk zal worden en dat zijn arm sterk zal zijn en altijd paraat' – hier stopte de prins even, alsof de wending hem was ontsnapt, en hij besloot: 'om elke buitenlandse inval af te slaan.' Deze toespraak, waarvan het slot helemaal nergens op sloeg, uitgesproken in het Frans, gericht tot alle aanzittenden, bij zo'n gelegenheid, midden in vredestijd, met ambassadeurs uit het buitenland erbij, heeft flink indruk gemaakt op de mensen die het hoorden en op de mensen aan wie het is verteld. Het ongenoegen van de koning was op diens gezicht te lezen, Hare Majesteit de Koningin sloeg de ogen neer, en de rest van het gezelschap probeerde de verbazing te verbergen. Maar men was verbijsterd over een dergelijke verklaring bij een gelegenheid waar één woord van dank had volstaan. Hoewel de Belgische afgevaardigden altijd sterk de neiging hadden het gedrag van de prins te verdoezelen en goed te praten, omdat hij zo duidelijk aan hun kant stond, verzwegen ze tegenover mij niet hoe onaangenaam ze geraakt waren. En alle leden van het corps diplomatique die het allemaal hadden kunnen volgen, bleven me verzekeren hoe diep dit ongepast gedrag hen had getroffen en dat dit voor het hele gezelschap gold.

7 'JONGE GEK'

omstreeks mei 1819

'JULLIAN', FRANSE SPION TE BRUSSEL

Aan François René vicomte de Chateaubriand, Franse minister van Buitenlandse Zaken

Kroonprins Willem neemt deel aan een samenzwering om de Bourbons van de troon te stoten, zodat hij koning van Frankrijk kan worden. Als zijn zwager, de Russische tsaar, te horen krijgt wat hij van plan is, wordt die woedend. En zoals zo vaak wordt de boodschapper het slachtoffer.

Tijdens het laatste congres van Aken had een generaal Behr het bevel in Maastricht. Een adjudant van de Russische keizer, die Alexander naar het congres vergezelde – Duitser van geboorte en een landgenoot van Behr –, vroeg en kreeg toestemming nu hij zo dicht bij zijn oude vriend Behr was, die hij in tijden niet had gezien, om twee, drie dagen bij hem in Maastricht door te brengen. De twee vrienden waren heel vertrouwelijk met elkaar en bespraken alles wat zij over de toestand van hun landen wisten, ook de gedachten van hun vorsten. Behr zei tegen de Russische adjudant 'dat de prins van Oranje openlijk de liberalen en hun plannen steunde, dat hij geheim agenten in Parijs betaalde, dat hij zelfs zijn hoop vestigde op de innerlijke verdeeldheid in Frankrijk waardoor het huis van Bourbon weer zou worden verjaagd en de zaken zo geregeld zouden worden dat de zuster en de zwager van keizer Alexander [de prins van Oranje en Anna Paulowna] de Franse troon konden bestijgen'.

Behr ging door met aan zijn vriend alles te vertellen wat hij wist en die kwam elke dag meer te weten over de intriges van de prins van Oranje. De twee vrienden gingen uit elkaar, en toen de Russische adjudant terug was bij Alexander, leek het hem goed de keizer alle details van het gesprek dat hij met zijn vriend had gevoerd, te vertellen. De keizer ontstak in grote woede, niet alleen tegen z'n zwager, maar ook tegen z'n zuster die meteen de dwaze ideeën van haar man had omhelsd, erg veel belang hechtte aan hun succes en zich vooral vleide met de hoop op een dag koningin van Frankrijk te worden. 'Dat ik nu in mijn eigen familie op het moeilijkst te onderdrukken verzet stuit tegen het stelsel dat voor vrede in Europa moet zorgen!' riep Alexander. 'Dat die jonge gek van een prins van Oranje dergelijke ideeën heeft, verbaast me niet. Die is niet wel bij het hoofd! Zo denk ik al lang over hem, ook zijn kring deugt trouwens niet. Ik zal hem terugzien in Brussel en ik hoop hem tot rede te brengen. Maar mijn zuster die mijn plannen zo goed kent, kan ik niet vergeven! Ik wil die generaal Behr ontmoeten. Ik wil hem absoluut ontmoeten; schrijf hem dat ik binnenkort in Brussel ben en dat hij daar bij mijn aankomst is, schrijf hem meteen.' Het bevel werd letterlijk uitgevoerd. Maar toen hij de brief van de adjudant ontving, maakte schrik zich meester van Behr, die inzag dat hij een fout had gemaakt en dat zijn loslippigheid hem in opspraak bracht. Hij meende verloren te zijn en besloot stante pede een rapport te maken over wat er tussen hem en de Russische adjudant was voorgevallen. Dat stuurde hij naar de koning der Nederlanden, al verwikkeld in problemen met de prins, net door hem heengezonden als leider van het ministerie van Oorlog. De koning nam de zaak niet zo hoog op als Behr vreesde, hij reageerde helemaal niet en liet hem het bevel over Maastricht. Maar kort nadat Alexander in Brussel was en Behr er ook heen ging, opzettelijk of toevallig zoals hij beweerde, kreeg hij het bevel binnen een uur te vertrekken en naar Doornik te gaan om daar nieuwe orders af te wachten. Deze orders bereikten hem pas na het vertrek van Alexander, en ze betroffen zijn ontslag. Sindsdien heeft hij geen baan meer.

8 STAATSGEHEIM

27 november 1819

VORST HATZFELDT, PRUISISCH GEZANT

Aan koning Frederik Willem III van Pruisen

Geheimzinnige arrestaties voeden geruchten over een nieuwe samenzwering tegen de koning.

Eergisteren kwam een man die een nauwe zakelijke band heeft met alle grote handelshuizen in Amsterdam en die meteen naar Engeland moest vertrekken, speciaal van Amsterdam naar hier om me, in het diepste geheim, te laten weten dat er een samenzwering tegen de persoon van de koning was ontdekt; dat er verschillende arrestaties waren verricht, maar dat men de mensen helemaal niet kende; dat het gerucht ging dat er figuren bij betrokken zouden zijn die bij de prins van Oranje in dienst waren; dat de arrestanten al verschillende keren door betrouwbare rechters waren verhoord, en dat deze gebeurtenis enorm veel opzien baarde bij de enkele personen die ervan wisten. Ik heb dezelfde ochtend al m'n collega's gesproken om te zien of een van hen er al iets van wist. Zelfs de ambassadeur had geen idee. Ik hield het voor hen allemaal geheim, maar ik besloot naar de minister van Justitie [Van Maanen] te gaan, met wie ik een goede band heb en hem te zeggen dat ik me verplicht voelde aan de koning en aan het vertrouwen dat hij me keer op keer betoonde en hem te laten weten wat er aan mij was toevertrouwd, zodat hij kon doen wat hij nodig achtte. De minister dankte mij zeer en zei me dat hij helemaal van de kwestie op de hoogte was; dat het hem niet was toegestaan mij een staatsgeheim te onthullen waarvan alleen de koning, de prins van Oranje, hij en een vierde persoon op de hoogte waren; dat hij me kon verzekeren dat er geen sprake was van een samenzwering tegen de koning, maar dat men nooit de namen van de gearresteerde figuren en het motief van hun arrestatie bekend zou maken. Gisteren hadden al mijn collega's, aan wie ik niets had verteld, al over de kwestie horen praten, en ze vroegen me allemaal of ik erover had gehoord. Ik heb me ertoe beperkt te zeggen dat ik net als zij over deze arrestaties had vernomen, maar dat ik er verder niets van wist. Als er een middel is om te ontdekken wat er precies aan de hand is, weet ik het over een paar dagen. Het ziet ernaar uit, afgaande op informatie die me vanmorgen bereikte, dat er slechts twee personen zijn gearresteerd, dat deze twee hier zijn geweest, en dat een van de twee een generaal is. Ik heb hier nog geen geheimen gezien, en het zou me verbazen als dit geheim uiteindelijk niet wordt opgehelderd.

9 'ONNATUURLIJKE LUSTEN'

5 november 1819

CORNELIS FELIX VAN MAANEN, MINISTER VAN JUSTITIE

In plaats van een politieke samenzwering tegen de koning is er iets anders aan de hand: twee mannen, Boers en Bouwens, hebben de koning per brief gedreigd om homoseksuele uitspattingen van kroonprins Willem publiek te maken. Slechts enkelen zijn hiervan op de hoogte.

Vandaag, vrijdag 5 november 1819, heb ik 's middags om één uur een order van kabinetssecretaris Van de Poll gekregen om om half-twee bij de koning te komen.

Om halftwee was ik op het paleis. Een half kwartier daarna werd ik bij Zijne Majesteit geroepen, die mij met de grootste op-winding meedeelde dat ZKH de Prins van Oranje hem had verteld over zeer ernstige bedreigingen tot afpersing van 63.000 gulden. Het komt hierop neer, als mijn geheugen me niet in de steek laat: de prins kreeg enige dagen geleden bij de post een brief, getekend door A. Vermeulen, die ZM mij ter lezing gaf. De brief hield in dat de schrijver bij toeval ontdekt had, dat één of meer personen van plan waren om bepaalde schandelijke en onnatuurlijke lusten van ZKH, waarvan zij de bewijzen hadden, openbaar te maken. Dit om ZKH van de opvolging uit te sluiten, en het eerstgeboorterecht over te brengen op prins Frederik. De briefschrijver, daarover geïnformeerd, had voor het Koninklijk Huis en voor het vaderland een poging gedaan om dit te voorkomen, en was daarin op het nippertje geslaagd, door de verzekering dat alles geheim zou blijven als ZKH 63.000 gulden wilde geven. ZKH had nog een andere brief gekregen, die ZM mij ook overhandigde. Daarin drong de briefschrijver erop aan te voldoen aan de eis, met de verzekering dat daarop niets viel af te dingen. Als niet werd voldaan aan de vordering, zou een gedrukte circulaire, met daarbij gevoegde details van wat men wist, en de bewijzen daarvan, verzonden worden aan alle leden van het koningshuis, aan de keizer van Rusland, de koning van Pruisen, aan al de leden der Staten-Generaal, aan al de ministers, hoge ambtenaren, leden van de Raad van State en aan al de leden van de stedelijke besturen, terwijl de stukken in de voornaamste steden zelfs als aanplakbiljet zouden verschijnen. ZKH zou hetzelfde lot treffen als president Reuvius te Brussel, die ooit geweigerd had aan een soortgelijke eis te voldoen en wiens zoon zelfs nu nog een ellendig leven leidde. Men bezwoer de prins zijn ongeluk te voorkomen, dat onvermijdelijk was, als hij niet zorgde dat de gevorderde som op 3 november 's middags om 12 uur in Logement 'De Stad Hamburg' te Amsterdam, als ik het goed heb, aan A. Vermeulen werd gegeven in een verzegeld pakket waarop de brenger een kwitantie zou krijgen met de woorden: 'ontvangen het bewuste pakket'.

Aan het eind van deze brief stond als naschrift, dat men een exemplaar van de reeds gedrukte circulaire had kunnen bemachtigen, en een fragment van het verhaal. Een en ander werd ingesloten bij de brief. Ook deze stukken werden me toen door ZM getoond.

10 REDDING VAN EER, VROUW EN KINDEREN

6 november 1819

Na zijn arrestatie op 3 november 1819 biecht Boers op dat hij de auteur is van de chantagebrief. Het is opvallend dat in het politieverhoor geen woord staat over de 'onnatuurlijke lusten' van de prins die er aanleiding toe gaven. Boers verzekert de politie dat er verder geen belastende documenten bestaan.

Vraag 1: Hebben A.A. Boers en P.M. Bouwens van der Boyen samen het plan ontworpen en uitgevoerd, of zijn er meer personen bij zijn betrokken, en zo ja, welke?
Antwoord: *Niemand hoe ook genaamd*, heeft behalve de ondergetekende en de heer P.M. Bouwens, er kennis van.
Vraag 2: Op welke plaats zijn de stukken, respectievelijk gedagtekend Amsterdam 25 en 26 oktober, geschreven: was dit daadwerkelijk in Amsterdam of elders?
Antwoord: In het logement de Zon, op de Nieuwendijk in Amsterdam.
Vraag 3: Als dit in Amsterdam is geschied, waar bevonden de thans gearresteerden zich toen? Of waar hadden zij hun intrek genomen?
Antwoord: In het logement de Zon, op de Nieuwendijk in Amsterdam.
Vraag 4: Waar zijn de beide gedrukte stukken, het ene nog heel, het andere voor de helft gescheurd, die respectievelijk beginnen met de woorden: *Mijnheer! Ik neem de vrijheid u* enz. En: *waarachtig verhaal van de geheime levenswijze* enz., gedrukt? En op welke boekdrukkerij?
Antwoord: Te Parijs, maar weet niet waar of op welke boekdrukkerij.
Vraag 5: Door wie zijn de genoemde stukken geschreven en bij de drukpers bezorgd?
Antwoord: Geschreven door de ondergetekende, om met alle omzichtigheid te vermijden dat niets werd gedrukt dat compromitteren kon. Bezorgd door de heer Bouwens.
Vraag 6: Waren de gearresteerden echt van plan om de bedreigin-

gen, vervat in de bij artikel 2 genoemde stukken, daadwerkelijk ten uitvoer te brengen, of was het alleen de bedoeling om, zo mogelijk, Zijne Koninklijke Hoogheid de heer prins van Oranje, door de vrees dat zijn doorluchtige naam publiekelijk in opspraak zou komen, te doen besluiten tot het afgeven van de gevraagde som van 63.000 gulden om zich daardoor voor zo'n onaangenaamheid te hoeden?

Antwoord: Nadat de ondergetekende het overschot van zijn fortuin dat nog tussen de *drie à 4000 guldens aan vrije inkomsten beliep* was verloren door de gevolgen die *de reis naar Spa voor hem gehad heeft* en waarvan de details aan de heer directeur bekend zijn, heeft hij in zijn wanhoop, helaas!, willen beproeven of hij tot redding van zijn *eer, vrouw en kinderen* door zulk een radeloze en onzinnige stap zijn verloren fortuin kon terugkrijgen. Maar hij verklaart tevens voor een alwetende God, die alleen in zijn hart kan lezen, dat nimmer in hun gedachten is gekomen *enige publiciteit* te geven aan deze zaak, en dat daarom zelfs de grootste omzichtigheid is betracht met wat er gedrukt is, maar wel dat hij in zijn wanhoop heeft geaarzeld om wanneer de heer prins van Oranje niet antwoordde, zich dan aan de voeten van de koning te werpen.

Vraag 7: Zijn er in werkelijkheid zulke papieren of andere stukken, waarvan in de bij artikel 2 en 6 vermelde brieven wordt gesproken en die de gearresteerden meenden te kunnen gebruiken om hun beschuldigingen ogenschijnlijk te staven, en zo ja, waar bevinden die zich?

Antwoord: Geen enkel papier is hiervan opgemaakt. De heer directeur is bekend met de mondelinge details.

Vraag 8: Waarom had de gearresteerde A.A. Boers vooral Franse munten en een Frans bankbiljet bij zich?

Antwoord: Hij kwam uit Frankrijk, en dus kon hij niets anders krijgen.

II BOZE WAARD

12 november 1819

J.A. RANGE, HERBERGIER VAN HERBERG DE STAD HAMBURG
AAN DE NIEUWENDIJK IN AMSTERDAM

Aan koning Willem I

De arrestatie van de afperser Boers in een Amsterdamse herberg ging gepaard met buitensporig veel ophef en geweld. De eigenaar van de herberg beklaagt zich hierover rechtstreeks tegen de koning.

Met de diepste eerbied geeft Joh. Adam Range, logementhouder op de Nieuwendijk te Amsterdam, burger en inwoner van die stad, te kennen dat hij enige dagen voor de derde november een brief heeft ontvangen van Vermeulen, die inhield dat de ondertekenaar van die brief bij hem, Range, zou komen logeren, waartoe een kamer in gereedheid moest worden gebracht. Op de derde november omstreeks halftwaalf, twaalf uur kwam die hem geheel onbekende heer het logement binnen.

Ondergetekende en zijn logement hebben een goede naam, en daarom is hij, Range, allergevoeligst over de onbetamelijke, schandelijke en wederrechtelijke handelwijze van de Amsterdamse politie tegenover hem, als burger en als logementhouder, door het feitelijk bezetten en binnenvallen van zijn huis. Onder leiding van een zekere Bernard Antonie Fallée, die bij het Amsterdams publiek bekend is, maar als hij goed geïnformeerd is geen andere publieke functies bekleedt die hem bevoegdheid geven tot het uitvoeren van daden van gezag, dan dat hij schrijver in de particuliere dienst bij de hoofddirecteur is.

Hij, Range, moet Uwe Majesteit meedelen dat er die derde november om tien uur 's morgens al een slee voor zijn huis stond, die de attentie van de buren begon te trekken en een zeer nodeloze opschudding veroorzaakte. Dat vervolgens, nadat om halftwaalf à twaalf uur de schrijver van de bewuste brief was binnengekomen en men hem zijn kamer had aangewezen, twee verklede personen zich metterdaad van zijn huis hebben meester gemaakt. Dat de eerdergenoemde Fallée zonder enig recht, of vertoning van een rechterlijk decreet of autorisatie van de stad, in zijn huis is binnengedrongen, meteen gevolgd door wel veertig personen. Dat hij, Range, toen, zonder te weten wat er gaande was, als het ware ontdaan van alle rechten in zijn eigen huis, getracht heeft de oorzaak van dit alles te ontdekken door Vermeulen ook te achtervolgen. Vermeulen, die op zijn kamer was, omringd door een groot aantal lieden van de politie. Dat hij, Range, in die algehele verwarring, zowel binnens- als buitenshuis – en dat om één man te arresteren – getracht heeft om samen met het smerige gedoe dat zijn huis binnendrong, naar de kamer te gaan van die Vermeulen, de beste in zijn huis, om zo veel mogelijk orde te houden en te voorkomen, dat er iets gestolen werd. Waarop de eerdergenoemde Fallée hem, Range, met de gewichtigste en geheimzinnigste gebaren, alsof het hele koninkrijk op het spel stond, heeft verboden in zijn eigen huis zijn eigen kamer binnen te gaan, hoewel die al door dertig à veertig man bezet was. Dit terwijl men buiten de deur willekeurig mensen aanhield en arresteerde, tot en met de knecht toe, die een portie eten had gehaald en het lege eetgerei terugbracht.

Dat hij, Range, zonder iets van de zaak af te weten, en zonder een oordeel te willen vellen over de vraag hoe het nodig zijn kan veertig à vijftig lieden in beweging te brengen en een gehele buurt in opschudding te brengen voor de arrestatie van één man, niettemin als burger en ingezetene van Amsterdam op een verregaande wijze is gegriefd, en zijn persoonlijke veiligheid en die van zijn huis heeft zien schenden. De dagen zijn toch immers voorbij dat de gehate Franse politie zonder decreet van de rechter en zonder toestemming handelde? Artikel 171 van de staatsregeling heeft toch iedere ingezetene gewaarborgd tegen soortgelijke handelingen als waarvan hij, Range, het slachtoffer is geworden? De klager vertrouwt op Uwe Majesteits rechtvaardigheid, zodat de bevoegde rechter serieus onderzoek zal doen naar deze zaak. Dit omdat de politie, die in deze wederrechtelijk en met een verbazende omslachtigheid heeft gehandeld, toch niet bevoegd kan worden gezien in haar eigen zaak als rechter op te treden.

12 GEHEIMZINNIGHEID

29 november 1819

VORST HATZFELDT

Aan Frederik Willem III, koning van Pruisen

Na de eerdere geheime arrestatie van Boers, volgt in november die van zijn handlanger Bouwens en nog twee anderen. Nog altijd weet bijna niemand waarom deze arrestaties plaatshebben, maar de nieuwsgierigheid is groot.

Er begint meer duidelijk te worden over de geheimzinnige arrestaties in Amsterdam van een paar dagen geleden, waarvan ik melding heb gemaakt in mijn zeer bescheiden rapport van de 27ste. De minister van Justitie geloofde de zaak geheim te kunnen houden, in elk geval het motief. Ik meen vandaag met enige zekerheid te kunnen zeggen wie de gearresteerde personen zijn. Een generaal Stedman geheten, die vroeger het bevel had in Namen en die ontslagen is omdat hij schuldig werd bevonden aan smokkel op grote schaal aan de grens. Een Belg, Bouwens geheten, een slechterik, getrouwd met een Française, vroeger een lage regeringsambtenaar en al een tijd een bekende van de politie in Brussel en Parijs. En een zekere Pagenstecher, die zeker niet uit dit land komt, ik meen de naam in Silezië te hebben gehoord. Het ziet ernaar uit dat tot de arrestatie van deze drie personen is bevolen als gevolg van een brief die de prins van Oranje heeft gekregen in Parijs. Hij heeft die meteen aan de koning gemeld, die zeer ingenomen moet zijn geweest met het vertrouwen van zijn zoon. Er valt nog geen uitsluitsel te geven over de aard van het misdrijf waarvan deze drie personen worden beschuldigd, maar je kunt er zeker van uitgaan dat de arrestatie in Amsterdam is verricht door de enige politiechef die onder het bevel van de koning valt, zonder dat de procureur-generaal ervan op de hoogte was gesteld. Dat kan in het geval van hoogverraad, of een ander misdrijf dat de staatsveiligheid in groot gevaar kan brengen. Zonder zulke gewichtige redenen zou de koning, die de grondwet altijd volledig wil handhaven, niet besluiten tot zo'n ongrondwettelijke maatregel waarover de hele zwerm liberale scribenten in de provincies van noord en zuid moord en brand gaat schreeuwen, en die vandaag al heeft geleid tot berichten over een fel pamflet tegen de minister van Justitie. De drie gevangenen moeten gisteren in de nacht onder escorte van Amsterdam naar hier [Den Haag] zijn overgebracht. Ze worden in hun gevangenis door militairen en door burgers bewaakt, en alles wordt omgeven door de grootste geheimzinnigheid. Sommigen van mijn collega's wenden voor dat brieven die ze hebben onderschept bewijzen dat men een opstand heeft willen organiseren in de stad Amsterdam. Dat moest het voorspel zijn voor een groter plan, dat zou samenhangen met Duitse revolutionairen. Maar ik meen dat dit bericht volstrekt vals is, omdat ik de minister van Justitie genoeg vertrouw om te weten dat hij me meteen had gewaarschuwd wanneer het betreffende misdrijf ook maar het minste verband had gehad met de ontevredenen bij ons. Over luttele dagen zal er waarschijnlijk meer duidelijkheid over heel de kwestie bestaan.

13 FAMILIEGEHEIMEN

15 april 1865

P.A. ALTING SIBERG, SCHULDEISER

Aan een gemachtigde van Anna Paulowna

Geldbedragen betaald om 'de eer te bewaren' van de prins van Oranje, later Willem II, worden nog tot ver na diens dood opgeëist.

In de *Haagse Courant* van de 13de jl., heb ik gelezen dat u, hooggeborene, als gemachtigde van wijlen Hare Majesteit de Koninginweduwe, een oproep deed aan iedereen die iets te vorderen heeft van de nalatenschap. (...)

Ik geloof het recht te hebben van deze gelegenheid gebruik te maken u, hooggeborene, te herinneren al hetgeen vroeger tussen u en mij gebeurd is, omtrent een zeker pakket dat ik uit Londen meebracht. Dat pakket bevatte gewichtige papieren en ondertekende brieven van wijlen Zijne Majesteit Koning Willem II, geadresseerd aan de heren Andringa de Kempenaer en P. Janssen. Aan de laatste betaalde ik de somma van f 2500 voor die aan mij overhandigde stukken, omdat ik later de eer wilde hebben deze stukken zelf aan Hare Majesteit de Koningin-weduwe te geven.

U, mijn heer, en de graaf Van Ranzow, oordeelden de zaak van te veel gewicht om die zo te behandelen. Na mij dus met de graaf Van Ranzow bij u, hooggeborenen, te hebben laten aantreden, beloofde u mij dat die zaak later geregeld zou worden, waarna u het verzegelde pakket, tevens inhoudende de kwitantie van de f 2500 door mij voor dat pakket aan de heer betaald, in mijn tegenwoordigheid en die van de graaf Van Ranzow, in het vuur gooide. Dit geschiedde in uw salon, in de Lange Poten te 's-Gravenhage.

Vele jaren zijn er sinds deze gebeurtenis verlopen en die zaak is altijd onvoldaan gebleven, maar nu is het ogenblik gekomen, waarin het mij eindelijk geoorloofd is mij met een goed gevolg tot u te wenden. Ik neem dus de vrijheid u, hooggeborene, het verleden te herinneren en mij te beroepen op uw woord van eer, overtuigd zijnde dat u de belofte toen aan mij gedaan nu zult verwezenlijken, zowel om het punt van eer als om dat van het recht. Ik ben genegen eerst uw gevoelens daaromtrent te vernemen en hoewel u, hooggeborene, het bewijs van mijn voorschotten vernietigde, ben ik overtuigd dat u een schuld zult voldoen, die ontstaan is om de eer te bewaren van onze geliefde vorst Willem II, en om de rust van onze dierbare koningin-weduwe niet te storen.

14 EERHERSTEL

29 september 1820

SALVIATI, PRUISISCH GEZANT IN DEN HAAG

Aan Frederik Willem III, koning van Pruisen

Nadat de chantageaffaire succesvol in de doofpot is gestopt, stuurt de ko-
ning zijn zoon naar Warschau om een andere vlek op zijn blazoen weg te
poetsen: hij moet de tsaar excuses aanbieden voor zijn deelname aan de
samenzwering tegen de koning van Frankrijk. Nieuwsgierige diplomaten
gissen naar de reden van de reis van de prins.

De reis van de prins van Oranje en het doel ervan, houdt hier alle
gemoederen bezig en leidt tot allerlei gissingen. Ik heb mijn uiterste
best gedaan om de belangrijkste reden te achterhalen, en iemand uit
het gevolg van de prins, die met hem op 24 augustus naar Het Loo
is gereisd en op de 16de van deze maand naar Den Haag, heeft me
in vertrouwen genomen: naast de huidige situatie in Europa hebben
de bijzondere betrekkingen van de prins die samenhangen met de
laatste samenzwering die in Frankrijk werd ontdekt, de koning doen
besluiten de prins naar Warschau te sturen.

Mij is hierover het volgende verteld. Op 24 augustus heeft in Het
Loo de verzoening tussen de koning en de prins plaatsgehad, maar
er is nog veel spanning tussen vader en zoon. Op 13 september ontving de prins van de koning een zeer hartelijke brief. Daarin nodigde
hij hem uit naar Den Haag te komen en de reis naar Warschau te ondernemen, maar zonder in te gaan op het doel. Toen de prins de 16de
in Den Haag aankwam, vertelde de koning hem dat hij een zending
had ontvangen van generaal Fagel uit Parijs. Die berichtte hem wat
baron Pasquier hem vertrouwelijk had gezegd: verschillende personen die bij de laatste samenzwering waren betrokken, hadden, toen
ze werden ondervraagd over welke middelen zij hadden beschikt
voor hun dwaze onderneming, verklaard op hulp van de groepering
te hebben gerekend die in Frankrijk vóór de prins van Oranje is.
Deze verklaring berustte ongetwijfeld op valse gissingen, maar kon
hem als vader en als koning niet onverschillig laten. Een en ander
zou de goede betrekkingen met het buurland kunnen aantasten en
zou in het hart van de koning van Frankrijk een nóg ongunstiger
indruk kunnen nalaten dan die waartoe de nare ervaringen met diens
lichtzinnigheid eerder aanleiding hadden gegeven. De prins antwoordde dat hij van deze absurde geruchten even goed op de hoogte
was als z'n vader. Maar hij wist ook dat de samenzweerders hadden
verklaard dat hij, de koning, de nodige fondsen zou verschaffen om

hun plannen te laten slagen. Dit optreden gaf aanleiding tot een zeer hoog oplopende ruzie tussen vader en zoon. De eerste bedaarde uiteindelijk. Naar zijn mening was het beste middel om de vervelende indruk weg te nemen waartoe deze geruchten onvermijdelijk leidden – niet alleen bij de koning van Frankrijk, maar ook bij alle andere vorsten als ze erover hoorden – om zich tot keizer Alexander te wenden en hem als ouder, vriend en bondgenoot te verzoeken via zijn ambassadeur in Parijs de meest geëigende stappen te zetten om deze indruk uit te wissen en elke verdenking die op de prins zou kunnen afstralen weg te nemen. De prins is op dit voorstel ingegaan, hij heeft zich verzoend met zijn vader, en die heeft hem er tegelijk mee belast met de keizer de grote Europese kwesties van vandaag te bespreken. Na het vaststellen van dit plan is de prins voor een paar dagen teruggegaan naar Spa om de 26ste weer naar Den Haag te komen voor de laatste instructies van de koning.

15 WAARSCHUWING

20 februari 1820

KONING WILLEM I

Aan kroonprins Willem

Willem I maakt duidelijk aan zijn zoon dat diens liberale ideeën zijn eigen belangen schaden. (De prins heeft deze mondelinge verklaring van zijn vader zelf op papier gezet.)

Wij hebben geen representatieve regering. Frankrijk, Engeland zijn representatieve regeringen, maar onze regering is een gematigde monarchie. U spreekt van de verantwoordelijkheid der ministers. Die wil ik niet. Ik kan die niet hebben, met mijn type regering. Misschien dat dit systeem over twintig jaar goed is; maar nu kan ik mij er niet in vinden. U, u heeft stemmen verloren doen gaan voor de regering inzake de begroting, U gaf signalen van goed- of afkeuring tijdens de sessies van de 24ste. U behandelt degenen die tegen de regering zijn goed tijdens uw feestjes op dinsdag; u nodigt hen bij voorkeur uit. Ja, er is een factie, en u heeft niet door dat u daarvan het speeltje bent. Nadat ze het sap eruit hebben geperst, zullen ze het schors weggooien. U bent de mantel die dient om hun spel te verbergen. Ze willen mijn plaats innemen en ze zullen mij dus van de kaart vegen als middel tot besparing. Ziedaar, de koning opzij-geschoven.

16 VRIJE MENSEN

1822

KROONPRINS WILLEM

In een opvoedingsplan voor zijn kinderen pleit de prins van Oranje voor vrijheid. Daarin klinkt kritiek door op zijn eigen vader.

Mijn zoons zijn volwassen op hun achttiende. Als gevolg daarvan houdt ieder rechterlijk gezag aan de kant van de ouders in die perio-de op te bestaan. (...) Want vanaf hun meerderjarigheid moet iedere *schijn van directe autoriteit* over hen ophouden te bestaan; eenmaal vrij mens geworden, moeten zij als zodanig *willen* en *kunnen* handelen. Deze kinderen moeten in hun positie een dubbele opvoeding krijgen. Wij moeten er in de eerste plaats *mensen* van maken, daarna prinsen. Maar laten we op het pad dat wij volgen niet vergeten dat zij mens kunnen zijn zonder prins te zijn, maar nooit prins kunnen zijn zonder mens te zijn. (...) Als men zich dus voorstelt de achttien jaar van hun minderjarigheid te gebruiken om hen wetend te maken door hen te vormen naar boeken; of er alwetenden van te maken van achttien jaar oud, dan is men er zeker van zich een doel te heb-ben gesteld dat men niet kan bereiken. Het zal, daarentegen, bet-weters opleveren en quasiwetenden die, omdat hun eigen voorkeur hun hele leven op tegenstand is gestuit, zich op die tegenstand zul-len wreken zodra ze de ouderlijke autoriteit voelen verdwijnen; ze zullen zich overgeven aan zwelgpartijen en andere verschrikkelijke dwalingen, zonder dat de ouderlijke stem of de stem van degenen die hen hebben opgevoed hen nog terug kan leiden; want tot dan toe hebben zij niet anders geleerd dan deze te vrezen, als een onrechtvaardig ongemak, terwijl zij gemaakte fouten uit het verleden niet anders kunnen zien dan als betekenisloos.

Zodoende zal de natuurlijke consequentie zijn dat zij op het moment van hun wettelijke onafhankelijkheid de waarschuwing niet zullen willen geloven, noch volgen, van de ervaring van diegenen die autoriteit over hen hadden maar van die autoriteit slechts gebruikmaakten door hen te irriteren, of hen meestal op verkeerde momenten tegen te werken. Volgens mij leidt een opvoeding van beletsel en tegenwerking tot niets anders dan tot het ontnemen aan de ouders van het middel om hun kinderen van nut te zijn in de beslissende periode van hun leven: die van de hartstochten; tussen achttien en dertig jaar – het is op geen ander moment dat het werkelijke karakter van de man ontluikt en dat hij de grootste strijd moet leveren met zichzelf [op het moment dat de prins dit stuk schrijft, is hij dertig jaar oud]. Het is dus natuurlijk in die periode van het leven dat de raadgevingen van wijze en vriendelijke ouders het meest van nut zijn voor hun kinderen die jongemannen zijn geworden – en als dit niet overal het geval is, dan is het vooral belangrijk bij prinsen: want als zij het vertrouwen van hun jonge harten, gezien de voorgaande gebeurtenissen, niet vanuit het gevoel kunnen geven aan hun ouders, dan zullen zij het zoeken bij anderen, hetgeen de ernstigste consequenties kan hebben voor henzelf, voor hun ouders en voor de staat. (...) Al mijn zorgen, dat weet ik, zullen niet voorkomen dat zij op hun achttiende domme dingen doen; je moet van hun kant ook niet het onmogelijke verwachten; maar zoals mijn plan voorschrijft, zullen ze zijn opgevoed in het vertrouwen van de vriendschap jegens hun ouders of opvoeders (en het is aan hen om hen te winnen voor hun werkwijze zonder hen met dat doel te verwennen), de fouten van de jeugd zullen zelf nuttige lessen zijn voor de kinderen want omdat de stem van hun ouders of opvoeders hen lief was, zullen ze met dankbaarheid en vertrouwen hun wijze raad volgen na erover te hebben nagedacht; zo zullen zij de ideeën aannemen die hun worden aangedragen als die naar hun oordeel goed zijn; op zo'n manier dat zij ze zelf zullen corrigeren door reflectie en niet door slaafse gehoorzaamheid. (...)

(...) we hebben meer kans van slagen door hun een vrije opvoeding te geven, met andere woorden: een opvoeding waar alleen toezicht nodig is om de *werkelijk slechte* dingen te voorkomen, niet de kleine denkbeeldige kwaden.

In de vrije opvoeding zoals ik die versta moeten kinderen slechts worden omringd en bestuurd om hun te bieden wat zij missen door werkelijke zwakheid en door fysiek en moreel onvermogen; terwijl hun altijd de ruimte moet worden gegeven om te handelen zonder hinder en al naar gelang hun krachten. (...)

Laten we de kinderen eraan wennen zoveel mogelijk in de buitenlucht te zijn, niet door ze slaafs te laten wandelen naast hun vader of hun opvoeder maar door ze te laten begaan en er op die manier voor zorgen dat ze zoveel mogelijk variëren in hun lichaamsbeweging. Kinderen die zo worden opgevoed, zonder hinder, zullen natuurlijk overkomen, en de vader of de opvoeder zal zo het enorme voordeel hebben om hun werkelijke karakter te kunnen beoordelen, dat voor hem de *eerste* en de *meest essentiële* studie is die hij moet doen: want het is alleen na zich daarin te hebben verdiept, dat de vader zijn kinderen in hun fouten zal kunnen corrigeren, zonder het risico te lopen de plank mis te slaan. In de vrije opvoeding wordt meestal gecorrigeerd (...) zonder het kind te laten buigen voor een absolute wil. (...) Laten wij altijd tegen onszelf zeggen, als *eerste regel* in onze verhouding met onze kinderen, dat onze autoriteit over hen *nooit absoluut* is; want niemand, zelfs niet de vader, heeft het recht om het kind voor te schrijven wat niet deugt (...) en ons gezag moet alleen bestaan uit het aanvullen van de fysieke en morele krachten van deze wezens die *in alles onze gelijken* zijn en over wie wij alleen rechten hebben omdat zij *ons* nodig hebben. (...) De spelen of oefeningen zullen plaatshebben in de openlucht, liefst niet met de kinderen of de vader of opvoeder alleen; juist integendeel, stellen wij ons tot taak om zo vaak als wij kunnen andere jonge mensen te verzamelen, zodat voordat zij de sociale verhoudingen leren en de morele voorschriften, zij deze in praktijk weten te brengen in hun omgang met hun leeftijdsgenoten. Tijdens deze bijeenkomsten zal men zich erop moeten toeleggen om de verschillende rangen van de speelkameraden zoveel mogelijk te laten samensmelten en geen andere verschillen tussen hen te laten bestaan dan die het spel of de lichaamsoefeningen voorschrijven. Dit soort bezigheden, zeer vermakelijk en nuttig voor alle kinderen, zullen een verlichte vader of opvoeder duizenden voorbeelden opleveren die hij kan gebruiken om de intellectuele en morele kwaliteiten te ontwikkelen van de discipelen, hij zal de gelegenheid aangrijpen om hun ideeën over moraliteit te geven naar aanleiding van hun verhouding tot hun broers of kameraden, zonder hun de moraal voor te schrijven, maar door tastbare vormen, die zijn gebaseerd op hun eigen kleine ervaring in hun verhouding tot de andere kinderen.

(...) Het eerste dat een kind moet leren, is goed lezen. Ik zal, bij voorkeur, voor de mijnen boeken kiezen die positieve dingen bevatten, zoals beschrijvingen van landen en dieren. Robinson op zijn eiland kan hen lang bezighouden. (...)

Laten wij nooit vergeten (...) dat deze kinderen voorbestemd zijn om chef te worden van een representatieve regering, men moet zich er dus op toeleggen om hen van deze regeringsvorm te laten houden, uit gewoonte en uit rede, door hun het nut te laten zien van een machtsbalans; en hoeveel meer bevredigend het is voor degene die wil regeren, niet voor hemzelf, maar voor het geluk van zijn landgenoten, dat grenzen worden gesteld aan zijn daden door een sociaal pact, dan wanneer hij geen enkele gids zou hebben in de moeilijke carrière die hij moet doorlopen. Ik bedien mij opzettelijk van het woord landgenoten in plaats van dat van ondergeschikten, om te laten zien dat men moet vermijden om tegen jonge prinsen over ondergeschikten te praten, want dat woord heeft iets abjects van nature en kan de jeugd verkeerde ideeën geven, terwijl de uitdrukking landgenoten iets broederlijks heeft, een teken dat wij allen van dezelfde familie zijn, en is daarom meer waardig aan de menselijke natuur zoals ook aan het eerste instituut van het koninkrijk. (...)

Zeker moet u mijn kinderen nooit dwingen in hun studie: heb altijd eerst de vrees dat zij er daardoor een hekel aan krijgen. Ik hecht er meer waarde aan om ze op te voeden op een manier dat ze de wens en de zin hebben om te leren als ze achttien zijn, dan dat ze schijnbaar veel zouden weten in die periode. De voordelen van zin hebben in een studie en deze toe te willen passen, zijn enorm voor later. (...) Mijn zoons zullen dus werkelijke kennis kunnen opdoen door zichzelf te leren en ze zullen in die bezigheid en in de wetenschappen, als zij ervan houden, een grote redder vinden, die hen kan helpen om te zegevieren in de strijd die ze zullen moeten leveren met henzelf om de fuga van hun passies te weerstaan. (...)

17 WALGELIJK GEDRAG

7 januari 1824

SALVIATI, PRUISISCH GEZANT

Aan Frederik Willem III, koning van Pruisen

Anna Paulowna houdt meer van Belgen dan van Hollanders.

In mijn zeer bescheiden rapporten is bij herhaling gewezen op het gedrag van de prins van Oranje jegens lord Clancarty en de walgelijke manier waarop deze altijd is behandeld door de prins en de prinses. Dit buitengewone gedrag is doorgegaan tot het allerlaatste moment van zijn verblijf in Den Haag, en de prinses leek van plan de prins in dit opzicht te overtreffen, want op het moment dat iedereen ernaar uitzag om de ambassadeur voor de laatste keer te ontmoeten, op het bal dat de Haagse gemeenschap hem aanbood, en hem te zeggen dat zijn vertrek oprecht werd betreurd, gaf de prinses van Oranje aan heel haar hofhouding het officiële bevel niet naar dit bal te gaan. Dit weinig gepaste gedrag is door iedereen sterk afgekeurd en heeft de koning en de inwoners van Den Haag veel narigheid bezorgd.

Voor het overige zet de prinses haar zeer eenzame en zeer teruggetrokken bestaan voort; zij vertoont zich nooit, niet aan het corps diplomatique, niet aan de Hollanders, niet aan haar landgenoten. Ze ziet niet eens alle mensen die aan haar hof zijn verbonden, want dat verveelt en vermoeit haar. Maar zodra hier een stelletje Belgen, leden van de Eerste Kamer van de Staten-Generaal, is aangekomen, mensen die erom bekendstaan dat ze weinig, liever gezegd niet gehecht zijn aan de koning en de huidige gang van zaken, staat ze niet alleen klaar om hen te ontvangen maar hervindt ze ook meteen de kracht om de vermoeienissen te doorstaan van een etentje dat ze hun aanbiedt, vermoeienissen die ze niet kon doorstaan toen haar echtgenoot hier was, want toen at ze helemaal alleen. Dit gedrag is tekenend voor haar, ze haalt er zich algemene afkeuring mee op de hals, ze vervreemdt zich zo helemaal van de harten van de Hollanders, die nu al voorzien hoe het in de toekomst zal gaan wanneer zij ooit koningin wordt. Je mag aannemen dat ze denkt haar echtgenoot de prins een genoegen te doen door Belgen die een goede band met hem hebben zo te onthalen. Maar omdat hij zich al geruime tijd veel terughoudender en wijzer opstelt en in elk geval niet openlijk mensen ontvangt die de koning niet graag mag, ben ik ervan overtuigd dat hij dit gedrag niet goedkeurt en dat, als hij hier was geweest, hij de eerste zou zijn geweest om het tegen te houden, omdat het politiek zo veel schade doet aan de koning, aan haarzelf, en aan al de Hollandsgezinden van de natie. Het is vervelend het hem te vertellen maar door hoe de prinses hier optreedt, kunnen zijn betrekkingen met de koning en de voortreffelijke koningin nooit worden zoals ze zouden moeten zijn, en het zou beslist in zijn belang zijn dat iemand hem de ogen opende voor de vervelende gevolgen van haar gedrag. Ik meen dat de zaakgelastigde van Rusland, die sinds enige tijd niet meer bij haar mag komen, er rapport over heeft uitgebracht aan de keizer.

18 VALSE VROLIJKHEID

19 november 1825

DIRK VAN HOGENDORP, ZOON VAN GIJSBERT KAREL VAN HOGENDORP

Aan Willem van Hogendorp, broer van Dirk

Tijdens een hofbal probeert de familie van Oranje eensgezind over te komen. Voor ingewijden is dit toneelspel weinig overtuigend.

Wat nu de koninklijke familie onderling betreft, zo komt het mij voor dat de verwijdering der gemoederen veel groter is dan men denkt, hoezeer de vormen volkomen geobserveerd werden. Juist de rigoureuze stiptheid waarmee de vormen geobserveerd werden, heeft mij een bewijs gegeven van werkelijke verwijdering, want het was mij al zeer duidelijk dat de vormen met studie geobserveerd werden. De prinsen hebben veel samen gesproken en met wederzijdse echtgenoten gedanst, maar alles was stijf en van beide zijden gemaniëreerd. De prins van Oranje toonde een grote vrolijkheid, en deed zijn best om in de vreugde voor te gaan, maar niettegenstaande die gemaakte vrolijkheid was er blijkbaar een bloedend hart. Prins Frederik had dezelfde uiterlijke gemaaktheid, doch met een koud en hoog hart. De prins van Oranje had al het air van zich diep vernederd te voelen. De koning heeft mij duidelijk meermalen ontweken, en voor zover ik heb kunnen zien, en ik heb zeer goed uit mijn ogen gekeken, heeft hij geen van de ministers aangesproken; terwijl prins Frederik veel met hen, en vooral met Van Maanen, heeft gesproken. Van Maanen is geen vrijmetselaar, maar een kennelijk protecteur van hen. Wat de prinsessen betreft, is het oordelen naar het inwendige wel niet mogelijk, en uiterlijk zijn de vormen in acht genomen. Zelfs is er een grote parade van tederheid en vriendschap gemaakt.

19 INBRAAK

september 1829

EEN FUNCTIONARIS VAN JUSTITIE

In de nacht van vrijdag op zaterdag 26 september 1829 wordt uit het Brusselse paleis van de prins van Oranje en Anna Paulowna haar beroemde juwelencollectie gestolen. Het politieonderzoek wordt belemmerd.

De diefstal van de juwelen van HKH de Prinses van Oranje is gepleegd te Brussel in haar paleis in de nacht tussen vrijdag en zaterdag

26 september 1829. Op vrijdagavond 25 september was er een bal geweest bij Zijne Koninklijke Hoogheid prins Frederik der Neder-landen, dat tot in de zeer vroege morgen van zaterdag 26 september had geduurd. Zaterdagochtend is de heer De Knyff, directeur van politie te Brussel, bij mij op het ministerie gekomen, om mij te be-richten over het gebeurde. Hij kende alleen de oppervlakkige feiten. Zijne Koninklijke Hoogheid de prins van Oranje was namelijk af-wezig, net als Hare Koninklijke Hoogheid mevrouw de prinses, die zich in Tervueren bevond. De afwezigheid van de beide hoge perso-nen had het onderzoek aanvankelijk enigszins belemmerd. De heer De Knyff verhaalde mij toch een paar hoofdlijnen en is die ochtend nog een keer bij mij aan het ministerie gekomen, om me mee te de-len wat hij ontdekt, vernomen en gedaan had. (...)

Zondag 27 september 1829 ontving ik 's ochtends in alle vroeg-te een briefje van de heer Ligot, ondergouverneur der vorstelijke kinderen, met de uitnodiging om die ochtend om 9 uur bij Zijne Koninklijke Hoogheid aan het paleis te komen. Ik begaf mij daar op dat uur heen en werd binnengelaten in een salon aan de rech-terkant van het paleis, gezien vanaf de kant van de boulevard. Die salon was op de zogenaamde bel-etage en had uitzicht op het terras en op de tuin. Ik trof er een bejaarde huisbediende, de Spanjaard Nikolaas Cavanillas, die zich bij mij bekendmaakte als de conciërge van die bel-etage van het paleis. Cavanillas zei mij dat de prins vroeg was uitgereden om de Brusselse schutterij te inspecteren, maar elk ogenblik terug verwacht werd. Hij herhaalde bedaard nagenoeg hetzelfde, wat de heer De Knyff ook al had verteld. Inmiddels kwam de heer De Knyff erbij, die ook ontboden bleek en voorts nog een kamerheer of adjudant van de prins, maar ik herinner mij niet meer wie. Tegen halftien kwam Zijne Koninklijke Hoogheid de prins van Oranje van zijn inspectie in het paleis terug en voegde zich dadelijk bij mij. Zijne Koninklijke Hoogheid verhaalde mij toen in het kort wat hij wist, eraan toevoegend, dat tot zijn spijt een dag eerder door zijn terugkomst in de kamer al het een en ander was opgereddered, terwijl alles eigenlijk in dezelfde staat had moeten blijven als het gevonden was bij de eerste ontdekking van diefstal en braak. Zijne Koninklijke Hoogheid verzocht mij niettemin met hem te willen bezichtigen wat er nog te zien was en niet veranderd was. Ik ben toen met de prins, en met de heer De Knyff, de kamerheer of aide de camp en met Cavanillas een grote kamer binnengegaan, gelegen naast die waarin ik mij tot dusver had bevonden en ook met uitzicht op het bovengenoemde terras of tuin, door drie grote vensterramen reikend tot op de grond of vloer en voorzien van grote glasruiten. Ik heb bij bezichtiging geconcludeerd dat in ieder geval het middelste vensterraam en als ik het goed onthouden heb, de beide andere uitkomen op een grote stenen stoep, waarvan men langs enige stenen trappen afdaalt naar het terras; dat geen van de vensterramen voorzien was van blinden, en ook niet van bijzondere sloten; dat het middelste raam eigenlijk een dubbele glazen deur was, die zoals gezegd uitkwam op die stoep; dat de dubbele deur niet van buiten kon worden geopend maar alleen van binnen door het omdraaien van een drukknop of kruk. Dat een van de glasruiten van de deur gebroken was.

20 VERDACHTE VRIEND

16 oktober 1829

GRAAF GOURRIEFF, RUSSISCHE AMBASSADEUR IN DEN HAAG

Aan graaf K.R. Nesselrode, Russische minister van Buitenlandse Zaken en diplomaat

Als koning Willem I anonieme brieven krijgt waarin een zekere Pereira wordt aangewezen als het brein achter de juwelendiefstal, maakt dit ook de kroonprins onmiddellijk verdacht. Er gingen al lange tijd geruchten over de homoseksuele relatie die hij met Pereira zou onderhouden.

De politie verdenkt niemand anders dan de dandy Pereira van de diefstal, die door het noodlot in een intieme band met de prins is gebracht. Pereira is de zoon van een consul van Portugal van die naam die in Petersburg heeft geresideerd. Hij is in 1806 in Franse dienst gegaan, die hij verlaten heeft na Waterloo. Sindsdien heeft hij het leven van een avonturier geleid. (...) Pereira is ongeveer veertig jaar, goed geconserveerd en met een knap gezicht. Zijn manieren zijn van een geaffecteerde elegantie, en zijn conversatie heeft de vederlichte onbenulligheid van die van een modieuze man. Uitgekotst door de tweederangse Brusselse society, wordt hij noch ontvangen aan het hof, noch bij het corps diplomatique, noch in de beste Belgische kringen. Men heeft genoeg redenen om aan te nemen dat hij spion voor de Franse politie is geweest en nog steeds is. Twee jaar geleden heeft hij een huis in Brussel aangeschaft dat hij met smaak heeft gemeubileerd. Men zegt dat de prins van Oranje dat deels betaald heeft. Het is in ieder geval zeker dat de prins voor hem een ongelimiteerd krediet heeft geopend bij een kleermaker en een schoenmaker, met opdracht om hem te kleden en van schoeisel te voorzien. Men heeft hen vaak gearmd gesignaleerd terwijl ze samen wandelden in de velden rond de stad. Vaak ook hebben ze samen gesoupeerd, tête-à-tête, in het kabinet van de prins en daar gewaakt tot 3 uur 's nachts. Om hun ontmoetingen op ieder moment te vergemakkelijken, is Pereira voorzien van een passe-partout van het paleis. Terwijl deze verhouding voor niemand een geheim was, en de verdenking van het publiek op zich laadde, wezen anonieme brieven en placards, Pereira bij de koning en zijn regering aan als de echte bedenker van de diefstal. Het is waar dat deze beschuldigingen alleen gebaseerd zijn op veronderstellingen en dat ze onjuist kunnen zijn; maar ze geven wel een openlijk bewijs van de minachting en 'reprobation' die de opinie over deze man behelst, en bijgevolg zijn relaties met de prins. (...) Een ding is onverklaarbaar: de onbezorgdheid van de koning te midden van dit alles, dat duidelijk de eer en het imago van zijn zoon bezoedelt.

21 SAMENZWEERDERS IN LIVREI

28 november 1829

COMMISSARIS VAN POLITIE TE GOUDA

*Een gevangene in Gouda, Karel Rondeel, herinnert zich een aantal ver-
dachte Brusselaars die hij in 1822 heeft ontmoet. Het zou best eens kunnen
dat zij iets met de juwelendiefstal te maken hebben.*

Op 28 november van het jaar 1829 heb ik, commissaris van politie te
Gouda (...) me begeven naar het huis van bewaring en de gevangene
Karel Rondeel laten voorkomen, geboren te Amsterdam, 39 jaar oud,
aan wie we hebben gevraagd welke informatie hij ons kon verstrekken met betrekking tot de diefstal in het paleis van Zijne Koninklijke
Hoogheid de prins van Oranje te Brussel. Hij antwoordde ons dat hij
geen harde feiten kende, maar bereid was ons te vertellen wat hem
als zeer verdacht is voorgekomen. Hij verklaarde dat hij voor en na
de revolutie vaak in Brussel kwam en zo in de dagelijkse samenleving
kennissen had gekregen. Een van hen was de jood André Lion, een
ander heette Montpellier. In het jaar 1822 ontmoette hij deze personen weer eens in Brussel. Ze waren toen rond de dertig jaar oud. Ze
kwamen hem in hun gedrag en hun gesprekken verdacht voor. Ze
leken zeer rijk. Hij hoorde een van hen tegen de ander zeggen dat
als zij in hun voornemen slaagden, Brussel zou beven. Deze lieden
hadden een zeer drukke omgang met knechten in groot livrei, maar
Rondeel weet niet of die bij het paleis van de kroonprins hoorden of
bij ambassadeurs of andere hoge heren. Hun bijeenkomsten hadden
meestal plaats in café Turcq. Ze moeten ook wel hebben gelogeerd
in het Starretje bij de Meyboom, een logement dat zeer goed bekend is bij de Brusselse politie. Omdat Rondeel het waarschijnlijk
acht dat de diefstal in het paleis van Hare Koninklijke Hoogheid de
prinses van Oranje niet kan zijn gepleegd zonder hulp of aanwijzing
van een der bedienden, heeft hij zich de genoemde gedragingen, de
gesprekken en de omgang met bedienden in livrei herinnerd. Hij
heeft zich afgevraagd of de eerdergenoemde personen wel helemaal
onkundig van de juwelenroof zouden zijn.

22 SLECHTE BEVEILIGING

24 februari 1830

ANNA PAULOWNA

Aan tsaar Nicolaas 1 van Rusland, die in 1825 zijn broer Alexander 1 is opgevolgd

Anna Paulowna noemt haar man niet expliciet als verdachte, maar stelt wel dat hij niets heeft gedaan om hun paleis in Brussel te beveiligen. En dat hij schulden heeft.

Zonder uit te weiden over de omstandigheden van de diefstal, zal ik u alleen vertellen dat er geen enkele voorzorgsmaatregel was getroffen om mijn appartementen in Brussel te bewaken, omdat Willem absoluut geen 'sentinelles' of bewakers wilde stationeren op het terras dat aan mijn kamers grenst. Dat er geen levende ziel in het hele appartement was op de dag van de diefstal; dat de huisbewaarder die beneden had moeten slapen daar niet was; dat hij nou net degene was die was aanbevolen door Pereira, en dat er die nacht een orgie was bij de mensen van Machado, een figuur met wie Pereira zich associeert. Ik zeg je dit alleen om je de achteloosheid en verwaarlozing aan te tonen die bij ons heersen. Je moet weten dat Willem zelfs meer in de schulden zit dan ik weet; dat hij lening op lening heeft gesloten; en dat de mening in dit rapport niet gunstig is voor hem, wat ik voor het grootste deel wijt aan het tweederangs individu dat als secretaris zijn zaken en zijn huis bestuurt. Hij was oorspronkelijk zijn kamerdienaar, en sinds jaren is hij geplaatst aan het hoofd van het huishouden, zonder dat een behoorlijk persoon, of meer welopgevoed, of een hofgelastigde, ook maar het minste gezag heeft in ons huis. Dat alles geeft voeding aan veel kwade geruchten.

23 ONTVOERING

23 augustus 1833

JACOB DE BRAUW, EEN NEDERLANDSE TOERIST IN AMERIKA
DIE TER ASSISTENTIE IS INGESCHAKELD DOOR DE
NEDERLANDSE REGERING

De Zwitserse koopman Constant Polari, inwoner van Brussel, wordt in de zomer van 1831 aangehouden door de Amerikaanse douane met diamanten die zijn verstopt in een paraplu. Hij is verraden door zijn maîtresse. Hij wordt opgesloten in een New Yorkse gevangenis wegens het illegaal invoeren van juwelen; volgens de Amerikaanse wet mag hij niet worden vervolgd voor de diefstal in Brussel. Maar de invloed van de Oranjeregering strekt ver. Na veel diplomatiek getouwtrek wordt hij op spectaculaire wijze naar Nederland ontvoerd om daar te worden berecht voor de juwelendiefstal.

Op 23 augustus 's morgens om 10 uur begaf ik me met een huurkoets naar het kosthuis waar Rosine, het dochtertje van de gevangene, gehuisvest was. Ik haalde dit kind af en bracht haar aan boord van de stoomboot, die bestemd was om Polari te halen en aan boord van het vaartuig te brengen, waarmee hij naar Europa zou worden gebracht. (...) Wij voeren zo naar de gevangenis van Bellevue, waar wij tegen de landingsplaats kwamen te liggen. Intussen was ik steeds in de kajuit gebleven, om te voorkomen dat het dochtertje zich boven op het dek vertoonde, uit angst dat we boten zouden ontmoeten met personen die Rosine kenden, en die zouden vermoeden wat er gaande was, iets wat ter vermijding van oploopjes moest worden voorkomen. Hoe makkelijk had niet de Italiaan Melani, die omstreeks dezelfde tijd op Long Island verbleef, ons vanaf een van de overzettende stoomboten kunnen zien? Hij kent het kind van Polari zeer goed, en hij zou niet nagelaten hebben het publiek opmerkzaam te maken op hetgeen er gebeuren zou, en alles geprobeerd hebben om de ontvoering van de gedetineerde te beletten. De gevolgen zouden voor alle betrokkenen niet te overzien zijn geweest.

Na een halfuur bij de gevangenis vertoefd te hebben, kondigde een van verre te horen vervaarlijk geschreeuw de komst van Polari aan; hij werd bijna naakt aan boord gedragen omdat zijn kleren hem van het lijf werden gescheurd in het geworstel. Nooit heb ik een mens zo woedend gezien als hij. Onophoudelijk riep hij de Amerikanen te hulp, terwijl hij schreeuwde: 'Coquins, Brigands, Assasins [Schurken, misdadigers, moordenaars]; Amerikanen, jullie wetten worden geschonden!' enzovoorts, om de aandacht van het publiek te trekken. Nooit zal ik de akelige aanblik van die man vergeten. Men had hem nu aan handen en voeten geboeid op het dek van de stoomboot neergelegd, maar hij ging zo tekeer, dat, hoe geïsoleerd de gevangenis ook ligt, men toch vreesde dat zijn onophoudelijk schreeuwen de nieuwsgierigheid en onoplettendheid van de nabije woningen zou wekken en zijn ontvoering dus spoedig in de stad bekend zou worden. Hij werd daarom naar de kajuit gebracht, en omdat dat onverwacht gebeurde, was ik daar niet op voorbereid. Maar ik probeerde zo snel mogelijk het kind in een tweede kajuit te bergen, daar het niet raadzaam was hem in zijn woede een blik op zijn dochtertje te geven. Het lukte me alleen niet snel genoeg, zodat hij merkte dat zij aan boord was. Op het eerste moment had dit een zonderlinge uitwerking. De aanblik van het kind scheen hem sterk te treffen. Hij stond plotseling stil, sloeg zijn ogen ten hemel en riep uit: 'Mijn god, mijn kind!' Deze schijnbare kalmering duurde niet lang. Hij vorderde eerst op gebiedende toon zijn dochtertje bij zich te hebben, dat inmiddels naar een ander vertrek was gebracht. En toen men hieraan niet wilde voldoen, verviel hij weer in een razende drift. Als zijn boeien en de politiebeambten hem niet tegengehouden hadden, had hij mij aangevallen. Hij zat op een bank, en toen ik langs hem liep, vroeg hij of ik Frans sprak en tot welke natie ik hoorde, en daar ik zolang hij in die gemoedstoestand was, niet wilde zeggen een Noord-Nederlander te zijn, gaf ik mij uit voor een Amerikaan van de zuidelijke staten. Hij bezigde veel beledigende uitdrukkingen tegen mij, over welke hij naderhand veel berouw toonde, toen hij meer met mij bekend raakte, en mij verschoning vroeg over zijn gedrag jegens mij. Intussen ging hij voort met op een woeste toon te vorderen dat het kind bij hem gebracht werd, en toen ik hem verzekerde dat het sliep, wilde hij het zien. De heer Bangeman Huygens, die de directie over deze ontvoering zelf op zich genomen had, oordeelde dat men hem best dit genoegen kon doen, wat hem misschien tot bedaren zou brengen. Ik zette dus de deur van de kajuit open. Hij kon nu het kind slapende op een bank zien liggen. Dat bevredigde hem, en hij was nu veel bedaarder. Langzamerhand begon dan ook zijn onstuimige drift af te nemen. Hij vertelde me dat alles wat aan boord was voorgevallen niets was vergeleken met het toneel dat in de gevangenis had plaatsgehad. (...) Dagelijks mocht hij daar, op het plein van de gevangenis, frisse lucht scheppen, met handboeien aan. Zo ook op de dag dat hij op de boot zou worden gebracht. De zaakgelastigde vroeg hem bij die gelegenheid of hij in zijn weigering bleef volharden om vrijwillig naar Holland te vertrekken. Wat, zoals men wel verwachtte, met ja werd beantwoord. Deze vraag werd hem nog eens, door de heer Seely herhaald, die hetzelfde antwoord kreeg. Men kondigde hem dus aan dat alle vereiste maatregelen waren genomen om, aangezien hij niet uit zichzelf wilde vertrekken, met geweld te worden overgebracht. Toen men hem vervolgens wilde vastpakken, werd hij zo razend, dat men zich alleen met overmacht van hem meester kon maken. Hoewel een opsluiting van tien maanden en een net doorstane aanval van cholera zijn krachten sterk hadden doen afnemen, waren er veertien mensen bezig geweest hem over te brengen. (...)

Zijn ketting was lang genoeg om hem niet in zijn bewegingen te hinderen, zodat hij de kajuit rond kon lopen; maar op de trap kon hij niet komen. Hij was in het bijzonder gebeten op de Amerikanen, die hem, in weerwil van hun wetten en de bescherming die ze aan alle vreemdelingen verlenen, wederrechtelijk tien maanden in harde gevangenis gehouden hadden, en hem uiteindelijk aan de Nederlandse regering hadden overgeleverd. 'Ik dacht,' zei hij, toen ik hem mijn verwondering te kennen gaf dat hij zo onvoorzichtig was geweest om niet alleen al aan boord van het pakketschip van Havre de juwelen aan iedereen te hebben laten zien, maar ze ook in New York door iedereen die maar wilde, liet bekijken, 'ik dacht zó veilig te zijn in de Verenigde Staten dat, zelfs als de Prins van Oranje daar gekomen was, ik rustig had kunnen zeggen: "Kijk, daar zijn uw juwelen" zonder dat hij me daarover de minste moeilijkheid had kunnen aandoen.' 'Ik heb,' vervolgde hij, 'de wetten van dat land zo bestudeerd, dat ik meende dat men geen recht had om welke opeising er ook vanwege het Nederlands bestuur gedaan werd, mijn persoon of goederen, wat ze ook waren, in beslag te nemen, laat staan aan Nederland te kunnen overleveren.' (...)

Hij begon, naarmate wij Europa naderden, meer ernstig en nadenkend te worden, vooral toen we in de Noordzee kwamen. Hij zuchtte meermalen en stortte tranen over het lot van zijn dochtertje, mij bij herhaling verzoekende zijn wens over te brengen dat Rosine toch vooral niet aan de moeder werd overgeleverd, uit vrees dat deze het kind door slechte voorbeelden zou bederven. Ook wilde hij mij doen geloven dat zij haar kind mishandelde, waaraan ik echter twijfelde, omdat het kind – het was haar door haar vader verboden over haar moeder te spreken – mij dikwijls stilletjes in het oor fluisterde, dat zij veel meer van haar moeder hield dan van haar vader. Ook was zijn gedrag jegens zijn dochter niet zeer geschikt om enige liefde of kinderlijk vertrouwen bij haar op te wekken. Want bij het minste kinderlijk vergrijp berispte hij haar op een norse toon, waarbij zijn driftige geaardheid steeds uitblonk, en zijn uitdrukkingen waren dan vrij grof en toonden aan dat hij tot de lagere volksklasse scheen te behoren. Over het algemeen bleek dat, waar het een kiese en zedelijke opvoeding voor een meisje betrof, hij in ieder geval niet de man was die hier enige geschiktheid voor bezat.

24 BEKENTENIS

maart 1834

P.N. ARNTZENIUS, GRIFFIER VAN DE RECHTBANK

Verdachte Constant Polari heeft ruim een jaar beweerd dat hij de diamanten van Anna Paulowna gevonden heeft in een kistje in het bos, terwijl hij champignons aan het plukken was. Tijdens zijn proces in Den Haag verandert hij op een dag rigoureus van koers: plotseling bekent hij dat hij de diefstal wél heeft gepleegd. En hij verzekert dat de prins van Oranje er echt niets mee te maken had.

Ik ben schuldig, mijn rechters, aan een zware misdaad, die om verschillende redenen bijna over de hele wereld bekend is geworden. Die misdaad is gepleegd tegen een persoon, die net zo verheven in rang is als beroemd door zijn dapperheid. Mijn ontwaakt geweten voelt dringende behoefte voor u een openhartige bekentenis af te leggen, temeer omdat vreselijke laster de misdaad, waarvan ik de enige dader ben, aan anderen heeft toegeschreven. Door deze bekentenis denk ik ook op de steun van mijn rechters te kunnen hopen, want: 'à tout péché misericorde!' [voor iedere zonde, medelijden!]

Enige dagen voor het plegen van de diefstal wandelde ik voorbij het paleis en bemerkte voor een van de ramen verschillende kostbaarheden. Vandaar het noodlottig denkbeeld, dat mijn ongeluk tot gevolg heeft gehad. Het leek me makkelijk om met een ladder de muur over te klimmen, de glazen deur, na het voorzichtig breken van een van de ruiten, te openen en zo in het paleis te komen. Het kopen van een ladder leek me gevaarlijk, omdat er dan naderhand vermoedens tegen mij zouden kunnen ontstaan. Ik zocht dus naar een gelegenheid om er een te krijgen buiten medeweten van anderen. Het geluk leek met me te zijn, toen ik weldra, niet ver van het paleis, buiten een woning een ladder ontdekte. Daarmee begaf ik me in de nacht van de diefstal naar het paleis en kwam, na de muur te zijn over geklommen en een ruit van de glazen deur met daartoe meegenomen klei besmeurd en gebroken te hebben, in een zaal waar zich, voor zover ik me kan herinneren, niets aan mijn oog opdeed.

De president: u bent, naar uw zeggen, eropuit gegaan om kostbare voorwerpen, die u voor een raam had zien staan, te ontvreemden; waarom bent u dan niet teruggekeerd toen u die niet ontdekte?

De beschuldigde antwoordde hierop, dat hij toen wilde zien of hij ook iets anders zou vinden. Maar zijn antwoord was zo onbestemd en verward, dat het geen licht op de zaak bood.

De president: maar in een zaal waar u doorheen bent gelopen, waren toch verschillende kostbaarheden, hebt u daarvan niets gemerkt?

De beschuldigde: nee. Men moet in het beoordelen van mijn situatie altijd in aanmerking nemen dat een dief alles niet nauwkeurig bekijkt om er naderhand een juiste beschrijving van te kunnen geven. Ik stak met fosfor zwavelstokken een dievenlantaarn aan en kwam zo in het slaapvertrek van de prinses. Hier ontdekte ik meteen een kast, waarvan het bovenste deel met glas was bedekt. Daardoor zag ik een sleutel liggen. Ik had het idee dat die wel eens bij het benedenste deel zou kunnen horen. Daarom brak ik het glas, en toen de sleutel paste, bleek mijn vermoeden bewaarheid. Daarop wikkelde ik drie kistjes, die ik in dat onderste deel van de kast vond, in een shawl en hiermee keerde ik dezelfde weg terug en klom weer over de muur.

De president: er lijken aan het onderste deel van de diamantaire pogingen te zijn gedaan om het met een scherp werktuig te openen; dit, in combinatie met de bloeddruppels die in het midden van de zaal zijn gevonden, maakt het waarschijnlijk dat u een mes bij u hebt gehad. Is dat zo?

De beschuldigde: daar kan ik me echt niks van herinneren, maar ook dit moet aan mijn gejaagde positie worden toegeschreven. Intussen – ik geloof toch dat ik een groot mes bij me had.

De president: maar hoe hebt u met die last over de muur kunnen komen? Wilt u mij daarvan een beschrijving geven?

Dat is heel eenvoudig. Ik heb de kistjes boven op de muur gezet, de ladders vervolgens eroverheen getrokken en ik ben op deze manier aan de andere kant gekomen. Het bezit van de shawl leek mij aanleiding te geven tot het ontdekken van de diefstal. Die liet ik daarom met de ladder op een kleine afstand van de muur liggen. Daarna ben ik naar het bos van Soignies gegaan en heb daar de buit met wat bladeren bedekt.

25 KONINKLIJKE GENADE

maart 1834

MR. DE BAS, ADVOCAAT VAN CONSTANT POLARI

Volgens de advocaat van Polari heeft zijn cliënt zijn bekentenis alleen maar afgelegd in de hoop te worden bevrijd uit de kerker waarin hij al een jaar wordt vastgehouden.

Waarop komt zijn oorspronkelijke verklaring neer? Hij is over de muur geklommen en in de tuin gekomen; hij heeft een ruit van de glazen deur gebroken, licht aangestoken, een glas van de diamantaire aan stukken geslagen, drie kistjes daaruit genomen; is op dezelfde manier vertrokken, heeft de kistjes in een shawl meegenomen en die weggegooid. Deze en dergelijke bijzonderheden had hij evengoed kunnen weten zonder de diefstal te hebben gepleegd. Mijn geheugen mistrouwende heb ik de kranten van die dagen nagekeken en al deze details daarin aangetroffen. U hoeft slechts de *Haarlemsche Courant* van 6 oktober 1829 open te slaan, en het *'s-Gravenhaagse Dagblad* van 2 oktober 1829, om u van de waarheid te overtuigen. (...)

Een overgrote menigte van bijzonderheden die hij had moeten weten als hij de diefstal zou hebben gepleegd, zijn hem onbekend. Hij wist zich eerst niet te herinneren hoeveel kamers hij is doorgegaan; hij kan ook nu geen beschrijving van die kamers geven, noch van de kostbaarheden die zich er bevonden; de vorm van de diamantaire kan hij zich evenmin te binnen brengen; hij weet alleen dat die met glas was bedekt. Waar de kistjes zijn gevonden, of ze ook andere voorwerpen dan juwelen bevatten, en zo ja, welke; of de portefeuilles zijn opengebroken zijn vragen waar hij de beantwoording schuldig op moest blijven. Het lange tijdsverloop sinds de diefstal is gepleegd, de ellende waarin hij heeft verkeerd, verhinderen hem naar eigen zeggen het een en ander op te geven. Maar mijne heren, wat men ook van de houding van de beschuldigde in deze rechtszitting mag zeggen, niemand zal hem het onrecht aandoen dat hij blijken van vermindering of afstomping van zijn verstandelijke vermogens heeft gegeven.

Nooit heeft hij voldoende weten te verklaren wat voor hem de eerste aanleiding geweest is de diefstal te begaan. Hij ontleent zijn antwoorden steeds aan de hem gestelde vragen. Iedere magistraatspersoon die, meteen na het bekend worden van de diefstal, met de instructie van deze zaak is belast, dacht dat de misdaad slechts door meerderen kon zijn gepleegd. De directeur van politie verklaarde dit stellig in zijn rapport aan de minister van Justitie. In hetzelfde gevoel deelde de procureur des konings in Brussel. Er werd dan ook eerst een onderzoek ingesteld tegen sommige bedienden; omdat men geen bewijzen tegen hen vond, heeft men die instructie laten varen, maar het vroegere gevoel dat de diefstal door meerderen en wel bekenden in het paleis zou zijn gepleegd, behouden. Eindelijk meent men de dader in de beschuldigde te hebben gevonden! (...) De omstandigheden waarin de beschuldigde heeft verkeerd, mogen niet uit het oog worden verloren.

In juli 1831 in New York in hechtenis genomen, heeft men hem in Amerika, dat ideaal der burgerlijke vrijheid, ruim een jaar gevangen gehouden en vervolgens op een gewelddadige wijze naar dit land gevoerd. Meer dan een hele maand was hij hier in een kerker, vóór een bevel van meebrenging door de rechter van instructie was afgegeven. En tot deze provisionele gevangenhouding heb ik in de processtukken geen bevel van de bevoegde rechter kunnen ontwaren. Ik heb alleen de uitdrukking gevonden dat dit in opdracht van de regering was gebeurd! Deze woorden laten ons intussen in het onzekere wie de ambtenaar is die, onder de naam van de regering, een dekmantel voor zijn handelingen heeft gezocht. Strijdt zo'n daad niet met artikel 168 van onze grondwet? (...)

Ook hier is de beschuldigde meer dan een jaar in de kerker geweest, en nu vraag ik u, mijne heren, is de bekentenis na dit alles afgelegd niet gelijk te stellen met die, die onze voorouders noemden door de pijnbank verkregen? Kunnen en moeten wij hier niet in het oog houden wat Servan in een van zijn werken zegt: 'Wie alle rechtszaken volgt, ziet dat de verveling van de gevangenis meer heeft doen liegen dan martelingen.' Door de zucht uit zijn voorlopige toestand te raken, kan hij zeer wel tot zijn bekentenis zijn aangespoord. Dit aannemende wordt ook duidelijk waarom hij zich niet van het middel van incompetentie heeft willen bedienen, dat hem tenminste enige hoop op redding overliet. Bovendien heeft de beschuldigde zeker gemerkt, welk belang men aan deze zaak hechtte. Hij tracht zich dus door een bekentenis verdienstelijk te maken en hoopt, na zijn veroordeling, op de koninklijke genade. Deze hoop heeft hij mij zowel mondeling als schriftelijk te kennen gegeven, en: die hoop is hem ook van elders ingeboezemd! Dat er in Noord-Amerika allerlei beloften aan hem zijn gedaan, opdat hij zich vrijwillig zou laten inschepen, zal ik niet aanroeren, omdat het bewijs daarvoor alleen op zijn eigen uitspraken berust; maar uit het proces-verbaal van een verhoor in oktober 1832 voor de rechter van instructie blijkt dat deze bij zijn ondervragingen heeft opgemerkt, dat alleen een volledige bekentenis van de zuivere waarheid (dit zou dus natuurlijk het verhaal zijn dat hij de dader was) hem wellicht de gunst van Zijne Majesteit zou kunnen opleveren. Is het niet mogelijk, ja zelfs waarschijnlijk, dat hem ook hierdoor de bekentenis van een misdaad die hij niet had bedreven, het enige middel van behoud is toegeschenen?

4 'Te goeder trouw kon dit geen regeren genoemd worden'
De neergang van Willem I (1830-1840)

Met in de hoofdrol:
Koning Willem I, kroonprins Willem, opstandige Belgen en
Henriëtte d'Oultremont, de nieuwe liefde van de koning.

Koning Willem I hield zich zo min mogelijk bezig met wat zijn oudste zoon uitspookte in het zuiden des lands. Hij was dag en nacht aan het werk voor het welzijn van zijn koninkrijk. En voor dat van zichzelf. De uitspraak 'L'état c'est moi', had door hem bedacht kunnen zijn. Wat hij ooit met zijn landgoederen in Posen en Silezië had gedaan – lucratief maken – deed hij nu ook met het grotere landgoed Nederland. Zij het dan als koning. Met zijn investeringen in wegen en kanalen legde Willem I de basis voor de Nederlandse infrastructuur. Als 'koopman-koning' gaf hij handel en industrie een grote impuls, ook in de zuidelijke Nederlanden.

Uit de papieren van zijn nalatenschap blijkt dat er aan het begin van de negentiende eeuw in Nederland maar weinig economische activiteiten werden ontplooid waar Willem I financieel niet bij betrokken was. Of het nu ging om 'het kanaal van Steenenhoek', 'de weg naar het badhuis te Zandvoort', 'de Rijnspoorweg', 'de aanleg ener straatweg en vaart tussen Gouda en Bodegraven' of 'de spijkerfabriek te Amsterdam', de koning stak er geld in. De grootste belangen had hij aan het eind van zijn leven in de Nederlandsche Bank (600.000 gulden), de Nederlandsche Stoombootmaatschappij (325.000 gulden), de Nederlandsche Handelmaatschappij (3,2 miljoen gulden), de West-Indische Maatschappij (3,4 miljoen gulden), de Enschedese katoenspinnerij (40.000 gulden) de Algemene Maatschappij ter begunstiging van de volksvlijt te Brussel (meer dan 10 miljoen gulden) en de Maatschappij van Luxemburg (4,7 miljoen gulden).[71]

Zeker voor iemand die in 1807 nog berooid en verdreven bij Napoleon smeekte om de teruggave van zijn wijn en zijn meubels, vergaarde de koning een indrukwekkend vermogen. Hij dankte het mede aan het zogeheten 'amortisatiesyndicaat' dat in 1823 van kracht werd. De scheiding tussen staatsgeld en koninklijk privévermogen werd daardoor vrijwel opgeheven, zodat Willem I geld uit de staatskas in zijn ondernemingen kon investeren zonder dat het parlement daar controle op had. Deze financiële goochelarij maakte zijn omgeving wantrouwig, vooral in het zuiden, waar de koning zich toch al niet geliefd had gemaakt. Om de eenheid te bevorderen, voerde hij in 1819 het Nederlands in als officiële taal van het koninkrijk. Rechtszittingen en toneelstukken in België speelden zich plotseling af in een taal waar rechters, advocaten, verdachten en theaterbezoekers niets van verstonden. 'Het publiek kon de gedachte niet onderdrukken dat het vonnis (...) gunstiger was uitgevallen als de rechters hadden gesnapt welke argumenten de advocaat voor de verdediging naar voren bracht,' schreef de Pruisische diplomaat Salviati fijntjes naar huis na een chaotisch verlopen rechtszaak. (1)

De protestantse koning wilde ook de godsdienst reguleren. Zo bemoeide de koning zich tot grote ergernis van de Belgische geestelijkheid met de opleiding van priesters. En met zijn streven naar een staatskerk joeg hij ook de orthodoxe protestanten tegen zich in het harnas. Door dit alles kreeg Willem I te maken met een steeds vijandiger drukpers. Toen hij ook nog zwaardere belastingen invoerde, stuitte dat op enorme weerstand. 'Doordat belasting op belasting wordt gestapeld, krijg je er elke dag een reden voor publiek ongenoegen bij,' schreef Salviati. (2) De inning van de nieuwe belasting werd met name in België een chaos. Er waren onvoldoende ambtenaren en degenen die er waren, werden geschopt en geslagen. (3) De prins van Oranje, die om eerdergenoemde redenen ook al niet zo'n beste reputatie meer had, keek vanuit zijn Brusselse paleis machteloos toe hoe zijn vader de Belgen steeds verder op stang joeg. Hij 'plengt dikwijls tranen over wat hij allemaal ziet', volgens Salviati. (2)

Maar de koning hield hardnekkig aan zijn belastingstelsel vast, zoals hij wel vaker deed als hij ergens in geloofde. Zijn aanvankelijke standpunt, dat hij alleen koning kon zijn dankzij een verdrag met zijn volk, was geëvolueerd. Inmiddels vond de koning niet meer dat de grondwet hem de macht gaf, maar dat er dankzij hem een grondwet was.[72]

Wat velen al jaren hadden zien aankomen, gebeurde in augustus 1830. België kwam in opstand. Tien dagen voordat in Brussel rellen uitbraken, was de koning daar om een tentoonstelling te bezoeken. Toen hij in het rijtuig zat om terug te gaan naar Den Haag, wees een officier hem op de broeierige stemming. Maar Willem I keek alleen maar ongeduldig op zijn 'horologie' omdat hij op tijd terug wilde zijn op Het Loo.[73] Het vermogen van de koning om een richting te kiezen en zijn pad vervolgens nauwgezet uit te stippelen, was in het begin van zijn bewind geprezen. Maar nu wekte de keerzijde van die eigenschap – niet in staat zijn om van richting te veranderen als de omstandigheden daarom vragen – grote ergernis. 'Vijftien jaren knoeierijen,' zo vatte de graaf Van der Duyn van Maasdam Willem I's beleid in België samen. 'Te goeder trouw kon dit geen regeren genoemd worden,' vond hij.[74]

In het noorden was de bevolking door het 'toverwoord Oranje' nog wel in slaap te wiegen, hoewel de oppositie tegen de koning daar ook met de dag groter werd. Maar de Belgen hadden de 'Hollandse vader' vanaf het begin al niet als de hunne beschouwd. Op 25 augustus 1830 kwam de al jaren sluimerende onvrede tot uitbarsting. Dat gebeurde in Brussel, tijdens een uitvoering van de opera *La muette de Portici*, over de vrijheidsstrijd van de Napolitanen tegen de Spaanse onderdrukkers in 1647. Vooral de aria met de tekst: 'Heilige liefde voor het vaderland, geef ons onze moed en trots terug. Ik dank mijn leven aan mijn land, dat zijn vrijheid aan mij zal danken', maakte de zaal onrustig. Na de voorstelling voegden opgehitste toeschouwers zich bij rebellen die zich op het voorplein hadden verzameld. Samen trokken ze plunderend door de stad. (5) De eisen van de opstandelingen waren: meer invloed van het zuiden op het landsbestuur, vrijheid van drukpers, openheid en vestiging van de regering in Brussel.

Maar met de koppige Willem I viel niet te praten. Eind augustus stuurde hij zijn zoons Willem en Frederik met een leger naar Brussel om de orde te herstellen. Graaf Van der Duyn van Maasdam hoopte nog dat de koning niet zo gek zou zijn om geweld te gaan gebruiken, en zich 'de afkeuring van heel Europa op de hals te halen door een bloedbad aan te richten'[75]. Hij vergiste zich. In september hadden op koninklijk bevel dagenlang uiterst gewelddadige straatgevechten plaats in Brussel. Verdachten van samenzwering werden door het Nederlandse leger uit hun huizen gesleurd, talloze vrouwen en kinderen werden gedood. In het Sint Jans Gasthuis, waar voortdurend doden en gewonden werden binnengebracht, was de vloer 'overdekt met bloed'. (6)

De onderneming werd een fiasco. Op 27 september werden de troepen teruggetrokken. De Belgen zagen dit als een overwinning en stelden op 23 september een eigen Voorlopig Bewind in. Nu was de kroonprins, aan wiens voorkeur voor België de koning zich altijd zo geërgerd had, de enige hoop die Willem 1 nog had. Zou hij de Belgen misschien tot rede kunnen brengen? De prins van Oranje rook zijn kans. Hij vroeg zijn vader om diens 'zwijgende toestemming' om in het zuiden te redden wat er nog te redden viel. Hij zou proberen de macht in België over te nemen, zei hij. Dat de slechte verstandhouding met zijn vader in brede kring bekend was, zou alleen maar in zijn voordeel werken. Voor de Hollanders zou het erop lijken dat de kroonprins overliep naar de andere kant. 'Maar', beloofde de prins zijn vader, als de macht eenmaal is herwonnen, 'is het alsof u haar had. Onze belangen zijn dezelfde.' (7)

Dat laatste moet Willem 1 na alle ruzies betwijfeld hebben. Maar twee dagen later gaf hij zijn zoon toch zijn zegen.[76] Er zat niets anders op. In de wetenschap dat zijn vader achter zijn missie stond, trok de prins van Oranje naar Antwerpen, erkende daar de Belgische onafhankelijkheid, en bood zich aan als hoofd van de verzetsbeweging tegen Holland. Zoals verwacht trok er een golf van ontzetting door Holland over het 'verraad' van de prins. Maar erger nog was dat ook de Belgen inmiddels niets meer van hun eens zo geliefde kroonprins moesten hebben. Na de moordpartijen in september was zijn familie de vijand geworden. De koning achtte het na deze nederlaag van zijn zoon tactisch beter om, ondanks zijn geheime goedkeuring van diens actie, publiekelijk zijn handen maar van hem af te trekken. Hij stuurde zijn generaals de boodschap dat zij geen orders meer van de prins mochten aannemen.[77] De vernedering voor de prins was compleet. 'De toestand waarin de prins in Antwerpen verkeert,' schreef Van der Duyn van Maasdam, 'is niet alleen hachelijk maar wordt ook belachelijk.'[78] Toen de prins halsoverkop uit zijn geliefde België moest vertrekken, mocht hij van zijn vader niet eens meer naar zijn familie in Holland komen, omdat de Hollanders zo razend waren. Zijn verschijning zou de mogelijke val van de troon bespoedigen, zei Willem I tegen Anna Paulowna,[79] die inmiddels noodgedwongen in Den Haag woonde. Kennelijk toch geroerd door het vreselijke lot van zijn zoon, moest de koning bij het uitspreken van die woorden 'smartelijk' huilen. Prins Willem zocht tijdelijk asiel in Londen, waar hij vijftien jaar eerder was uitgelachen omdat prinses Charlotte hem de deur had gewezen. Destijds had Charlotte voor Leopold van Saxen-Coburg gekozen. En wie werd nu naar voren geschoven als de nieuwe koning van België? Leopold van Saxen-Coburg. (11)

Willem I was in het voorjaar van 1831 een gebroken man. Een ooggetuige zag hem voor de aanvang van een van de audiënties die hem in het begin zo populair hadden gemaakt, in een leunstoel zitten, 'moreel en fysiek in die mate terneergeslagen en afgemat, dat de persoon die hem in die toestand aangetroffen heeft en hoorde spreken, er bijzonder door getroffen was, en dit als een slecht voorteken beschouwde'. (9) Maar van opgeven wilde de koning nog steeds niet horen. Hij overwoog zelfs met het kleine Hollandse leger tegen de Fransen te gaan vechten, als dat nodig zou zijn om België terug te krijgen. Een onthutste graaf Van der Duyn van Maasdam schreef het op in zijn dagboek: 'Verbeeld u, maar nee, u kunt dit niet: weet dan, dat hij droomt van (risum teneatis)... een tweede Waterloo!' (10) De koning begon deze 'droom' te koesteren, vlak nadat commandant Jan van Speijk in naam van Oranje op 5 februari 1831 in Antwerpen een 'heldendaad' had verricht, een zelfmoordaanslag avant la lettre. De Nederlanders beheersten in Antwerpen de forten, maar de Belgen waren de baas in de stad. Met de woorden 'dan liever de lucht in' blies Van Speijk in de Schelde zijn schip op, toen dit, aan de wal geraakt, door Antwerpenaren werd aangevallen. Hij, de bemanning en de Antwerpenaren kwamen om, maar een Hollandse held was geboren.[80] Van Speijks actie was een enorme opfrisser voor het Noord-Nederlandse nationale gevoel en maakte de geesten rijp voor, opnieuw, harde actie tegen België. Niet lang erna riep de koning zijn oudste zoon uit Engeland terug. Die werd koel ontvangen door het Hollandse publiek, dat hem nog steeds als verrader zag. Toen prins Willem op 8 april 1831 in de Schouwburg van Amsterdam verscheen en iemand goedbedoeld, maar onhandig, 'leve de prins van Oranje!' riep, klonk er gefluit in de zaal. (9) In de missie waarmee zijn vader hem belastte – België terugwinnen – zag de prins een uitgelezen kans zijn imago op te vijzelen. Voor een veldtocht was hij altijd te porren. De in het zuiden gepropageerde vrijheidsidealen bekoorden hem toch niet meer, sinds de Belgen hem zo in het stof hadden laten bijten.

Op 1 augustus 1831, kort nadat Leopold van Saxen-Coburg was ingezworen als koning der Belgen, begon prins Willem aan de operatie 'eerherstel'. De Tiendaagse Veldtocht moest de Oranjes in België weer terug in het zadel helpen. De prins had aanvankelijk succes: hij veroverde Leuven. Maar toen hij tegen een Frans leger aanliep dat België te hulp schoot, bleek zijn vader toch iets minder krijgsbelust dan hij volgens graaf Van der Duyn had gezegd. Hij gaf zijn zoon bevel zich terug te trekken, want een Europese oorlog durfde hij bij nader inzien niet aan.

Willem I wist dat hij, anders dan in 1813, niet meer de steun had van de grote mogendheden. Die vonden dat hij het verlies van België nu eindelijk maar moest accepteren. Maar hoewel de koning zag dat hij machteloos stond, kon hij niet toegeven. Hij vond dat België van hem was. De volgende jaren bleek hoe dramatisch koninklijke almacht kon uitpakken. In zijn koppigheid sleepte Willem I de Hollanders mee in een langdurige en kostbare patstelling. Acht jaar lang werden Hollandse troepen gemobiliseerd in de buurt van de Belgische grens, onder leiding van de kroonprins, die in Tilburg ging wonen. Zonder zijn vrouw Anna Paulowna, die in Den Haag achterbleef.

De hardnekkige opstelling van de koning leidde tot grote financiële problemen en maakte Holland bovendien internationaal geisoleerd. De Britse diplomaat Disbrowe vroeg zich af wanneer de Hollanders eens wakker werden. Hoe konden ze toestaan dat de welvaart van hun land werd 'opgeofferd aan de familiebelangen van het Huis van Nassau'? (13)

Willem I 'de Koppige', zoals zijn bijnaam inmiddels luidde, vond juist dat hij te weinig macht had. Goed beleid voeren is onmogelijk, vond hij, als je aan de leiband moet lopen van de grote mogendheden. Nee, dan had Napoleon het destijds een stuk gemakkelijker gehad. Willem I, met zijn legertje, kon op niets anders bogen dan op 'de rechtvaardigheid mijner zaken'.[81] Hoezo, rechtvaardigheid? vroeg men zich in het buitenland af. Hoe kwam de Hollandse koning er eigenlijk bij dat hij recht had op België? Waren het niet Engeland, Rusland, Pruisen en Oostenrijk geweest die België in 1814 op Frankrijk hadden veroverd? Was Willem I niet gewoon als een marionet op de Nederlandse troon neergezet? (12)

De oorlog met België had voor Willem I maar één voordeel: de hervormingsdrang in het noorden werd erdoor getemperd. Liberale ideeën werden geassocieerd met de zuidelijke vijand en de meeste Hollanders schaarden zich achter hun eigen koning, zij het morrend. Maar de tegenslagen voor de koning stapelden zich op, politiek én privé. In 1837 overleed Wilhelmina van Pruisen, de vrouw met wie hij een harmonieus huwelijk had gehad. Zijn dochter en oogappel prinses Marianne, die in 1830 was getrouwd met Albert van Pruisen, stevende af op een echtscheiding. (14) In 1838 moest de koning het verlies van België erkennen; de financiële last van het paraat houden van een leger was echt niet meer te dragen. Van het enthousiasme over zijn koningschap was nog maar weinig over. Dat de spaarpot van Willem I dankzij de opbrengsten van zijn talloze ondernemingen overvol was, terwijl het land door de vruchteloze oorlog was opgezadeld met een torenhoge schuld, werd ervaren als groot onrecht.

De druk op de koning om zijn macht met anderen te delen, nam toe toen de scheiding met België in 1839 officieel werd. Voor die scheiding was een grondwetswijziging nodig, voor liberale hervormers een mooie aanleiding om ministers meer onafhankelijkheid te geven. Willem I was daar fel op tegen, maar de enkele jaren daarvoor nog conservatieve kroonprins sloot zich tot veler verrassing aan bij het liberale plan. De prins van Oranje schreef zijn vader dat de volksvertegenwoordiging recht had op regelmatig onderzoek naar het regeringsbeleid. En dat niet alleen de koning, maar ook de ministers verantwoording schuldig waren over het beleid.[82] Willem I moest wel overstag gaan. Op 4 september 1840 tekende hij de nieuwe grondwet, die behalve de scheiding met België ook de strafrechtelijke verantwoordelijkheid van ministers vastlegde. Dat was een eerste stap op weg naar politieke onafhankelijkheid van de ministers tegenover de koning.

Kort daarna kondigde Willem I plotseling aan dat hij troonsafstand deed. Dat had niemand verwacht van deze regeringsbeluste koning, en er werd druk gespeculeerd over de reden. Zelf noemde hij de grondwetswijziging, die hij beschouwde als één grote motie van afkeuring van zijn koningschap, als oorzaak. Maar intimi wisten dat er nog iets anders speelde. De koning was verliefd geworden, en wel op een onmogelijke partij. Nadat hij acht jaar lang bloed en geld van zijn volk had verspild aan een hopeloze oorlog tegen de katholieke Belgen, wilde Willem Frederik trouwen met, uitgerekend, een katholieke Belgische gravin: Henriëtte d'Oultremont.[83] (15) Prins Willem was verontwaardigd, maar zag tegelijkertijd mogelijkheden. Misschien was nu eindelijk het moment gekomen dat zijn vader opzij zou stappen. 'Ze is katholiek en Belgisch, dus denk je in wat dat voor een effect zal hebben in dit land,' schreef hij samenzweerderig aan zijn zwager, de Russische tsaar. (16) Inderdaad schreef het regeringsgetrouwe *Algemeen Handelsblad* toen er geruchten ontstonden, dat het niet waar kon zijn. Dat de koning zoiets vreselijks niet zou doen. (17) De prins van Oranje rook zijn kans. Nadat eerdere veldtochten tegen zijn vader zo jammerlijk waren mislukt, startte hij nu een mediaoorlog. En die had succes, mede dankzij de hulp van een goede kennis, de intrigant Van Andringa de Kempenaer, die wel vaker was betrokken bij het onthullen of verhullen van schandalen.[84] Van Andringa de Kempenaer regelde een afspraak voor de prins met de hoofdredacteur van het *Algemeen Handelsblad*, J.W van den Biesen. Op 9 maart 1840 ontving de prins hem in zijn paleis op de Dam, om hem te vertellen dat de geruchten wel degelijk klopten. Zijn vader wilde trouwen met een katholieke, Belgische vrouw. Van den Biesen beloofde de prins om van zijn krant een 'wapen' te maken tegen zijn vaders huwelijk.[85] En dat deed hij. De dag daarna meldde het *Algemeen Handelsblad* dat wat de krant voor onmogelijk had gehouden, toch waar was.

Door de volkswoede die de berichtgeving veroorzaakte, kwam Willem Frederik met zijn rug tegen de muur te staan. Hij verkoos zijn huwelijk met Henriëtte boven het aanblijven op zijn toch al wankele troon. Na zijn aftreden in oktober 1840 (20, 21) vertrok hij met Henriëtte d'Oultremont naar Berlijn, waar hij na vier maanden met haar in het huwelijk trad. Dat huwelijk werd door de Nederlandse staat niet erkend, omdat het 'morganatisch' was. Voor Willem Frederik, die ooit op het strand van Scheveningen was binnengehaald als de redder van het vaderland, die 'Zijne Doorluchtigheid' was genoemd en jarenlang door iedereen zo niet goddelijke, dan toch wel superieure vaderlijke eigenschappen was toegedicht, was dit een roemloze slotscène.

Maar het was het finest hour van zijn oudste zoon, die nu eindelijk, eindelijk koning kon worden. De rollen waren nu omgedraaid en dat liet Willem II zijn vader meteen ook voelen. In februari 1841 feliciteerde hij hem met zijn huwelijk 'als zoon', maar schreef hij zich 'als koning' genoodzaakt te voelen tot het voeren van 'een hardvochtige gedragslijn'. 'Het is met spijt in mijn hart als uw kind, dat ik u moet laten weten dat ik als koning gravin Henriëtte d'Oultremont niet als uw echtgenote kan erkennen en haar niet als zodanig kan ontvangen,' aldus Willem II. (22) Tijdens de doop van zijn achterkleinzoon, die ook weer Willem heette, was de oude koning volgens een ooggetuige nog wel aanwezig en glipte hij zelfs naar binnen vóór zijn zoon, die als koning nu eigenlijk voorging. (23) Maar Willem I had het huwelijk van de ouders van deze baby, de latere Willem III en Sophie van Württemberg, dan ook nog zelf helpen arrangeren. (18, 19) Dat was gebeurd in de zomer van 1839, toen de geruchten over zijn eigen voorgenomen controversiële huwelijk rondzongen. Samen met het goedkeuren van de grondwetswijziging was deze koppeling Willem I's laatste politieke daad.

De oude koning en zijn Henriëtte, die zich nu 'graaf en gravin van Nassau' noemden, waren geruime tijd personae non gratae in Holland. Als zij toch aankondigden op bezoek te willen komen, raakte heel politiek Den Haag in rep en roer.[86] Steeds zag het paar daarom van die plannen af. Maar in de zomer van 1843 lieten zij zich niet meer tegenhouden. De graaf en gravin van Nassau reisden op de bonnefooi naar Den Haag, waar vissersvrouwen hen zomaar tegen

het lijf liepen. 'Het is onze oude Willem,' riepen ze verbaasd. (24)
Na dat eerste bezoek reisde de oude koning vaker naar Nederland. Hij gaf dan nog wel eens ouderwetse audiënties. Daarbij werd hem vooral om financiële steun gevraagd. Zijn vermogen bedroeg rond de dertig miljoen gulden, omgerekend naar nu meer dan een miljard, terwijl Nederland op dat moment juist diep gebukt ging onder een tekort van ongeveer hetzelfde bedrag.[87] Als laatste nationale daad verstrekte Willem Frederik de Nederlandse regering uit zijn vergaarde vermogen een lening van tien miljoen gulden. Dat was een passende afsluiting van het 'koninklijk gemanoeuvreer met afzonderlijke kassen en fondsen' zoals de historicus Bornewasser het financiële beleid van Willem I typeerde.[88] Van zijn huwelijk met Henriëtte heeft Willem I niet lang kunnen genieten. Op 12 december 1843 zakte hij in de werkkamer van zijn Berlijnse paleis na een beroerte in elkaar en overleed. (25) Hoewel hij al een tijdje niet meer in Nederland woonde, werd hij toch in Delft begraven. (26)

Ooggetuigen

I ONVREDE

8 januari 1823

SALVIATI, PRUISISCH GEZANT

Aan Frederik Willem III, koning van Pruisen

België wordt steeds feller antikoning als een nieuw belastingstelsel wordt ingevoerd en het Nederlands tot officiële nationale taal wordt uitgeroepen.

In het nieuwe jaar zijn het nieuwe belastingstelsel en het gebruik van de nationale taal ingevoerd, en het amortisatiefonds heeft z'n kantoor geopend. Hoewel het besluit voor de invoering van het belastingstelsel lang geleden is genomen, hield er zich op 1 januari nog geen enkele ambtenaar mee bezig en was er geen enkele instructie verstrekt; dat heeft tot groot ongemak geleid. De funeste gevolgen van de belasting op malen en op slachten hebben zich, vooral op het platteland, laten voelen. Er bestaat nog geen duidelijk verzet tegen, maar er zijn te weinig ambtenaren om op de inning ervan toe te zien. Verschillenden van hen hebben hun post verlaten en hun ontslag aangeboden om te ontsnappen aan de mishandelingen waarmee ze worden bedreigd. Als men de belasting wil innen conform de bepalingen, zal het aantal ambtenaren op z'n minst moeten worden verdubbeld, en dan zullen de opbrengsten beneden de verwachtingen blijven waardoor zich nieuwe tekorten zullen voordoen. Wil de regering haar stelsel en haar gezag overeind houden, dan is er streng toezicht op dat stelsel nodig, vooral op het moment dat je het invoert. Want als de mensen eenmaal beginnen te merken dat je je eraan kunt onttrekken, zullen ze volharden in een verzet dat de meest funeste gevolgen met zich mee kan brengen. Overigens zal de landbouw, door het verdwijnen van de kleine stokerijen die tot nu toe zoveel bijdroegen aan de bloei van deze sector, sterk getroffen worden door dit nieuwe stelsel en dat zal z'n weerslag hebben op alle sectoren van de nationale economie en op de positie van de staat en de burgers.

Alleen de bakkers worden beter van het nieuwe stelsel want ze hebben, bij gebrek aan toezicht, zonder dat ze daartoe het recht hadden, de prijs van brood verviervoudigd. Dat heeft tot opstootjes geleid, en op verschillende plaatsen en bij verschillende gelegenheden zijn zeer grove en zeer beledigende spotprenten tegen de koning aangeplakt.

De invoering van de nationale taal heeft vervelende gevolgen, vooral voor de advocatuur. Onlangs werd een crimineel verdedigd in deze taal, zo gebrekkig dat de crimineel, de rechters en het publiek er niets van begrepen. Het publiek kon de gedachte niet onderdrukken dat het vonnis tegen hem gunstiger was uitgevallen als de rechters hadden gesnapt welke argumenten de advocaat voor de verdediging naar voren bracht.

2 TRANEN PLENGEN

2 februari 1823

SALVIATI, PRUISISCH GEZANT

Aan Frederik Willem III van Pruisen

Kroonprins Willem ziet machteloos toe hoe zijn vader zich in België impopulair maakt.

Het invoeren van de belastingen op malen en op slachten blijft aanleiding geven tot pijnlijke taferelen, en men zegt dat als gevolg van een hiermee samenhangende knokpartij in de omgeving van Leuven een man is gedood. Deze belastingen wekken al door hun aard afkeer in België, en ze worden verfoeid vanwege de overlast en de vele formaliteiten waartoe de inning leidt. Omdat mensen zware boetes krijgen wanneer hun aangifte voor de personele belasting niet helemaal klopt, hebben vrijwel alle belastingplichtigen besloten om geen aangifte te doen, maar het aan de regeringsambtenaren over te laten het bedrag van de te betalen aanslag vast te stellen. Die moeten nu van pand tot pand gaan, van verdieping naar verdieping voor deze belasting. Het is te voorspellen dat de ambtenaren, die de gewoonte hebben erg langzaam te lopen, pas over zes maanden klaar zullen zijn met de dossiers, dat de door de regering begrote opbrengsten lang op zich zullen laten wachten en dat waarschijnlijk de rekening over dit jaar een veel groter tekort zal vertonen dan die over vorige begrotingsjaren, terwijl het nieuwe stelsel dit probleem nu juist moest oplossen. De koning gaat aan de Kamers een versterkte wet voorleggen over het zegelrecht, die nieuwe offers oplegt en die unaniem is verworpen door de Raad van State. Doordat belasting op belasting wordt gestapeld krijg je er elke dag een reden voor publiek ongenoegen bij. Dat ongenoegen kan bij de minste onvoorziene omstandigheid tot uitbarsting komen, wat de rampzaligste gevolgen zou kunnen hebben. De prins van Oranje zucht over dit alles, hij plengt dikwijls tranen over wat hij allemaal ziet, en het plan om zich in de maand september een jaar lang bij zijn echtgenote in Petersburg te voegen, komt vermoedelijk ten dele voort uit het verlangen zich te onttrekken aan het verdriet dat deze gang van zaken hem elke dag bezorgt. Zelfs prins Frederik, die het tot nu toe altijd volkomen met de koning eens was, lijkt te vrezen dat het gevolgde stelsel van zware heffingen zeer betreurenswaardige gevolgen kan hebben.

3 MOREEL VAN DE NATIE

6 februari 1823

SALVIATI, PRUISISCH GEZANT

Aan Frederik Willem III van Pruisen

De ambassadeur van Pruisen waarschuwt dat het in de Nederlanden de verkeerde kant op gaat.

Het is moeilijk zich een beeld te vormen van de slechte indruk die het nieuwe plan voor de wet op het zegelrecht op iedereen blijft maken. Alle mensen, zelfs de ministers van de koning, staan er zeer afwijzend tegenover en spreken zonder zich in te houden over de druk en de nieuwe offers waarmee de natie te maken gaat krijgen, die toch al gebukt gaat onder de last van wat de overheid vraagt. Deze wet gaat zelfs, als die wordt aangenomen, alles raken wat te maken heeft met leningen die inwoners van het koninkrijk in het buitenland hebben uitstaan, het zal hen op elke honderd gulden opbrengst drie gulden kosten.

Het gaat niet goed met het nieuwe belastingstelsel. De inwoners van de provincies waar het verpachten van de belasting op malen niet kan, laten hun voorraden komen uit provincies waar dat wel kan. Deze transporten worden begeleid door met stokken bewapende boeren. De regering raakt op deze manier niet alleen een flink deel van deze belasting kwijt, maar zorgt ook voor ontzaglijk veel ellende door het moreel van de natie de genadeslag te geven, en dan kan het al snel helemaal de verkeerde kant op gaan. Er is maar een vonkje nodig voor een grote brand. Toch houdt de koning aan zijn stelsel vast, hij zal het pas veranderen wanneer het kwaad niet meer te herstellen is, wanneer het vertrouwen volledig gedoofd zal zijn, en dan moet hij een nieuw stelsel invoeren, het vijfde sinds de regering bestaat, en dat zal weer tot nieuwe klachten leiden tegen hem en tegen de nieuwe maatregel. Ik kom zo vaak op dit onderwerp terug omdat het van het grootste belang is, niet alleen voor de rust en welvaart in dit land, maar ook voor de stabiliteit van Europa; omdat er volgens mij geen andere oplossing bestaat dan in de twee grote delen van het koninkrijk verschillende belastingstelsels te hanteren, aangepast aan de situatie en de gebruiken; en ten slotte omdat als er iets misgaat, ik mezelf niet zou willen verwijten het niet tijdig aan Uwe Majesteit te hebben voorspeld. Men zegt dat de koning nog de gouverneurs van diverse provincies gaat vervangen omdat hij hun het geringe succes van de herinvoering van de belastingen verwijt, maar naar mijn mening heeft het probleem veel sterker te maken met de aard van de belasting en de wijze van inning en de instelling van de bevolking, die er zo'n weerzin tegen heeft, dan met de gezagsdragers die het innen moeten regelen.

4 CADEAUTAFEL

9 mei 1829

PRINSES MARIANNE, DOCHTER VAN KONING WILLEM I

Aan kroonprins Willem, haar broer

De jongste dochter van koning Willem I bezwijkt op haar verjaardag intussen bijna onder haar welvaart.

Toen ik vanochtend opstond, vond ik van mama een jurk van de kleur 'nanquin', geborduurd in het wit, een jurk 'ganduis brodée' en een volant. Een witte 'blanche', en nog een dito blauwe; een zakdoek 'coclicot', een dito in het wit. Twee porseleinen gekleurde flesjes; twee charmante gele kristallen vazen, gezet in een bronzen galerij van 'pied de stalle'. Van papa zijn portret, gekopieërd van het portret dat bij mama in de salon hangt, en dat ik zo graag wilde hebben. Een boekenkast, dezelfde die ik al had; een ronde tafel van rozenhout, passend bij mijn stoelen. Van papa en mama samen twee halsparelsnoeren van dezelfde grootte als mijn oude. Anne [Anna Paulowna] heeft me een charmante bronzen jardinière toegestuurd, in het klein zoals die van mama. Willem [kroonprins Willem] heeft me een nachtlamp gegeven, geschilderd met dieren die draaien via een horlogewerk dat zich bevindt in de voet. Van Alexander [neefje prins Alexander] een kleine Robinson in het brons. Henri [neefje Hendrik] heeft me ook een nachtlamp gegeven van een ander soort. En Sophie [nichtje Sophie] heeft me een charmant flesje van rozenkleur gegeven. Louise [schoonzuster Louise van Pruisen] en Fritz [broer Frederik] hebben me de werken van sir Walter Scott gegeven, en alle 'buffons' op een rijtje in een charmant doosje. Wadkirch zei me dat die van de kinderen hetzelfde waren gearrangeerd. Mevrouw Bentinck heeft me een jardinière van rozenhout gegeven, zelf gevormd, gevuld met bloemen. Antoinette een klein 'balm' van haar 'ouvrage', hetzelfde als die die haar moeder me heeft gegeven deze winter, ook om mijn meubelstukken af te ronden. Fritz Louis heeft de goedheid gehad om me een nachtlamp te geven, verschillend van de twee anderen. En Christine een klein doosje van marmer om er mijn ringen in te doen. Robert van Capellen een tijgerhuid van zijn jachtpartij in Java. En mevrouw De Capellen, haar schoonzuster, een doos Indische thee.

Ik kan niet meer, tot morgen.

5 ONTKETENDE BELGEN

25 augustus 1830

SIR CHARLES BAGOT, BRITSE AMBASSADEUR IN NEDERLAND

Aan lord Aberdeen, Britse minister van Buitenlandse Zaken

Na de uitvoering van de opera La Muette de Portici *in Brussel begint de Belgische opstand.*

Voordat dit bericht Engeland bereikt, heeft u waarschijnlijk via Oostende al gehoord over de rellen, die eergisternacht zijn uitgebroken in Brussel en die tot mijn spijt hebben voortgeduurd, sinds de laatste berichten daarvandaan kwamen.

Op de avond van augustus de 25ste is *La Muette de Portici* opgevoerd. Het stuk was door de politie niet verboden, hoewel de directeuren van de theaters wel was aangeraden het niet al te vaak op te voeren. De zaal was zeer vol en alle volkse sentimenten, waar het stuk vol van is, werden met tumultueus enthousiasme ontvangen. Toen de opera afgelopen was, bleken een aantal arbeiders en andere personen zich te hebben verzameld op de Place de Monnaie, voor het theater, die kennelijk hadden gewacht op een of ander signaal van binnen en die onmiddellijk begonnen om met geschreeuw, meer dan met enig onderscheidende uitroep, rellerig door de straten te paraderen. Toen braken ze in bij de winkel van een wapenhandelaar, waar zij zichzelf bevoorraadden met alle wapens die zij konden vinden, en gingen daarna direct naar het huis van een zekere Libry Bagnans, de redacteur van een krant die *Le National* heet en die een felle aanhanger is van de maatregelen van de regering. Dit huis hebben zij geplunderd en, ik geloof, vernield. Vanaf daar gingen ze naar het huis van kolonel Vautier, de commandant van de troepen in de stad, en van meneer Knyff, het hoofd van de politie, dat zij ook plunderden en daarna staken zij het huis van meneer Van Maanen in brand, de minister van Justitie, en alle archieven van het ministerie die waren opgeslagen in een gebouw dat met zijn huis was verbonden. Waar de koninklijke wapens werden aangetroffen, werden deze neergehaald of verminkt. De rel, ernstig als hij was, lijkt vooralsnog het werk te zijn van de laagste klassen in de stad, die weliswaar hun aanvallen hebben gericht op de huizen en eigendommen van mensen die op de een of andere manier bij de regering horen, maar die voorlopig eerder plundering dan enig duidelijk politiek doel voor ogen lijken te hebben en niet onder leiding of aanwijzing staan van enige noemenswaardige personen. Ik zal uwe edelachtbare morgen schrijven en mijn bericht per stoomboot sturen, die op zondagmorgen vertrekt vanuit Rotterdam.

6 DOOD EN VERDERF IN BELGIË

september 1830

J.B. VAN DER MEULEN, PUBLICIST

Willem I stuurt zijn zoon, prins Frederik, om de Belgische opstand neer te slaan. Hij richt een bloedbad aan in Brussel.

Hier moet worden opgemerkt dat de meeste en grootste schelmstukken bedreven zijn onder de ogen van Frederik, die deze niet gestraft en zelfs niet belet heeft; dit bewijst dat hij de moorddadige handel van zijn soldaten goedkeurde, en dus dat hij de grootste moordenaar is. En werkelijk, terwijl zijn leger op de 23ste september poogde in de stad te komen, heeft een stel Hollanders het huis van M. de Bos aangevallen. Deze vluchtte met zijn familie langs achter over een muur en verdween. M. Roosenboom, die in hetzelfde huis woonde, doet open, en vraagt wat zij willen. De barbaren schieten op hem; een kogel passeert door het dik van zijn linkerarm; zijn vrouw raakt ook gewond en zij vluchten in de kelder. De moordenaars achtervolgen hen en sleuren hen eruit met de bajonet op het hart: toen een van hen zag dat mr. Roosenboom een mooie diamanten speld op had, rukte hij die af zeggende: 'Nu gij toch nog maar enige ogenblikken te leven hebt, hebt gij die niet meer nodig.' De ongelukkigen zouden op het veld vermoord worden, toen de burgemeester van Schaarbeek en een officier, die hen herkende, ervoor zorgden dat zij werden losgelaten. Mme Roosenboom ging bij Frederik, die maar enkele stappen vandaar was, klagen over de barbaarsheid van zijn volk. Hij antwoordde: 'Het is het gevolg van de oorlog. Ik kan mijn soldaten niet tegenhouden. Gij hebt maar uw wonden, in een ambulance achter het leger, te laten verbinden.' (...) Maar terwijl de wonden van mr. Roosenboom en van zijn vrouw ten huize van mr. Coenraets te Schaarbeek verbonden werden, was de bende van Frederik in hun woning bezig met alles te roven en te plunderen, terwijl zij hetgeen zij niet konden meenemen, in stukken sloegen. (...) Mr. Joseph de Visscher, die woonde bij mr. Van de Capelle, koopman in hout buiten de Schaarbeekse poort, had 's morgens (23 september) verscheidene gewonde Hollanders geholpen, en hun wonden verbonden; hij had elf paar lakens gegeven of verscheurd voor het gerief en gebruik van die ongelukkigen. 'Ik ben,' zei hij tegen mij, 'tegen de Hollanders. Maar ik vond dat ik degenen die buiten de strijd waren, moest bijstaan.' Het was middag; hij had net eentje, die aan de voet gewond was, verbonden en op zijn paard helpen zetten, toen een bende Hollanders daar aankwam; de officier, die aan het hoofd stond, vroeg hem waar hij woonde. Hij antwoordde terwijl hij zijn huis aanwees: 'Ik woon daar.' De officier zei: 'Dat is het huis van een "brigand"' [misdadiger]. De grenadiers grijpen hem vast; zij slaan hem met de kolven der geweren op het hoofd en op de borst. Frederik, die maar enkele stappen vandaar was (te weten op de hoek van het pavillon du Lion Belgique) zond toen hij dit zag, een adjudant om te vragen wat er te doen was. De grenadiers antwoordden: ''t Is een brigand, die wij vasthouden, hij heeft uit de vensters van zijn huis op ons geschoten.' Mr. De Visscher wil zijn schuld ontkennen, maar die waardige adjudant van

Frederik slaat hem met de vuist in het gezicht iedere keer als hij een woord spreekt. De adjudant ging weg, terwijl hij tegen de moordenaars zei: 'Steekt hem overhoop.' De ongelukkige De Visscher ontving toen verscheidene steken van de bajonetten, die nochtans niet dodelijk waren, en hij zei tegen de brigands: 'Maak niet zo veel complimenten, steek mij maar in één keer dood.' De barbaarse officier antwoordde: 'Dit moet langzaam gaan, wij moeten ons met u goed amuseren!' (...)

Op dat ogenblik kwam mr. Brion, majoor in het 2de der jagers te paard, tussenbeide, en heeft hem met de sabel in de vuist uit de klauwen gehaald van de vijftig wolven die hem langzaam om zeep gingen helpen. (...) Maar terwijl mr. De Visscher zijn wonden liet verbinden, zijn de brigands, die hem zo mishandeld hadden, binnengevallen in het huis van mr. Van de Capelle, die zij met de kolven der geweren bijna doodgeslagen hebben. Zij hebben in dat huis, alsook in het verblijf van mr. De Visscher, gestolen al wat zij konden meenemen, en alle meubels verbrijzeld. (...) Mr. De Visscher heeft in de verwoesting van zijn verblijf een verzameling van kostelijke printen verloren, die van grote waarde waren. Nochtans heeft hij mij over alles wat hij van zijn goederen heeft verloren of persoonlijk heeft geleden, verteld met een verbazingwekkend koel gemoed, maar toen hij mij het volgende verhaal vertelde, liepen aan het einde de tranen over zijn wangen: 'Ik had 's morgens,' zei hij, 'toen de Hollanders naderden, mijn vrouw en kinderen laten vertrekken naar de stad, en zij waren naar het huis gegaan van juffrouw Casman in de oude Rue Royale, dicht bij de Lovensche plaats. Ik vond een manier om haar te laten weten in wat voor een staat ik mij bevond en zij had de moed om mij op vrijdagmorgen in Schaarbeek te komen vinden, van haar hoorde ik de reikwijdte van het ongeluk dat mij had getroffen! Namelijk toen de grenadiers donderdagmorgen van de Schaarbeekse poort optrokken naar de warande, passeerden zij, roepende: "Vivat de koning!" voorbij het huis waar mijn vrouw en kinderen gevlucht waren. De oudste van mijn twee dochters, die 23 jaar oud was, zei, terwijl zij dit geroep hoorde: "O mama, ik zou wel graag roepen 'vivat de koning', als men maar niet meer vecht; want men is misschien al bezig om papa te vermoorden!" Zij staat op van haar stoel om de troepen te zien passeren, de grenadiers leggen zodra zij haar zien, op haar aan en geven vuur: zij wordt door twee kogels getroffen en sterft in de armen van haar moeder!' (...)

Ik moet ook vertellen wat ik gezien en ondervonden heb in het gasthuis van Sint-Jan. O, wat een afgrijselijke vertoning. Toen ik om één uur 's middags aankwam om mijn dienst aan te bieden aan mensen die hun bloed en leven aan het vaderland opgeofferd hadden was een van de grote zalen al bijna vol gewonden.

(...) Van twee tot vijf uur werden er zonder ophouden gewonden binnengebracht, soms twee of drie tegelijk. Sommigen waren al dood, anderen zieltogend. Na vijf uur werden er geen meer binnengebracht op bevel van de opperchirurg, omdat ze met te veel waren. De vloer was overdekt met bloed, en hoewel de nonnen hun best deden het op te dweilen, moesten we er toch door lopen of erin staan. (...)

Tegen een man, die afschuwelijk gewond was – hoewel zijn wonden verbonden waren zeeg het bloed door de matrassen en maakte een plas onder zijn bed – zei ik: 'Vriend, God is zo goed, dat hij al uw zonden wil vergeven; U vergeeft toch ook, uit liefde voor God, alle mensen die u ooit iets misdaan hebben?' Hij probeerde zich op te richten, wat niet lukte wegens zijn zware verwondingen, en zei: 'Mijnheer! Ik vergeef zelfs de Hollander die mij vandaag heeft neergeschoten.'

'(...) De moedigheid van de zwaargewonden is verbazend. Ik hoorde een van hen zeggen: "Ik heb geen andere pijn dan hier te moeten liggen; alleen mijn been belet me te gaan vechten." Een ander zei: "Toen ik werd neergeschoten had ik nog twee pakken kogels, het spijt me zo dat ik ze niet heb kunnen verschieten."'

(...) De volgende ochtend was er een ander hartverscheurend tafereel. Een menigte probeerde binnen te dringen. Dat lukte een deel van hen, maar velen van degenen die ze zochten waren al gestorven. Toen gingen ze het dodenhuis binnen en zochten tussen de dode lichamen met angst voor wat ze vreesden te vinden. Een vrouw zocht haar man, een moeder haar zoon, een kind zijn vader, een vriend zijn vriend. De tranen sprongen uit alle ogen, de wanhoop was te lezen op alle gezichten.

7 PRINS RUIKT KANS

11 oktober 1830

KROONPRINS WILLEM

Aan koning Willem I

De kroonprins denkt een oplossing te hebben voor de Belgische crisis. Als hij, vanouds populair bij de Belgen, de taak van zijn vader daar nu eens overnam?

Er zijn drie belangrijke partijen in Brussel: de Franse, de republikeinse en de orangistische: de Franse partij wil de graaf van Nemours, de republikeinse wil een federale republiek en de orangistische wil van de familie alleen mij. Ziehier de feiten. Wat moeten we nu doen? (...) De revolutie verloopt hier met reuzenschreden en heeft diepe wortels gelegd voor het besef dat men niet onder de soevereiniteit van Holland wil leven. Ik vraag u daarom uw zwijgende toestemming om de dingen op hun beloop te laten en te profiteren van de momenten die zich voordoen om mij in deze provincies de macht te laten grijpen. Als we die eenmaal hebben herwonnen, is het alsof u haar had. Onze belangen zijn dezelfde en ik zal nooit vergeten dat ik de erfgenaam ben van de kroon van het koninkrijk der Nederlanden, hoewel ik misschien genoodzaakt zal zijn om dingen te doen die de indruk wekken dat ik mij dat niet herinner, maar dat zal zich slechts in het uiterste geval voordoen, als er geen ander middel zou zijn om ons weer meester te maken van hetgeen wij verloren hebben. (...) Als ik de macht in handen krijg, zal de vrede behouden blijven, als mij dat niet lukt, is een Europese oorlog onvermijdelijk.

8 DOEKJE VOOR HET BLOEDEN

5 februari 1831

CHARLES JOSEPH BRESSON, FRANS DIPLOMAAT

Aan Charles-Maurice de Talleyrand-Périgord, Frans diplomaat en minister van Buitenlandse Zaken

Idee van een Franse diplomaat: als de grote mogendheden de Hollandse kroonprins nu eens de Poolse troon gaven?

Ik heb één gedachte die, als u het ermee eens bent, vruchtbaar kan zijn. De prins van Oranje kan menen dat wij hem op een of andere manier van zijn bezit hebben beroofd. Wanneer wij nu eens voor een compensatie zorgen waarmee zowel hij als de vrede en stabiliteit in Europa gebaat waren? Als dat gebeurt door onze invloed, door onze vriendschappelijke tussenkomst, hebben we tegelijk iets in menselijk en iets in politiek opzicht bereikt. We zullen zo de oplossing vergemakkelijken van alle ingewikkelde problemen die zullen voortkomen uit de verkiezing van de heer de hertog van Nemours [bedoeld wordt Lodewijk van Orléans die in 1831 door het nationaal congres werd verkozen tot koning der Belgen – tevergeefs, zoals zou blijken] en we zullen zo meer ergernis verzachten dan daardoor veroorzaakt zal worden.

De prins van Oranje is een zwager van de keizer van Rusland, hij ligt goed in Engeland, hij heeft een vriendelijk karakter, zijn manier van optreden is innemend, hij heeft een ridderlijke geest. Zijn zwakheden, zijn onbezonnenheid waardoor hij in dit streng katholieke land flinke klappen heeft opgelopen, kunnen elders best door de vingers worden gezien. Polen vraagt om een koning, het land lijkt te hebben besloten voor een lang en bloedig verzet. Als de keizer van Rusland vóór de strijd losbarst nu eens tot een vergelijk kan komen? Voor niemand zou hij zo gemakkelijk troonsafstand kunnen doen als voor de prins van Oranje. Als op ons initiatief en op ons aandringen de Poolse revolutie een dergelijke ontknoping krijgt, hebben we tegelijk de zaak van een dappere natie gediend, de krachten die vijandig of wantrouwend tegenover ons staan met ons verzoend, het door het uiteenvallen van Polen verwoeste Europese stelsel hersteld, en de troon van de heer de hertog van Nemours verstevigd.

9 UITGEFLOTEN

18 april 1831

GRAAF VAN DER DUYN VAN MAASDAM, LID VAN HET VOORLOPIG BEWIND IN 1813, LATER GOUVERNEUR IN DE ZUIDELIJKE NEDERLANDEN

Na zijn mislukte coup in België wordt de kroonprins uitgefloten in de Hollandse Schouwburg.

Reis naar Amsterdam met het hof. 's Morgens om negen uur Den Haag verlaten; mooi weer, aangename reis (...). Aankomst kort na twee uur, wandeling, toilet, een goede plaats aan het diner, (...) tussen de twee aan wie ik de voorkeur geef, mevrouw van W. [Wassenaer] en de gravin Henriëtte [d'Oultremont]. Daarna naar de Schouwburg, langdradig, maar interessant; er werd opgevoerd *Il Crociato in Egitto*. (...) Maar het toneel zullen we daar laten, om nu eens te spreken van hetgeen er voor belangrijks voorviel; ik bedoel de ontvangst van de familie. (...) Bij de eerste binnenkomst: toejuichingen, geschuifel van voeten, en zo'n oorverdovend en ijselijk geschreeuw dat het, zoals iemand zei, woest kon heten. (...) Gedurende een der tussenbedrijven schreeuwde men: 'Leve de prinses van Oranje!' [Anna Paulowna] hetgeen met talloze toejuichingen beantwoord werd. Hoe verstandig en gelukkig zou het zijn geweest als het daarbij gebleven ware! Maar eensklaps hoorde men iemand, die het waarschijnlijk wel goed bedoelde, maar er toch beter aan gedaan had het niet te doen, met een stem, die maar al te duidelijk verried dat geen hartstocht of geestdrift hem bezielde, uitroepen: 'Leve de prins van Oranje!' Er volgden wel toejuichingen, maar zeer flauw en het was duidelijk dat ze beleefdheidshalve werden aangeheven. Maar wat nog erger is, hier en daar vernam men duidelijk bewijzen van afkeuring, en zelfs, zoals men verzekert, hoewel ik het niet gehoord heb, gefluit!!!

In de Schouwburg werd mij verteld dat men de koning 's morgens voor de aanvang van de publieke audiënties in een armstoel had zien zitten, zowel moreel als fysiek in die mate terneergeslagen en afgemat, dat de persoon die hem in die toestand aangetroffen heeft en hoorde spreken, er bijzonder door getroffen was en dit als een slecht voorteken beschouwde.

10 ZELFDESTRUCTIE

26 februari 1831

GRAAF VAN DER DUYN VAN MAASDAM

Willem 1 wil opnieuw oorlog voeren om België terug te krijgen, desnoods tegen Frankrijk. Tot wanhoop van Van der Duyn van Maasdam.

Nu is onze man niet alleen fatalist, maar hij is gek geworden. Verbeeld u, maar nee, u kunt dit niet: weet dan, dat hij droomt van (risum teneatis)... een tweede Waterloo!! Hij heeft het mij gezegd en wel, sprekende van de kansen van de oorlog, die hij de dolheid heeft te willen wagen. 'Maar, sire! De oorlog heeft zijn kansen; hij zou ongunstig kunnen zijn voor de vier grote verbonden mogendheden en bondgenoten, zoals men ze noemt; zou het niet beter zijn dat er, met behoud van de vrede, een middelstaat bleef bestaan tussen Frankrijk en ons?' Op deze vraag verraadde een glimlach wat er in zijn hart omging. 'Welnu, mijnheer, ik erken met u het gevaar van België door Frankrijk veroverd te zien. Dit is slim. Maar kan het dan niet heroverd worden? Hebben wij dit niet bij Waterloo gezien?' Nu zit er niets anders op dan de ladder weg te trekken en te zingen: 'Goede reis, mijnheer Dumoliet.' Nee, het is een verblindheid, een noodlottigheid, die hen in hun verderf meesleept, daar zij nog op het spel zetten wat hun overblijft in de ijdele hoop terug te krijgen wat zij reeds inderdaad verloren hebben. Het is inderdaad de geschiedenis van de hond uit de fabel. Een dergelijk staaltje, of tegenhanger van deze anekdote, is hetgeen de prins van Oranje een paar dagen geleden schreef; ik heb het gelezen: 'Ik ben nog altijd de kandidaat [voor de Belgische troon] van de grote mogendheden, die dit aan het gehoor van heel Europa verklaard hebben.' Waar is die verklaring te lezen? Nergens, naar ik weet. Maar Zijne Doorluchtige Hoogheid zegt, en gelooft het misschien!

II HET MOLENTJE VAN LEOPOLD VAN SAXEN-COBURG

26 juli 1831

EEN REDACTEUR VAN DE *ARNHEMSCHE COURANT*

Intussen wordt Leopold van Saxen-Coburg met hulp van Engeland de nieuwe koning van België. De Arnhemsche Courant *snapt niet hoe de Belgen zó dom kunnen zijn.*

In verwaten overmoed zwoer België de beste der koningen af en verklaarde diens stamhuis voor eeuwig vervallen van het beheer des lands. Het zocht met een Diogenes-lantaarn naar een nieuw opperhoofd (...). De zoon van Louis-Philippe [de hertog van Nemours] die het eerst van alle voorgestelde kandidaten was gekozen, vond het, na overleg met papa, niet verstandig een troon te beklimmen waartoe hij niet unaniem door al de vertegenwoordigers van de natie geroepen was. België ging weldra over tot nieuwe ballotage, en zie, de keus viel op de Angelsaksische prins van Coburg. Meteen verklaarde Zijne Hoogheid zich genegen om zijn geliefkoosd molentje in het nieuwbakken rijk en door de gunstige wind van belang en staatkunde te doen draaien, hoewel er, pro forma, eerst een schikking gemaakt moest worden tot hoe ver hij eigenlijk wel zou mogen lopen. Of hij al door het aannemen van de Belgische kroon openlijk deed blijken, dat hij het schandelijk wangedrag en de revolutionaire geest van de natie volkomen goedkeurde en er behagen in schiep dat zij de wettige regering voor altijd hadden uitgesloten, dat betekent in het oog van een troonbejager niets. Hebben wordt hier hebben, al gaat de kunst van verkrijgen ook met enige grepen van onbetamelijkheid gepaard. Hij die tot malen is gemaakt, zoekt dat hij aan het malen raakt. En als men daarbij nog door een mogendheid wordt ondersteund en aangezet om van de aangeboden koningszetel onverwijld bezit te nemen, dan valt alles veel gemakkelijker te verklaren. Om kort te gaan, de Belgen namen, na veel gehaspel, gekakel en geharrewar, met een meerderheid van 126 stemmen tegen 70 stemmen de voorwaarden van de protocollenmakers en vermakers gaaf aan; en ziedaar, het gelukkige tijdstip voor Leopold is aangebroken om het 'Leve de Koning!' weldra in zijn oren te horen donderen.

Zonder verwijl en met de meeste spoed verliet de nieuwe monarch zijn Engelse vrienden en vriendinnen en begaf zich, slechts van een Engelsman vergezeld, naar het hem met open armen wachtende volk.

Hij zet voet aan de Belgische wal en de lucht weergalmt van vreugdekreten en jubelklanken. De voor Leopold weleer vreemde, maar nu voor hem bekoorlijk wapperende vaderlandse vlaggen waaien voor en boven hem uit; bloemfestoenen hangen in duizenden bochten langs de weg, die z m van Oostende naar Brussel volgen moet. Oud en jong schreeuwt zich schier te barsten om de jeugdige vader des vaderlands verknochtheid en liefde te bewijzen; en nergens hoort men één enkele stem, die iets anders dan zegenbeden uitgalmt; zelfs het gunstige zomerweer zet aan de komst van de nieuwe gelukaanbrenger temeer genot en luister bij. (...) Ook Brussels ingezetenen, vorig jaar het bestuur van een wijze en brave koning moe, geven zich niet aan minder blijdschap over bij het zien en aanbidden van hun zelfgekozen vorst. Duizenden en duizenden bewoners van de omliggende plaatsen stroomden naar de congregatiestad om het: 'Leve Leopold!' uit te kraaien; en dezelfde tonelen van volksopgewondenheid, die er voor ettelijke jaren plaatsvonden bij het huldigen van koning Willem, die men genoegzaam in dezelfde bewoordingen als thans Leopold, trouw en liefde zwoer, hebben ook nu weer plaats. Daar zit hij nu op de aan anderen aangeboden, maar door hen geweigerde, koningstroon, waarboven wij, in onze verbeelding, een zwaard aan een dunne draad zien opgehangen.

België heeft zijn wens verkregen en Leopold door België. Om het geluk van zijn onderdanen bevestigd te zien, is echter meer nodig dan een koninklijke huldiging, en in hoeverre Leopold I daarin zal slagen, moet en kan de tijd alleen ons leren.

12 ONHAALBARE ZAAK

21 oktober 1831

GRAAF MATUSZEWIC, RUSSISCHE GEVOLMACHTIGDE OP DE
LONDENSE CONFERENTIE IN 1931

Aan Karl Robert Nesselrode, Russisch diplomaat, hoofd van de Russische delegatie op het congres van Wenen

De grote mogendheden vragen zich af waar Willem I eigenlijk het idee vandaan haalt dat hij recht heeft op België.

Ik denk dat mijn voortdurende inzet om de belangen van de koning der Nederlanden te bevorderen, mij uiteindelijk alleen maar gehaat heeft gemaakt en als hij het in zijn hoofd haalt om te klagen, zal hij het helemaal bij het verkeerde eind hebben. Hij zal ons ervan beschuldigen hem niet opnieuw in het bezit van België te hebben gesteld. Was dat een haalbare zaak? Konden wij met Engelse medewerking bereiken dat hij ten koste van een breuk met Frankrijk Leopold verjaagt? Hadden wij de middelen om ons in een grote oorlog te storten voor het persoonlijke belang van de koning der Nederlanden? Er is meer: toen de koning op I augustus de vijandelijkheden tegen België hervatte, verklaarde hij ten overstaan van de hele wereld dat hij geen oorlog voerde om België te heroveren, maar om te garanderen dat Holland billijke afscheidingsvoorwaarden kreeg.

Zes maanden lang hebben de afgezanten van Rusland het uiterste gedaan om te zorgen dat de prins van Oranje tot koning der Belgen zou worden gekozen. Heeft de koning der Nederlanden hen bij deze missie gesteund? Geenszins. Hij trok de toestemming aan zijn zoon in om de kroon van België te aanvaarden en erkende openlijk dat hij de voorkeur gaf aan prins Leopold. Wat het laatste bedrijf betreft waaraan we nu toe zijn, zie je duidelijke, snelle en grote voordelen als Holland zich terugtrekt.

Mijn tweede opmerking is dat België nooit aan de koning der Nederlanden heeft toebehoord, niet op grond van vererving, niet op grond van verovering zoals Polen aan de keizer toebehoort. Het is in feite niet de koning, het zijn Rusland, Engeland, Oostenrijk en Pruisen die België op Frankrijk hebben veroverd. Zíj hebben het aan de koning gegeven, krachtens hun aanspraken als veroveraars en niet omdat hij er zelf een of andere aanspraak op heeft. Wanneer deze mogendheden hem dus maar gul schadeloosstellen voor de door hem gebrachte offers, die eigenlijk zeer weinig voorstellen, want hij heeft niet aan Engeland overgedragen wat Engeland in 1814 al bezat en wat hij niet heeft weten terug te krijgen, mogen ze krachtens hun aanspraken als veroveraars zonder meer over België beschikken en dat is niet in strijd met een recht. Dat berust nu eenmaal volledig bij hen en heeft altijd slechts bij de koning berust op grond van een door hen verleende volmacht.

13 FAMILIEBELANGEN

1 maart 1836

SIR EDWARD CROMWELL DISBROWE, BRITS GEZANT IN DEN HAAG

De Britse ambassadeur vraagt zich af wanneer de Hollanders nu eindelijk eens inzien dat de Oranjes hen laten bloeden voor hun privébelangen.

Nu al verklaren veel weldenkende mannen dat het land op de drempel van de financiële afgrond verkeert; dat ze hun situatie niet meer onder ogen durven zien, omdat ze geen middelen hebben om de fouten van de koning te corrigeren, geen controleorgaan, geen instrumenten waarmee ze de ondergang kunnen stoppen waarheen deze foute stappen het land leiden. Naar hun stemmen wordt nog niet geluisterd, en als Zijne Majesteit erin slaagt een budget voor tien jaar te verwerven, lijkt het me (maar ik kan me vergissen) te laat om te voorkomen dat de staat langzamerhand de afgrond tegemoet glijdt waarnaar hij wordt weggeleid. Het besef dat de welvaart van het land is opgeofferd aan de familiebelangen van het huis van Nassau moet op een dag doordringen tot het publieke brein, en mogelijk een storm ontketenen die ieder die het goed voor heeft met het Huis van Oranje en met Holland alleen maar diep kan betreuren.

De mening dat het hof gezien begint te worden als een last in dit land, deel ik niet; ik denk daarentegen dat de koninklijke familie een sterke greep heeft op de aanhankelijkheid van het volk. Het hof is er tot nu toe in geslaagd het gevoel van opwinding onder de mensen in stand te houden. Het behouden van vrijwilligers etc. aan de grenzen heeft veel individuele aandacht afgeleid van de ware aard der zaak, die zelfs nu nog niet wordt begrepen in Holland.

Veel Hollanders die twee of drie jaar lang elk genot van familie en thuis hebben opgeofferd, wachtend om een denkbeeldige invasie van de grens te weerstaan, hebben zichzelf als helden gezien en martelaren voor het landsbelang. Hun eerste ontvangst na de terugkeer bij hun families droeg bij tot het in stand houden van dat waanbeeld, maar met het oppakken van hun vroegere gewoonten en bezigheden, namen meer serieuze gedachten bezit van hun gedachten, en begonnen ze zich vanzelf deze vraag te stellen: waarom heb ik drie jaar wakend op de hei gelegen, tot mijn grote ongemak en ten koste van mijn persoonlijke zaken?

Het zal natuurlijk tijd vragen voor dit algemeen zo gevoeld begint te worden, maar als het dan eenmaal wordt begrepen, moet het een totale reactie in de publieke opinie veroorzaken, en als de mensen vervolgens ontdekken dat hun vertegenwoordigers elke controle over de publieke uitgaven voor de komende jaren hebben weggegooid, en hen zo hebben verhinderd terechte en constitutionele maatregelen te nemen om het land te redden, vrees ik een van die uitbarstingen waarvan de vroegere historie van dit land zulke verdrietige voorbeelden biedt.

14 ONTROUW IN GEHEIMSCHRIFT

10 augustus 1833

A. AMPT, NEDERLANDSE COMMISSARIS VAN POLITIE

Aan onbekend

Tot overmaat van ramp heeft prinses Marianne, de oogappel van Willem I, ook nog eens zwaar te lijden onder haar slechte huwelijk met prins Albert van Pruisen. Berichten over zijn bordeelbezoek bereiken een Nederlandse commissaris van politie. Gezien de gevoeligheid van de materie, maakt hij gebruik van geheimschrift in nummers: de geheime code schreef hij op een apart vel papier.

Men verhaalt onder de roos, en wel uit 1 dat 2 allerrustigste huiselijke dagen slijt en haar gemaal [Albert van Pruisen] zich allerbaldadigst gedraagt. Laatst toen hij hier was is hij door mijn nachtmilitairen opgemerkt komende uit een 3. Kortstondig na het huwelijk is hij al 's nachts opgemerkt in de Heerenstraat in een gelijk huis. In 4 leven zij zeer onenig, hij is doldriftig en bedreigt in tegenwoordigheid van de 5 zowel vrouwelijke als mannelijke bedienden met 6. Zijne 7 is 8 niet alleen bekend maar heeft zijne 9. Zij klaagt bitter haar nood aan haar ouders en wenst te 10. Die 11 alliantie brengt 12 dan bijzonder veel geluk en voordeel aan!

Verklaring der cijfercode:

1 Hofkanalen	7 Ontrouw
2 Prinses Marianne	8 Marianne
3 Een allergemeenst bordeel in de Bagijnenstraat	9 Zeer gezonde kloeke vrouw de VENERISCHE ZIEKTE aangezet!
4 Berlijn	
5 Goede Marianne	10 Divorceren
6 Pringelen [betekenis niet bekend bij auteurs]	11 Pruisische
	12 Nederland

15 KONINKLIJKE VERLIEFDHEID[89]

1839

LADY EMMA DISBROWE, OUDSTE DOCHTER VAN SIR EDWARD
CROMWELL DISBROWE, BRITS GEZANT IN DEN HAAG

*Na de dood van koningin Frederica Wilhelmina ('Mimi') krijgt koning
Willem I een nieuwe liefde: hofdame Henriëtte d'Oultremont, die behalve
geen prinses, ook nog eens katholiek en Belgisch is.*

De oude koningin Frederica stierf in oktober 1837, na lang erg zwak
te zijn geweest, zodat er lang geen recepties aan het koninklijk hof
waren geweest, en al de feesten werden gegeven door de prinsen en
prinsessen. De koningin werd begraven in Delft op 17 november, op
een bitterkoude dag, en als ik me goed herinner, was er geen onder-
breking in de vorst vanaf dat moment tot diep in maart. Het was een
vreselijke winter. (...)

De dood van de oude koningin van Nederland bracht iedereen
in rouw. Bij de 'cour de deuil' die de koninklijke familie hield om
condoleances te ontvangen, droegen alle dames petten van zwarte
crêpe vastgebonden onder hun kinnen en daarover heen sluiers van
zwarte crêpe, de lengte van die zwarte stoffen overkleding reikte
aan elke kant tot aan hun middel van voor en achter. In latere dagen werd deze rouwkleding gematigder. Bij de eerste 'cour de deuil'
die ik bijwoonde, werd ons toegestaan onze sluiers op te tillen, en
de volgende keer rebelleerden sommige jonge prinsessen, die net
uitgekomen waren, tegen hun hoofddeksels, vervolgens verschenen
jonge dames zonder en droegen alleen sluiers.

De oude koning behield alle dames van zijn koningin, en ze hadden regelmatige bijeenkomsten, net als toen ze nog leefde. Barones
D'Estorff en gravin Goltz waren 'dames du Palais'; de juffrouwen
Constant Stanford en Heeckeren-Kell, en niet te vergeten gravin
Henriëtte d'Oultremont, waren allemaal 'demoiselles d'honneur',
om de beurt, drie tegelijk. Ze dineerden met de koning om 4.30
uur, vertrokken dan om bezoeken af te leggen, terugkomend voor
de thee met Zijne Majesteit om 8 uur. De dochter van de koning,

prinses Marianne, echtgenote van prins Albert van Pruisen en haar kinderen, kwam bij hem logeren, en hij droeg zijn verdriet zo goed als mogelijk. Maar hij kon het niet over zijn hart verkrijgen om zich terug te trekken op Het Loo, waar de koningin haar laatste dagen van redelijke gezondheid had doorgebracht. Daarom bracht hij de zomer van 1838-1839 door op Huis ten Bosch, waar de beroemde Salle d'Orange is. (...) Op een nacht was er een brandalarm toen de koning en zijn gevolg daar waren. Zijne Majesteit wekte zijn dochter en haar kinderen, en ze werden gezien terwijl ze zich door het hof haastten naar het koetshuis, gevolgd door Madame D'Estorff met zijn kamerjas, en de gravin D'Oultremont en gravin Goltz met andere kledingstukken, en de koning was zo blij met deze attenties dat hij, na gekleed te zijn door aardige handen, voorstelde om allemaal samen te ontbijten in het koetshuis, wat ze deden op zijn normale tijdstip tussen vier en halfvijf 's ochtends. De koning stond altijd op om vier uur, en stak onveranderlijk zijn eigen haard aan. In verschillende mate hoorden we dat dames vermoeid werden van dit leven. Mademoiselle Van Heeckeren was de eerste die vertrok. Haar ouders hadden haar nodig in Gelderland. Mademoiselle Constant excuseerde zichzelf steeds vaker van haar aanwezigheid bij de thee, en eerde de society steeds meer met haar aanwezigheid. Mademoiselle Stanfords gezondheid was niet goed. Die goede oude Madame D'Estorff kon geen probleem vinden in het hofleven en wilde geen verandering behalve dat ze vrienden ontving tussen diner en thee. Gravin D'Oultremont had zelfs nog minder verandering nodig, en algauw werd gefluisterd dat de koning haar erg slim en aangenaam vond. Er waren ook andere geruchten met betrekking tot het besteden van publieke gelden. Het had iets te doen met een commerciële speculatie. Ik heb geen helder idee over die zaken, maar later, toen er over zijn moeilijke huwelijk met gravin D'Oultremont werd gepraat en er enorme afschuw werd geuit over zijn idee om een Belgische en een rooms-katholiek te trouwen, werd er een karikatuur gevonden, vastgemaakt op een van de paleismuren, waarop gravin D'Oultremont hem met geweld naar de biecht sleurde, en hij zei: 'Maar die vijf miljoen, die zal ik nooit opbiechten.'

16 STOKENDE ZOON

19 augustus 1839

KROONPRINS WILLEM

Aan tsaar Nicolaas I van Rusland

De kroonprins beklaagt zich bij zijn zwager, de tsaar van Rusland, over het plan van zijn vader om met een katholieke Belgische vrouw te trouwen.

Zij is katholiek en Belgisch, dus denk je in wat dat voor een effect zal hebben in dit land. De weinige personen die van dit project op de hoogte zijn, beschouwen het als de grootste ramp die zich zou kunnen voordoen. Onder hen bevinden zich de ministers van de koning en zijn hof. Maar hoe meer men doet om hem ervan af te brengen, hoe meer hij volhoudt om het te willen doen. Wat mijzelf betreft, kan ik hem als zoon niet tegenhouden, ik heb hem desalniettemin respectvol kunnen schrijven door hem te wijzen op alles wat mij wat dit betreft is gezegd. Hij heeft dit alles kalm aangehoord, maar dat heeft tot dusver niets opgeleverd. Je kunt begrijpen wat het voor mij betekent om mijn moeder op deze manier vervangen te zien worden en dat zo snel na haar te zijn verloren, en te zien hoe aan mijn zoons een dergelijk voorbeeld wordt gesteld door hun grootvader. Verder de algehele onvrede die dit zal creëren en hoe iedereen, zoals men mij dat al heeft doen voelen, zich vervolgens tegen mij zal keren. Dit alles is genoeg om je hoofd door te verliezen.

17 SCHOKKENDE GERUCHTEN

28 september 1839

EEN REDACTEUR VAN HET *ALGEMEEN HANDELSBLAD*

Het Handelsblad *maakt zich zorgen over de geruchten dat de koning wil trouwen met de katholieke Belgische Henriëtte d'Oultremont. Van deze emoties maakt de kroonprins gebruik om een mediaoorlog tegen zijn vader te starten.*

Op zich zou het geen bevreemding, laat staan misnoegen wekken, als een vorst, die rusteloos zijn leven wijdt aan het welzijn van het land en aan de bevordering van de belangen daarvan, die weinige momenten, die hij als het ware aan de staatszorgen ontscheurt, zoekt te veraangenamen door het gezellig en troostvol verkeer met een deugdzame echtgenote, het voorwerp der achting van allen die haar kennen. Maar de reden die ons doet twijfelen dat de koning ooit aan zo'n voornemen, al had het maar voor een ogenblik bestaan, gevolg zou geven, ontlenen wij uit de kennis die de koning beter dan iemand anders bezit van de gevoelens der natie.

(...) Wij kunnen niet in alle bijzonderheden treden over de gronden die volgens het algemene gevoel een dergelijk huwelijk hoogst onraadzaam zouden maken. Maar dit mogen wij niet verzwijgen, dat het gerucht alleen, alsof de koning daartoe zou kunnen besluiten, een zeer groot gedeelte van zijn onderdanen met diepe droefheid vervuld heeft. Wij herhalen het; met een onderzoek en toetsing van de redenen, die men tot rechtvaardiging dier droefheid aanvoert, willen wij ons niet inlaten. Vele schijnen ons overdreven; sommige onjuist, ja geheel ongegrond, maar de zaak zelf, namelijk de verslagenheid der natie, is daarom niet minder stellig, en de koning kan daarvan niet onkundig wezen. En nu zeggen wij het vrijmoedig en met de innigste overtuiging: de koning koestert te veel liefde voor zijn volk, om niet diep geroerd te zijn bij de gedachte, dat de natie hem eenmaal zou kunnen toeroepen: Vader Willem, u hebt uw goede en getrouwe onderdanen, die u zo hartelijk beminnen, diep bedroefd. Het is mogelijk, dat wij u hard toeschenen toen wij verlangden dat hetgeen misschien uw laatste levensjaren gelukkig zal maken, door u ten offer werd gebracht aan onze wensen. Maar geloof ons, het is niet slechts voor ons en onze kinderen, het is ook voor uw dynastie, dat wij de band door u gesloten, voor heilloos houden. Onze trouw, onze gehechtheid aan uw persoon – u bent daarvan overtuigd – kan nooit wankelen. Maar wij kennen uwe edele ziel, beste der vorsten, wij zijn overtuigd, dat het voor het geluk en de rust van uw gemoed niet genoeg is te weten dat uw onderdanen u vereren, en u in hun harten dragen. U wilt meer dan dat, u wilt dat uw volk gelukkig is. U wilt uw volk, zoveel als u kunt, al het zielsverdriet besparen; en zielsverdriet is het echter, wat uw lieven en getrouwen nu ondervinden. Wij kunnen, wij hoeven u niet te zeggen, waarom wij de stap door u gedaan, met smart en angst aanschouwen, en daarover treuren. De eerbied die wij u verschuldigd zijn, boeit onze tong, maar wat onze lippen niet durven stamelen, dat zeggen u onze tranen. Och, wij hadden zo vast vertrouwd dat onze liefde u genoegzaam zou hebben kunnen vergoeden het smartelijk verlies, door u geleden, toen de beste der echtgenoten door de Heer van uw hart werd gescheurd. Het is waar, wij kunnen u die liefde niet dagelijks met daden tonen, maar als u daar zo eenvoudig, zonder vorstelijke praal, en gelijk een vader onder zijn kinderen, u in ons midden vertoont, dan ziet u immers hoe onze ogen tintelen van vreugde, dat het ons gegeven is de vorst van onze keuze, ook slechts voor een ogenblik van nabij te mogen aanschouwen, terwijl wij toesnellen op uw weg, en gelukkig en voldaan huiswaarts keren en daar onze huisgenoten kunnen toeroepen: 'Ik heb de koning gezien.' Zie, vader Willem, wij waren er zo trots op, dat wij uw hart, zoals wij meenden, alleen vervulden, gezamenlijk met uw kinderen, de hoop der natie voor de toekomst; en nu moeten wij zien dat de steun en stut, die wij vooral de laatste tien jaren getoond hebben voor u te zijn en altijd te willen blijven echter niet genoegzaam waren om u gelukkig te maken. Vergeef het aan onze Hollandse rondborstigheid, geëerbiedigd vorst, maar wij mogen het niet verzwijgen, dat was een teleurstelling die ons hart heeft doen bloeden, en waarvan de smart slechts dan enigszins zal worden gelenigd, als wij overtuigd zullen zijn dat de band door u gesloten, in alle delen zal hebben beantwoord aan het doel, dat u u daarmee hebt voorgesteld. Ziedaar, vader Willem, de ongeveinsde uitdrukking van de gevoelens, die uw getrouwe onderdanen bezielen. Nog eens, wij houden dat gerucht voor ongegrond.

18 DOODVONNIS

SOPHIE VAN WÜRTTEMBERG

Te midden van alle consternatie over zijn eigen huwelijk, zorgt koning Willem I nog wel voor de koppeling van zijn oudste kleinzoon, Willem III, aan Sophie van Württemberg. Wat haar betreft, gaat dat niet van harte.

Koning Willem I ontving ons welwillend; hij vond het prettig met mijn vader over bestuurlijke en financiële zaken te spreken. Zijn echtgenote, de koningin [Mimi], die weinige maanden later overleed, was roerend hartelijk. De prins van Oranje [later koning Willem II] was een zeer charmante, aantrekkelijke persoonlijkheid. Hij vond dat ik net een Engelse leek met mijn lange blonde krullen. Onze tante, de prinses van Oranje [Anna Paulowna] ontving ons uitgesproken koel en onbeleefd. Zij was altijd jaloers geweest op mijn moeders schoonheid en overwicht. [Sophies moeder was Catharina, de zuster van Anna Paulowna]. Haar huwelijk was destijds samengevallen met het tweede huwelijk van mijn moeder, die in Rusland een veel vooraanstaander positie innam dan zij. Deze vrouw haatte graag en nam met veel vreugde wraak op de dochters van haar overleden zuster. Haar zoons waren grote sterke jongens zonder goede manieren en matig onderlegd. Ofschoon prins Willem achttien maanden ouder was dan ik, leek hij mij jonger door zijn gebrek aan verstandelijke ontwikkeling.

(...) Men liet mijn vader weten dat de oudste zoon van de prins van Oranje, de zogeheten erfprins, zo verrukt was van zijn nichtjes, dat hij naar Stuttgart wilde komen. Omdat er werd gesproken van nichtjes in het meervoud nam mijn vader aan dat het mijn zuster betrof. (...) Toen de jongeman arriveerde, bleek helaas al na drie dagen dat ik mij geen illusies moest maken: ik was de uitverkorene! Ik deelde het meteen aan mijn vader mee en vroeg of ik de prins moest ontmoedigen. Dat verbood hij mij. (...) Ik was niet verliefd op de prins; ik was op niemand verliefd. Met de Almanak de Gotha [een overzicht van adellijke geslachten] was ik bekend; ik wist dus dat er weinig geschikte huwelijkskandidaten waren en vele concurrenten. (...) De prins vertrok naar Italië met de verzekering dat hij spoedig terug zou keren. In stilte hoopte ik dat hij nooit meer terugkwam. (...) Bij onze thuiskomst liet mijn vader mij in zijn kamer komen. Hij herhaalde nog eens hoezeer hij wenste dat ik met de erfprins zou trouwen; een van ons moest in het huwelijk treden en voor mijn zuster bestond daarvoor geen gelegenheid. Ik vroeg twee dagen bedenktijd en die werden mij toegestaan, maar ook niet meer dan dat. (...) Ik deelde mijn vader mee dat ik besloten had met de erfprins te trouwen. Mijn vader was geroerd. (...) Ons gesprek duurde niet lang; hij kuste mij, ik ging naar bed, maar kon niet slapen. Ik had het gevoel alsof ik mijn eigen doodvonnis had geveld; af en toe was ik opstandig, dan zei ik hardop tegen mijzelf dat het onmogelijk was. Die hele nacht stond ik in vreselijke tweestrijd. Tegen de ochtend werd ik kalmer. Het scheen mij alsof nog niet alles verloren was, dat God mij zou bijstaan, dat de geest van mijn overleden moeder uitkomst zou brengen. Bij het opstaan was ik zo moe en zo bleek dat mijn kamermeisje vroeg of zij een dokter moest laten komen.

Toen ik eenmaal aangekleed was, kwam mijn vader bij mij en zei dat wij mijn tante Van Weimar in het geheim moesten betrekken; dat ik in de loop van de ochtend naar haar toe moest gaan. Dat denkbeeld stond mij wel aan; de zuster van mijn moeder zou mij wel leiden. Mijn tante verbleef in het paleis van de prins van Pruisen, in het appartement van de prinses. Zij hield zich op in een ruim vertrek met rode wanden, waarvan het raam bestond uit een enkel stuk glas, een zeldzame luxe in die tijd. Zij ontving mij staande, als iemand die het erg druk heeft; zij verwachtte namelijk tsaar Nicolaas. Ik kondigde haar aan dat ik, overeenkomstig mijn vaders wens, besloten had in het huwelijk te treden met de erfprins. 'O, dat is goed,' zei ze gehaast, terwijl zij intussen naar buiten keek. Toen ik niets terugzei, keek ze me aan. Mijn bleke gezicht, de sporen van tranen vielen haar op. 'Lieve kind, wat is er?' vroeg zij. 'O,' liet ik mij ontvallen, 'ik voel geen spoor van geluk.' Zij ging voor me staan, raakte mijn schouder aan met haar blanke, mollige hand waarop zij zo trots was en zei:

'Heb je dan recht op geluk?' De idee dat ik gelukkig zou worden! Ik was een prinses – dat soort mensen heeft geen recht op geluk. Ik zweeg en bleef rustig. Mijn tante kuste mij geloof ik en liet mij weer vlug naar huis gaan; zij verwachtte immers de tsaar.

Toen ik weer thuis was, kwamen de prins van Oranje en zijn zoon op bezoek. Ik was als versteend en had zelfs niet de kracht om ongelukkig te zijn. Het leek alsof alles wat er gebeurde met iemand anders te maken had. Of de erfprins verliefd was, weet ik niet. Hij wilde in het huwelijk treden om onder zijn vaders bevoogding uit te komen en had het oog op mij laten vallen. Hij sprak van liefde en toewijding en ik dacht dat hij goedig was. Zijn vaders vreugde en hartelijkheid bemoedigden mij. Toen deze mijn handen pakte vielen zijn ogen op de rouwband die hij nog om zijn arm droeg vanwege de rouw om zijn moeder. 'Als jij hem afdoet,' zei hij, 'zal me dat geluk brengen.' Ik ging even mijn schaar pakken van het tafeltje bij het raam; een begrafenisstoet ging net aan het venster voorbij – ik verstijfde van ontzetting.

19 POLONAISE

LADY EMMA DISBROWE

De bruiloft van Sophie van Württemberg en de erfprins heeft in de zomer van 1939 plaats in Stuttgart.

De erfprins van Oranje [naderhand koning Willem III] werd geacht op huwbare leeftijd te zijn, zodat Duitse prinsessen werden verordonneerd om te komen zeebaden, en ze kwamen naar Scheveningen. Het werd gauw bekend dat prinses Sophie van Württemberg de uitverkorene was; ze was de tweede dochter van de koning van Württemberg uit zijn tweede vrouw, weduwe van de hertog Van Oldenburg, een Russische van geboorte, en zuster van Anna Paulowna, de moeder van de prins. Die laatste had groot bezwaar tegen de match. Ze had een afschuw van huwelijken tussen neven en nichten, omdat dat verboden was door de Griekse kerk. Er werd gezegd dat het huwelijk tegen prinses Sophies wensen werd gesloten, omdat zij eigenlijk hertogin van Orléans wilde worden. Haar vader wilde daar geen toestemming voor geven, omdat hij geen rooms-katholiek huwelijk wilde toestaan, en hij de orléanisten als bezetters zag. Het huwelijk had plaats in Stuttgart in 1839. Mijn moeder en grootmoeder, mijn tantes en ik gingen van Karlsruhe naar Stuttgart voor de feesten, die een week duurden. De hitte was enorm en maakte de vrolijkheid hard werken. Ik moet toegeven dat, ofschoon ik geïncludeerd werd in alle hofuitnodigingen, ik niet buiten de schoolklas kwam, en alleen werd toegestaan naar een middagdanspartij te gaan op het Rosenstein, ongeveer een mijl buiten de stad. (...) De dames hadden allemaal slepen. De sleep van de koningin was van paarse zijde, en wegens het hete weer had het gezicht van Hare Majesteit dezelfde kleur. De bruid zag er heel mooi en knap uit. De verlichtingen van die avond waren erg mooi, en we reden een paar uur de stad rond om ze te bekijken. Het paleis was een straal van licht, en de kroon erbovenop was nooit zo voordelig als die avond. De middagdanspartij op het Rosenstein was een prachtig gezicht, omdat de wereld verplicht was om nieuwe kleding te dragen in het heldere daglicht. De polonaise die gedanst werd bij staatsaangelegenheden gaf een kapitale aanblik.

20 FERME OUDE KONING

september 1840

XAVIER MARMIER, FRANS REIZIGER EN SCHRIJVER

De laatste audiëntie van koning Willem I.

Daar stond de koning, wiens naam sinds meer dan vijftig jaar een opmerkelijke plaats inneemt in de geschiedenis, en wiens hardnekkigheid ons in 1833 in een Europese oorlog dreigde te storten. Terwijl ik hem bekeek, herinnerde ik me met emotie alle lotsveranderingen die hij heeft ondergaan, alle verdriet dat hij heeft meegemaakt, en de woorden van mijnheer De Chateaubriand kwamen in mijn herinnering: 'De groten der aarde hebben de triestheid van het isolement meegemaakt, de bittere uren van verbanning, en men heeft veel tranen kunnen zien in de ogen van de koningen.' (...) Na zo veel jaren van gevecht en opwinding geven zijn gezicht, zijn houding, zijn manieren, nog steeds getrouw de natuur van zijn karakter weer. Zelfs de ouderdom lijkt terug te wijken voor zijn ferme en gedecideerde instelling. Hij heeft noch de mannelijke energie van zijn trekken weggenomen, noch de uitdrukking van zijn blik; hij heeft alleen zijn haren wit doen worden. Zijn kalme en regelmatige gezicht, de lippen licht opeengeklemd, geven tegelijk een ferme en voorzichtige uitstraling. Zijn levendige ogen, stralend onder twee 'épais sourcils', zijn doordringend, en als ik hem zo bekijk, lijkt heel zijn fysionomie voor mij de vleesgeworden uitdrukking van het devies van zijn koninkrijk, dat zeker dat is van zijn koningschap: Je maintiendrai. De volgende dag vertrok ik naar Amsterdam, en twee dagen later kondigde het *Algemeen Handelsblad* het aftreden van de koning aan. Niets had tot die tijd deze gebeurtenis doen voorvoelen. Maar men zag het als definitief zodra de kranten erover hadden gepraat. 'Als Willem heeft verklaard dat hij zal aftreden, zoals men ons bevestigt, kunt u zeker zijn dat hij het doet ook,' zei een Hollander me. Inderdaad trok de koning zich de daaropvolgende week op Het Loo terug met zijn familie en ministers. Daar pakte hij, na in het kort zijn beslissing te hebben meegedeeld, de Acte van Abdicatie die hij had laten opstellen, ondertekende hem, begroette zijn zoon als koning, en vervolgens begaf hij zich vrolijk aan tafel met zijn kinderen. Nooit, volgens de personen die bij de zitting waren, betoonde hij zich kalmer, en nooit ondertekende hij met een vastere hand.

21 AMEN

8 oktober 1840

WILLEM I, EX-KONING EN GRAAF VAN NASSAU

Aan Henriëtte d'Oultremont

Een dag na zijn aftreden rapporteert Willem I aan zijn Belgische geliefde dat alles goed is afgelopen.

Lieve Henriëtte,

De dag van gisteren is heel goed verlopen; alles wat moest gebeuren is op een goede manier gebeurd en de belangijke maatregel die moest worden uitgevoerd, is uitgevoerd. Het publieke leven heeft plaatsgemaakt voor het privéleven en de zoon is belast met de verplichtingen die vele jaren bij zijn vader berustten. Moge God de zoon bijstaan. Moge Hij hem zegenen en hem voorzien van alles wat nodig is om zijn moeilijke en belangrijke taak met eer te vervullen, tot geluk van al degenen wier lot aan zijn zorgen is toevertrouwd. 'Amen' zul je nu zeker zeggen, lieve vriendin. Ik ben blij te kunnen opmerken dat bij deze gelegenheid goed is getoond dat de familierelatie tussen de vader en de zonen en kleinzonen een gewenst niveau heeft en aanleiding geeft tot hoop op een rustige toekomst, die onder deze betrekkingen veel besluiten zal voortbrengen. Er is alle reden tevreden te zijn over de oudste zoon en de jongste geeft ook blijken van toewijding.

22 HARDVOCHTIGHEID

24 febr. 1841

WILLEM II

Aan Willem I, graaf van Nassau

Willem I trouwt enkele maanden na zijn aftreden met Henriëtte d'Oultremont. Willem II voelt zich genoodzaakt tot het volgen van een 'hardvochtige gedragslijn'.

Als zoon bid ik natuurlijk voor uw geluk, en dat is alles wat ik voor u kan doen in de huidige omstandigheden. Want de rol van koning der Nederlanden, die u mij heeft gegeven, schrijft me een hardvochtige gedragslijn voor en het is met spijt in mijn hart als uw kind, dat ik u moet laten weten dat ik als koning gravin Henriëtte d'Oultremont niet als uw echtgenote kan erkennen en haar niet als zodanig kan ontvangen. Ik heb rechtsgeleerden moeten raadplegen over de wettelijkheid in dit land van een huwelijk dat zo uitzonderlijk is als dat van u en dat in Pruisen wettig is. De meningen over dit onderwerp zijn verdeeld, maar de publieke opinie ziet zo'n betrekking in de Nederlanden nadrukkelijk als onwettig, en de keuze voor een katholieke en Belgische vrouw die u heeft gemaakt, ergert de protestantse en vrome Hollanders zozeer dat ik in deze treurige omstandigheden door de rol die u mij heeft gegeven niet anders kan dan zo reageren. Ik moet geliefd zijn om te kunnen regeren. Dat voor een dergelijke kwestie verspelen, zal voor mij zeer schadelijk zijn, terwijl het de visie die men op u in dit land heeft, niet zou verbeteren.

Ik laat u deze brief overbrengen door mijnheer Van Kattendijke die in een gesprek alles kan uitleggen wat ik hier heb moeten schetsen. Het is een plicht die ik heb moeten volbrengen, en misschien wel een van de zwaarste waartoe mijn rol als koning me ooit zal dwingen. Ik besluit dus en beveel me in uw vaderlijke aandacht aan. Beklaag mij, maar maak mij geen verwijten, want ik vind dat de voor mij uitgestippelde houding u en mij evenveel verdriet doet.

23 EX-KONING NEEMT VOORRANG

7 oktober 1840

LADY EMMA DISBROWE

Na zijn aftreden glipt Willem I bij de doop van zijn achterkleinzoon, prins Wiwil, toch nog als eerste de kerk binnen.

Op de 24ste september werd de prins van Oranje geboren, of liever, de zoon van de erfprins. Dat was een aanleiding tot grote vreugde in het land, en daarbij een zeer zeldzame gebeurtenis in de Oranje-Nassaufamilie om vier generaties bij elkaar te zien. Ze gaan door voor een kort levend ras, er zijn maar weinig leden van de Oranjestam of van die van de graven van Nassau, die de leeftijd van zestig jaar bereiken. Dankzij de nieuwe kleine prins en Mehemet Ali [in 1840 had het Turkse offensief plaats tegen de onderkoning van Egypte, Mohammed Ali] was de gravin D'Oultremont tot op zekere hoogte vergeten, en de meeste mensen geloofden dat de koning was bezweken voor de beden van zijn zoon en het idee had opgegeven met haar te trouwen, ook omdat hij na zijn reizen terug was gekeerd tot zijn gewone levensstijl. Maar in oktober deed hij de wereld versteld staan door naar Het Loo te gaan voor de eerste keer sinds de dood van de koningin, met zijn hele gevolg, dames en heren. De dag na zijn aankomst liet hij zijn ministers komen, zijn twee zoons, en zijn oudste kleinzoon, verzamelde de hele partij in de eetkamer, en toen en daar, zonder waarschuwing vooraf aan wie dan ook, kondigde hij zijn intentie aan af te treden ten faveure van de prins van Oranje. De daad werd opgetekend en de hele zaak werd dezelfde dag afgerond, op 7 oktober 1840; en de volgende dag keerde iedereen behalve de ex-koning en zijn hof terug naar Den Haag. Hij reserveerde voor zichzelf de titel van koning en graaf van Nassau, en hield voor eigen gebruik het koninklijk paleis in Den Haag en het Huis ten Bosch en Het Loo. Als reden voor zijn troonsafstand werd alom gezien dat hij zo in staat was onwelkome vragen te vermijden over het onderwerp van de nationale financiën. Ik geef dit voor wat het waard is.

De eerste keer dat de oude koning publiek verscheen na zijn af-

treden was bij het dopen van zijn achterkleinzoon in de Klooster-
kerk, en voor zover ik me kan herinneren was dat de laatste keer dat
hij deelnam aan een hofceremonie.

Onze nieuwsgierigheid wie van de twee koningen voor zou gaan,
werd gauw bevredigd. De oude dacht er niet aan iemand voor hem te
laten gaan, maar snelde als eerste de kerk in, en toen in dubbel snel
tempo de trappen op naar het platform waar de koninklijke familie
moest gaan zitten. De koning en koningin volgden hand in hand, en
toen de rest van de koninklijke familie. De kleine held van de dag
[prins Wiwil, de oudste zoon van de aanstaande koning Willem III],
bedolven onder zijde en satijn, werd gedragen door de grootmeesteres van de prinses van Oranje.

24 VERBAZING OP DE VISMARKT

zomer 1843

LADY EMMA DISBROWE

*Na hun huwelijk leiden de gravin en de vroegere koning Willem I een
geïsoleerd bestaan.*

Toen de koning zijn intentie aankondigde zijn bruid naar Den Haag
te brengen was iedereen furieus, en niemand wist hoe hij zou worden ontvangen, maar hij luisterde aanvankelijk naar zijn zoons be-
denkingen en bleef in Berlijn; zij het niet voor lang; want op een
donkere avond reed er een rijtuig naar het paleis, en de koning en
zijn nieuwe vrouw stapten onaangekondigd uit. Er was niemand
om hen te ontvangen behalve de vrouwen van de vismarkt. Er werd
verteld dat twee stevige vrouwen hem uit zijn rijtuig tilden en hem
omhelsden, in het Hollands zeggend: 'Het is onze oude Willem.'
Daarna gaf de graaf van Nassau een paar dinnerparties, maar verder
onderhield hij geen sociaal leven. Het echtpaar werd voortdurend
wandelend gezien, meestal op de weg naar Scheveningen, die een
brede wandelstrook had. Zij lang en rechtop, hij klein en gebogen,

altijd met zijn hoed in zijn handen op zijn rug. Ik heb hem nooit gezien met zijn hoed op zijn hoofd. Zijne Majesteit droeg een blauwe
jas met koperen knopen, en zijn handschoenen waren bijna altijd
groen. Een koets en vier paarden volgden altijd op de weg dicht
achter hen. De oude koning stierf in december 1843 in Berlijn, geloof ik. Ik hoorde nooit meer veel over de gravin van Nassau, zoals
ze werd genoemd, omdat ze niet meer terugkeerde naar Holland.
Ik herinner me niet in welk jaar ze doodging, ik weet alleen dat we,
voor we Den Haag verlieten, hoorden dat ze een groot fortuin naliet
aan haar broer. Ik twijfel er niet aan dat ze ruimschoots profiteerde
van het fortuin dat de koning had verzameld, gezien het feit dat hij
enorm rijk stierf. Hij was de eerste van zijn ras die de leeftijd van
zeventig bereikte.

25 PLOTSELINGE DOOD

15 december 1843

EEN REDACTEUR VAN HET *ALGEMEEN HANDELSBLAD*

*Twee jaar na zijn huwelijk met Henriëtte sterft de oude koning Willem I,
graaf van Nassau, aan een beroerte.*

Heden is hier uit Berlijn de treurige mare ontvangen van het overlijden van ZM Koning Willem Frederik graaf van Nassau. De kolonel Spengler heeft dit treurige bericht aan onze koninklijke familie
overgebracht. De graaf genoot een volmaakte gezondheid en niets
deed een zo spoedige ontbinding voorzien. ZM zat de 12de jongstleden zoals gewoonlijk 's morgens vroeg in zijn kabinet te werken. De
gravin van Nassau bevond zich in het vertrek van haar koninklijke
gemaal en had dat voor een ogenblik verlaten, toen op een harde
trek aan de bel van de graaf, zijn adjudant binnenschoot en de koninklijke grijsaard, door een plotselinge beroerte getroffen en met
een papier in de hand bewegingloos in zijn armstoel zittende vond.
Er werden meteen alle pogingen aangewend om ZM in het leven te-

rug te roepen, maar tevergeefs; de dood was plotseling geweest. De generaal baron van Omphal, adjudant van de graaf van Nassau, die in Den Haag was achtergebleven, vertrekt vannacht naar Berlijn om het stoffelijk overschot van de graaf af te halen en naar Holland over te brengen. Het zal over land naar Hamburg worden vervoerd en daar ingescheept worden aan boord van het stoomjacht de Leeuw, dat inmiddels met dat doel naar Hamburg zal worden gezonden, om het koninklijke lijk over zee naar Holland over te brengen.

26 KRACHTIG LIJK

2 januari 1844

BOUDWIJN, PUBLICIST

Op 2 januari 1844 wordt koning Willem 1, die al enkele jaren in Berlijn woonde, in Delft begraven. Die stad leeft bij de komst van de dode koning helemaal op.

Maar als u in de vroege morgen van de tweede dag van het jaar 1844, als een vogel boven Delft had gezweefd, dan zou u om en binnen zijn welgevoegde muren, onder zijn inwoners een drukte aanschouwd hebben, niet ongelijk aan het wriemelen van een hoop mieren in een stad uit een Neurenbergerdoosje. Uw genoeglijk zweven over de stad zou wellicht alleen maar gestoord geworden zijn door de rook die uit de schoorstenen opdwarrelde en die in een onmiddellijk verband stond met gebakjes en kokend theewater, onmisbare zaken bij de plechtige gebeurtenis, die op deze dag door de Delftenaars zou worden aanschouwd. Zoals we zeiden, de rook steeg voorspoedig uit de schoorstenen op en loste zich op in de grauwe ochtendnevel. Op de straten was het zo woelig, alsof de stad zo op het ogenblik zou gebombardeerd worden. De een liep de ander in de weg of tegen het lijf, als gevolg van de zware overpeinzingen en ongewone bedrijvigheid in het hoofd. Er waren bijzonder veel mensen, met zwarte rokken en witte dassen, op de been; hun gelaat sprak van ongewone inspanning. (...) Ieder had iets aan een ander te vertellen; de kinderen zeiden tegen elkander dat het die dag geen school zou zijn; en de meesters waren al even blij als de kinderen. De klokkenluiders op de torentrans klopten lustig in de handen en namen iets in uit een flesje; kortom, alles was vol moed, drukte en verwachting; en toch – was het de dag, waarop het stoffelijk overschot van de eerste koning der Nederlanden zou verzameld worden bij zijn vaderen.

U zou het niet geloven: het kleine Delft is nooit levendiger, dan wanneer er een grote dode in gebracht wordt. Zijn inwoners zijn nooit zo belangrijk in de schatting van hun naburen uit andere steden, dan wanneer er een koning of een van koninklijken bloede sterft. De reden daarvan ligt niet in het geluk der Delftenaars, van iedere nacht met de koning of zijn geslacht in dezelfde stad te mogen slapen, of in de mogelijkheid dat zich de doodgraverachtige uitdrukking op hun gelaat, bij de begrafenis van een verse, vorstelijke afgestorvene, vernieuwen zal. O, nee, de Delftenaars worden op zo'n begrafenisdag om geheel iets anders gestreeld en gevleid en misschien wel bemind. Het is om geen plaatsje in hun hart, maar om een plaatsje in hun huis te doen; althans, indien dit huis aan de weg ligt, die de lijkstoet nemen zal; want anders is het voor de vreemdelingen hetzelfde, of hun bloedverwant of kennis op die dag in Delft of op de Mookerheide woont. Als een Delftenaar de dood van een der Oranjes uit de krant verneemt, en tevens het voorrecht heeft van in een der gelukkige straten te wonen, dan is zijn eerste gevoel: droefheid over de vorstelijke persoon; als deze droefheid in twee of drie tranen is opgelost, komt zijn tweede gevoel voor de dag, namelijk blijdschap omdat hij de lijkstoet zal zien voorbijtrekken, en dan komt er soms ook nog een ander menselijk gevoel naar boven, namelijk de begeerte om ieder raampje van zijn huis bij die gelegenheid zo duur mogelijk te verhuren. Al zijn verschillende aandoeningen eindigen derhalve zoetjes in een stille onderwerping in de algemene loop der natuur, die zelfs de koningen niet spaart, en – door de dood van de een, de ander brood geeft. Is echter een van die bevoorrechte Delftenaren een man die of rijk of fatsoenlijk of gastvrij is en een grote familie of een macht van kennissen buiten de stad heeft, dan wordt hij binnen een paar dagen een onwaardeerbaar wezen, de trots der familie wijd en zijd, een dierbare vriend zelfs voor zijn flauwste kennissen. Geen wonder ook; het gebeurt zomaar alle dagen niet, dat er een koning begraven wordt! Daarom beginnen de bewoners der buitensteden, wanneer zij zulk een gewichtige tijding vernemen, zich al meteen onledig te houden met plannen, om op de begrafenisdag in Delft op een fatsoenlijke manier een dak boven het hoofd te krijgen. Men brengt op de nadenkendste manier der wereld de wijsvinger aan het voorhoofd, als om uit het lieve geheugen een bloedverwant of vriend te knijpen die in een der gelukkige straten woont, en nu nooit iets verdienstelijkers heeft gedaan, dan de koning te overleven en in dezelfde straat te blijven wonen. Dit gelukkig wezen ziet nu de volgende dag de brievenbesteller zich, voor hij aanschelt, op de stoep neerzetten, om ongeveer een half dozijn brieven naast elkaar te leggen, die alle aan één adres zijn gericht, iets hetwelk, als het geen nieuwjaarsdag is, voor een Delftenaar die geen handel drijft, zeer ongewoon is. Het gelukkig wezen heeft met looien vingers het brievengeld afgepast en baadt zich weldra in een stortzee van uitboezemingen vol klinkklare vriendschap. Zijn blik rust genoeglijk op het velijn waarop zij zijn geschreven, op die geurige en kleurige vleitaal, geuriger en kleuriger nog dan het in welriekend water gedoopt rosépapier waarop die fijne kost hem wordt voorgediend. Een lief achttienjarig nichtje schreef: 'Oom, ik zal u duizend kusjes geven, als gij een plaatsje voor mij hebt.' Een student schreef: 'Voor den duivel, oom; ik kom met mijn contubernaal naar u toe; maar ik zal voor deze keer mijn hond thuislaten.' Een vrome, nieuwsgierige, rijke bes, die op haar eenenzeventigjarige leeftijd nog lust voelde om naar Delft te dribbelen, teneinde naar de mooiste spaarpot van de dood, hier te lande, iets te zien wegbrengen waarin zij zelve weldra zou veranderen, sprak in haar brief van een huis waarin vele woningen zijn, van de vernieuwing van haar testament, en meer andere bemoedigende dingen, die nog liefelijker klonken dan de kusjes van het zoete mondje der lieve achttienjarige nicht; waardoor haar de beste der beste plaats, op een kussenstoel voor het raam, werd toegedacht. Die dag werden er nog hazen en kippen, met brieven aan de poten, bij de man in de gelukkige straat gebracht. Een paar uren later werd er een anker wijn geheimzinnig thuisbezorgd. De dragers mochten niet zeggen van wie het present kwam. Het gerucht meldt echter, dat de jongste drager het in de gang aan de meid, voor een kus, vertelde, dat mijnheer het gezanik om kijkplaatsen moe werd, de hazen en kippen opat, de wijn uitdronk en de deur dichthield, toen zijn huis vol was, zodat er familietwisten en vriendschapsbreuken ontstonden die wellicht niet zullen geheeld worden vóór er weer eens een koning begraven wordt. Wat zit er toch nog een kracht in een lijk!

Ik weet niet hoe het kwam, maar ik wilde op de tweede dag van het jaar 1844 mij ook naar Delft begeven, om de uitvaart van Willem I te zien. Ik weet eigenlijk wel hoe het kwam; maar dit is zo de gewone manier van schrijven, teneinde de lezer in het denkbeeld te brengen dat een schrijver altoos iets anders voelt dan een ander mens. Hoe het zij, ik wilde naar Delft gaan; en daar ik in dat stadje niet één bekende had die in een der lijkstraten woonde, had ik vóór de dag van de begrafenis, ofschoon nog met tamelijk veel moeite, een zoldertje of vlierinkje gehuurd, waaruit ik mijn blikken kon laten weiden over de grote markt van Delft, waarop een der laatste tonelen van het aandoenlijk treurspel van die dag zou worden vertoond. Reeds vroeg in de morgen was ik wakker geworden; want ik had de vorige avond veel en lang over het leven en sterven van de koning nagedacht, en mijn korte slaap werd waarschijnlijk, door die overpeinzingen, een aaneenschakeling van de bangste dromen. Nu eens zat ik op een troon; dan weer was ik in een graftombe opgesloten; in één woord, de voorstellingen van die nacht stonden in een duister verband met de gesprekken die in de vorige dagen over de gestorven koning waren gevoerd. Daarom, wellicht, overviel mij in de koets, die mij in de vroege morgen naar Delft bracht, een van die lichte sluimeringen die naar een voortgezette slaap zwemen, maar inderdaad weinig verkwikkelijks opleveren. Ik werd echter eensklaps wakker gemaakt door een zonderling geluid, en opziende, werd ik een briesende paardenkop gewaar, die – hoewel een oogwenk slechts – over het portier in de koets kwam kijken. Aan de andere zijde zag ik ruwe berenmutsen en bajonetten in het grauwend morgenlicht glinsteren; het waren de grenadiers, jagers en rijdende artilleristen, die zich naar Delft begaven, om aldaar de wacht op de straten te betrekken en de orde te bewaren bij de teraardebestelling van het lijk van de koning. Ik zag om mij heen: het was iets lichter geworden op de weg, waarop het met ieder ogenblik drukker werd. Als bedevaartgangers wandelde er een talloze menigte langzaam en zwijgend, van heinde en ver, naar Delft. Langs verschillende wegen kwamen zij aan, met kinderen aan de hand en van mondbehoeften voorzien, om die dag te wijden aan de beschouwing van de plechtige lijkstoet des konings, die hen zevenentwintig jaren lang had geregeerd. Voor mij lag reeds de doodse stad met haar rode en blauwe daken en rokende schoorstenen; maar de morgennevel overtoog haar nog met een dun waas, evenals een schilderij achter een bewasemd glas. De poort, die van Delft naar 's-Gravenhage voerde, was thans met geen rouwfloers omhangen, gelijk zes jaren vroeger bij de begrafenis van Wilhelmina. Doch haar lijk was die poort in gedragen en het zijne zou aan de andere zijde der stad worden ingebracht; want hij was niet gestorven in het land zijner vaderen. Toen ik de poort binnentrad, was het anders zo eentonige Delft één toneel vol bedrijvigheid en afwisseling. 'Anders,' zegt een reiziger, 'is dit stadje zeer stil, als om de rust niet te storen der grote doden, die daar begraven liggen.' Vóór de logementen stond een menigte rijtuigen, wier levende vracht zich reeds naar binnen had begeven om zich door een warm ontbijt schadeloos te stellen voor de kille morgenreis. Die drukte in de huizen, op de straten en grachten, strookte weinig met de aandoenlijke plechtigheid waarvan de stad die dag getuige zou zijn. Indien men niet wist om welke redenen die menigte tezamen was gekomen, dan zou het moeilijk te gissen zijn geweest of zij zich naar Delft hadden gespoed om een luchtballon te zien opgaan, dan of zij verschenen waren om een koning te zien begraven. Ik verlangde wel geen tranen op de kaken, noch klaagtonen tussen de lippen; maar toch een beetje meer stilte, een beetje meer ernst op het gelaat was mij liever geweest dan die woelige, gedachteloze menigte, die zich al koutende en lachende naar de gehuurde kamers begaf, of, tegen elkander gedrukt, zich schaarde langs de huizen der straten waardoor de lijkstoet trekken moest.

Ik was intussen, niet zonder enige moeite, door de menigte geworsteld, om het huisje te bereiken op welks bovenste verdieping ik een ruim gezicht zou genieten op de markt van Delft. Het toeval bracht mij daarenboven in een geleerde atmosfeer, want het zoldertje dat ik voor enige uren zou betrekken, behoorde aan een schoolmeesteres. Haar 'discipelen', zoals zij drie of vier kleine kleuters noemde, hadden de ramen der onderste verdieping in beslag genomen; de tweede verdieping was aan een adellijke familie verhuurd en de derde was mij toegewezen. Nadat ik een menigte kleine, ongelijke trappen was op gestrompeld, bereikte ik het lange en smalle zolderkamertje, dat waarlijk, op een grauwe januarimorgen, zonder vuur maar vol brandstoffen, weinig uitlokkends opleverde. Bovendien was het een bewaarplaats van voorwerpen, die meest overal naar de zolder worden verbannen. Aan een der balken hing een papieren vlieger, in de vorm van een bonte Turk, met de armen in de zijde. Iets verder stond een houten pop, die eenmaal, vele jaren, in regen en wind, voor een tabakswinkel had gestaan. Op enige afstand vandaar, voor het zoldervenster, stonden een paar harige koffers voor een omgekeerde wasmand. Waarschijnlijk was dit toestel aldaar voor mij in gereedheid gebracht. Ik maakte er althans gebruik van; want ik zette mij op de wasmand neer, mijn voeten rustten op de koffer en mijn handen staken zo diep mogelijk in mijn zakken, en kwamen er niet uit dan om nu en dan naar mijn neus te voelen, die zeker reeds paars was geworden van de kou.

Zo zat ik enige ogenblikken mistroostig neder. Ik stond weldra op, stiet het venster open en liet mijn blikken over de markt weiden. Wat een drukte, wat een verscheidenheid vertoonde zich voor mijn oog. Aan mijn linkerhand lag het statige godsgebouw, dat het koninklijk overschot moest ontvangen; de deuren waren wijd geopend en bezet met wachten en lijkdragers, die met afhellende, met een zwart kleed bedekte planken op schragen, gereedstonden om het koninklijke lijk van de rouwwagen af te schuiven. Predikanten, in hun ambtsgewaad, en hoofdofficieren, met omfloerste degens en sjerpen, en overheidspersonen in zware rouw gekleed, gingen af en aan, en het godshuis binnen. Meer op het midden van de markt stonden, in twee gelederen, de rijdende artilleristen en dragonders; allen droegen zwarte handschoenen en andere uiterlijke kentekenen van rouw. Tegenover hen stonden de grenadiers en jagers geschaard, en deze gezamenlijke troepen vormden als het ware een kring, die een ruime vlakte in het midden van de markt openliet.

Willem II

5 'Ik wil dat zo, ik wil daarbovenop een bloementuin'
Willem II op de troon (1840-1848)

Met in de hoofdrol:
Koning Willem II, zijn vrouw Anna Paulowna, zijn oudste zoon
kroonprins Willem, diens vrouw Sophie van Württemberg en de
liberale staatsman Rudolf Thorbecke.

Eindelijk was Willem II de baas, na zevenentwintig jaar lang knarsetandend te hebben moeten buigen voor zijn vader. Het was te merken dat hij zich lang op dit moment had verheugd. Voor zijn inhuldiging liet de nieuwe koning door een zilversmid speciaal vorstenregalia maken. In plaats van de houten kroon met gekleurd glas, die zijn vader had gedragen, zette Willem II zilver op zijn hoofd. Hij kwam te paard, als een veldheer.⁹⁰ (1)

Maar het regeren zelf viel tegen. Willem II had zijn troonrede nog niet uitgesproken, of een onderwijzer uit de buurt van Arnhem fileerde het hele stuk van A tot Z in de krant vanwege het in zijn ogen slechte taalgebruik. (2) Dat soort kritiek was er niet geweest toen zijn vader in 1814 werd ingehuldigd. Toen hadden verslaggevers hun pennen bijna niet kunnen vasthouden van ontroering over de terugkomst van Oranje.

De geletterde bovenlaag liet zich niet meer zo makkelijk betoveren door de koning. Sinds de scheiding van België en door de slechte financiële toestand van het land was de romantiek er wel van af. Willem II erfde een land in diepe crisis, waarvan alleen zijn inmiddels naar Berlijn verdwenen vader de diepere oorzaken kende. Ambtenaren en ministers uit diens voormalige 'eenmansregering' waren altijd alleen op de hoogte gesteld van flarden van het beleid. Om nu een minister te vinden die zijn naam aan de bijna failliete boedel durfde te verbinden, was openheid over de financiële toestand noodzakelijk.⁹¹ Het geven van die openheid was een van de eerste dingen die Willem II moest doen. Toen bekend werd hoe slecht het land ervoor stond – met een staatsschuld van dertig miljoen gulden – leidde dat tot grote onreddering en woede. Willem II haalde de onverschrokken minister Van Hall weg bij Justitie om op Financiën een list te verzinnen. Onder zijn leiding werd een staatslening uitgeschreven waar de bevolking op kon intekenen tegen 3 procent rente. Ook werd gevraagd om giften om het land erbovenop te helpen. Ondanks aanvankelijke weerstand en zelfs bedreigingen aan het adres van de koning, werd uiteindelijk voor 121 miljoen gulden op de lening ingetekend.[92] De nieuwe koning was door de vrijgevigheid diep ontroerd. Naar verluidt was de proclamatie waarin hij het nieuws over de succesvolle inzameling naar buiten bracht, bevlekt met zijn eigen tranen.[93]

Van Willem II was overigens bekend dat hij snel huilde. Zelf geregeerd door zijn gevoel, regeerde dat gevoel ook het land. Het gevolg was een zwalkend beleid. 'De opvattingen van vandaag zijn niet die van morgen', had een Franse ambassadeur eind jaren twintig al eens opgemerkt over Willems wispelturigheid.[94] Meebuigen kan noodzakelijk zijn om een troon te houden. Of om er een te krijgen, zoals Willem I had laten zien. Maar de ideeën van Willem II veranderden wel héél snel. Rond 1818 pleitte hij nog voor verlicht koningschap, om eind jaren twintig juist weer conservatief te worden. Eind jaren dertig drong hij aan op liberale hervormingen, om zich, eenmaal koning, weer te ontpoppen als net zo'n alleenheerser als zijn vader. Van de liberale ideeën die hij ooit had gehad, bleek toen hij eenmaal op de troon zat geen spoor meer. Tijdens zijn overleg met ministers was de spanning om te snijden, zeker als iemand het in zijn hoofd haalde om over herziening van de grondwet te beginnen. Willem II vond democratie mooi op papier, maar wilde er in zijn eigen land niets van weten. In Groot-Brittannië en in Frankrijk, ja dáár hadden ze ministers en volksvertegenwoordigers die je verantwoordelijkheid kon geven.[95] Nederland daarentegen had een sterke leider nodig.

Maar intussen vroeg zijn omgeving zich af of deze koning eigenlijk wel zo sterk was. (4) Willem II was tweeslachtig in alles wat hij zei of deed. Hij hield van vrijheid én van hiërarchie, van soberheid én van pracht en praal. Formeel hield hij van vrouwen, informeel ook van mannen. Hij was gevoelig maar hardvochtig, welwillend maar heerszuchtig, sober maar uitbundig. Hij gaf persoonlijk geld aan duizenden behoeftigen, maar liet hongeropstanden bloedig neerslaan[96] en hij schokte zijn minister van Koloniën Baud, met zijn puur op winst gerichte houding ten aanzien van de inheemse bevolking van Nederlands-Indië. (5) In het opvoedingsplan voor zijn kinderen onderstreepte hij het belang van vrijheid, terwijl hij zijn oudste zoon, de latere Willem III, juist een zeer strenge opvoeding gaf.[97] Willem II voerde campagne tegen zijn vaders huwelijk met een katholieke vrouw, maar prefereerde zelf juist de katholieke symboliek boven de kale protestantse rechtlijnigheid.[98] Hij voelde zich persoonlijk zeer thuis bij de katholieke pastoor en later bisschop van zijn militaire residentie in Tilburg. Met hem, Johannes Zwijsen, onderhield hij een hechte vriendschap, die de geruchten over zijn 'misdadige' seksuele voorkeur schraagde.

Koning Willem II verenigde zo veel tegenstrijdige eigenschappen in één persoon dat het moeilijk was om hem te kennen. Hij zei dingen die hij niet deed en hij deed dingen die hij niet zei. Door zijn biseksualiteit was hij al vroeg getraind geraakt in het verdoezelen van zijn ware gevoelens. Door zijn gespletenheid kon hij moeilijk de waarheid spreken. In zijn positie werd hij daartoe trouwens ook zelden gedwongen. Als de koning iets zei, dan was het zo. De enige die rechtstreeks confrontatie met hem zocht, was zijn vader. En met hem was hij dan ook in een permanente strijd verwikkeld.

De aard van de relatie met zijn vrouw, Anna Paulowna, is moeilijk te duiden. Het huwelijk was, zoals alle negentiende-eeuwse koninklijke echtverbintenissen, niet uit liefde gesloten. Toen het werd beklonken, had Willem zijn aanstaande zelfs nog nooit gezien. Maar dat haar broers hem altijd goed waren bevallen, gaf hem voldoende vertrouwen in een goede toekomst met haar. En het leek hem dat 'dit huwelijk ook politiek gesproken zeer gelukkige gevolgen voor ons kan hebben'. Feit is dat Anna Paulowna en Willem lange tijd gescheiden leefden, hij in Tilburg, zij in Den Haag. Maar ze schreven elkaar wel vaak. Anna Paulowna steunde haar man, zoals dat een echtgenote betaamde. Bijvoorbeeld tijdens de ruzies met zijn vader. Anderzijds beschuldigde zij hem tegenover haar broer de tsaar ook van losbandigheid, omgang met verkeerde mensen en veronachtzaming van zijn huis. Toch scheen Anna Paulowna met de tweeslachtigheid van Willem II redelijk uit de voeten te kunnen. Daarbij moet niet worden vergeten dat dit ook een kwestie van prestige was. De verantwoordelijkheid voor een goed huwelijk lag in de negentiende eeuw hoofdzakelijk bij de vrouw. Harmonie in het gezin stond of viel bij haar berusting, haar uithoudingsvermogen en bij het respect dat zij voor haar man wist op te brengen. Een vrouw die haar huwelijk niet goed wist te houden, deed iets fout. Ook al verklaarde de prins van Oranje nota bene in haar bijzijn dat een 'vrijgezel gelukkiger is dan een getrouwd man', toch zei Anna Paulowna tegenover haar schoonvader: 'Ik weet ook dat Willem mij volmaakt gelukkig maakt.'[99]

De roep om politieke hervorming, de armoede en de financiële problemen van het land vroegen om een duidelijk antwoord, dat Willem II gezien zijn karakter niet kon geven. Veel verder dan dat hij de baas was en moest blijven, strekte zijn visie niet. Maar de liberale hervormers zaten niet stil. Op 10 december 1844 zette hun voorman, Rudolf Thorbecke, met acht anderen ('de negenmannen') het debat op scherp door een voorstel in te dienen voor herziening van de grondwet. Dat voorstel maakte geen kans; de meeste zittende Kamerleden waren geen hemelbestormers. Maar de interesse van het publiek was door het voorstel wel gewekt en de discussie in de pers geopend.[100] Willem II voelde zich steeds verder in het nauw gedreven. 'Hij die koning is, is een gevangene van de staat,' schreef hij in een brief aan zijn dochter, Sophie van Weimar.[101]

De hobby's van Willem II, kunst en architectuur, gaven hem adem. Met het bouwen en verbouwen van zijn paleizen dacht hij zijn dromen wél te kunnen realiseren. Tussen 1840 en 1848 liet Willem II het paleis aan de Kneuterdijk en het paleis Noordeinde verbouwen tot één indrukwekkend neogotisch complex. De gotische stijl herinnerde hem aan Oxford, waar hij zulke gelukkige jaren had doorgebracht. Maar ook het bouwen bleek een vastere koers te vergen dan Willem kon bieden. Ieder jaar wijzigde hij de plannen. Tot wanhoop van zijn aannemer, Ellinkhuizen, die 'honderden slapeloze nachten' had tijdens de bouw van het complex.[102] Na de dood van Willem II luchtte Ellinkhuizen tegenover de commissie voor diens nalatenschap zijn hart. (6) Hij was met het werken voor de koning 'meer achteruit- dan vooruitgegaan' en was er 'tien jaar ouder dan gewoonlijk' door geworden. De koning had hem tot waanzin gedreven. 'Zodra Zijne Majesteit sprak, moest ik de tekening maken, dezelfde dag dikwijls nog opgaven doen van de kosten en het werk aannemen; was het werk aangenomen en de tijdbepaling opgegeven, dan moest het werk in veel minder tijd worden opgeleverd.' Willem II wilde volgens Ellinkhuizen een dak, zonder lood of zink, dat helemaal was betegeld. Toen hij zei dat dit in het Hollandse natte klimaat onmogelijk was, antwoordde de koning: 'Ha, ha, bange mensen, ik wil dat zo, ik wil daarbovenop een bloementuin en een wandelpad hebben.' De koning wilde in zijn gotische zaal bovendien gemetselde gewelven, zonder dat ijzeren ondersteuning zichtbaar was. Toen Ellinkhuizen zei dat dit niet kon, zei hij: 'Ik wil dat zo, man. Willen jullie het niet maken dan laat ik het door anderen doen.' Nog tijdens de bouw stortte het hele gewelf in elkaar. En toen alles in 1848, nog net voor de dood van de koning, af was, begonnen de lekkages en bleek de bouw niet stevig. Van het droompaleis van Willem II bestaat tegenwoordig alleen nog de gotische zaal. De rest moest worden afgebroken.

De aftakeling van het koninklijk paleis was symbolisch voor een andere neergang: die van de familie van Oranje. Vanaf 1840 ging het steeds verder bergafwaarts. Willem II kon het vertrouwen in het monarchale bestuur van het koninkrijk dat door zijn vader al was beschadigd, niet herstellen en de liberale beweging die erop uit was om de koning zijn macht te ontnemen, werd met de dag sterker.

Iedereen die zijn oudste zoon, de aanstaande Willem III, kende, hield bovendien zijn hart vast voor de toekomst.

In het systeem van erfopvolging dat nu nog steeds bestaat, telt geschiktheid niet. De functie gaat naar de eerstgeboren zoon, ongeacht diens kwaliteiten. Nu was in de kleine Europese cercle van vorsten bekend dat de oudste zoon van koning Willem II en Anna Paulowna een enfant terrible was. Hij ontbeerde iedere vorm van inlevingsvermogen en onderscheidde zich door zijn brute en onbehouwen gedrag. Volgens Willem II verstoorde zijn zoon 'met zijn bizarre, recalcitrante ideeën altijd weer de harmonie binnen de familie'.[103] De stemmingswisselingen en woedeaanvallen van de prins vielen meer mensen op. De Britse diplomaat Howard zei dat hij 'weinig of geen' vertrouwen had in het bestuur van de toekomstige Willem. (8) Zijn gedrag, beaamde de Britse diplomaat Disbrowe, 'is niet dusdanig dat het hem de waardering van zijn toekomstige ondergeschikten zal opleveren'.[104]

Een hofarts zocht de oorzaak in een verkeerde opvoeding,[105] anderen vermoedden dat zij moest worden gezocht in de genetische invloed van zijn moeder, Anna Paulowna. De Romanovs hadden nogal wat gestoorde geesten in hun stamboom. De grootvader van de prins, tsaar Paul I, was daarvan een beroemd voorbeeld. Net als Paul, kon de prins van Oranje door zijn waandenkbeelden behoorlijk op drift raken. Toen hij twaalf jaar oud was, adviseerde zijn onderwijzer aan zijn vader om de prins 'voorzichtig te laten zijn met zijn verbeelding, die hem soms doet ontsporen'. Het ging volgens de leraar 'zover dat hij dingen die hij zelf heeft verzonnen, als feit aanneemt en daar als zodanig over vertelt'.[106] De familie had betere kandidaten voor de troon. Prins Willems jongere broers, Alexander en Hendrik bijvoorbeeld. De eerste was een talentvol luitenant-generaal bij de cavalerie, de tweede vergaarde een indrukwekkend vermogen door de investering in tinmijnen in Indië. Maar de spelregel was dat de oudste zoon moest opvolgen.

Het vooruitzicht dat een fantast op de troon zou komen te zitten, maakte veel ministers en kamerleden liberaler dan ze eigenlijk waren. Voordat het zover was, kon er maar beter een nieuwe grondwet komen die de koninklijke macht inperkte. Thorbecke, die daar vurig voor pleitte, vond in het karakter van de kroonprins de rechtvaardiging van zijn plannen.

Hoewel Willem II zelf ook weinig vertrouwen had in zijn oudste zoon, deed hij toch het noodzakelijke om hem verder te helpen. In 1839 zocht hij onder leiding van zijn vader, toen nog koning, een vrouw voor hem. Huwen en voortplanten was een noodzakelijke investering in de toekomst, hoezeer iedereen ook twijfelde aan het 'materiaal' waarmee gewerkt moest worden. De ongelukkige bruid werd Sophie van Württemberg, die op de avond dat zij onder zware druk van haar vader het huwelijksaanzoek van prins Willem accepteerde, zich naar eigen zeggen voelde alsof zij een 'doodvonnis' tekende. Ze vond dat haar aanstaande 'geen goede manieren' had, 'matig onderlegd' was en een 'gebrek aan verstandelijke ontwikkeling' had.[107] Toch baarde zij snel na het huwelijk twee kinderen: prins Willem ('Wiwil') in 1840 en prins Maurits in 1843. Kinderen krijgen was nu eenmaal ook staatszaak.

Het was geen harmonische familie waar Sophie in trouwde. Aan het hof van Willem II had eigenlijk iedereen ruzie met elkaar. Anna Paulowna was behalve de schoonmoeder ook de tante van Sophie, maar dat maakte de relatie niet warmer. Integendeel. Sophies moeder, Catharina Paulowna, had ooit geprobeerd om Willem II in te palmen,[108] maar Anna Paulowna had hem uiteindelijk gekregen. De zusters Anna en Catharina Paulowna hadden een ijzige verstandhouding met elkaar en Anna Paulowna had dus bepaald niet staan juichen toen de mannen in hun beider families het huwelijk bekokstoofden waardoor haar nichtje op een dag haar plaats als koningin zou krijgen.

Het familiehoofd Willem II was bovendien gebrouilleerd met zijn vader, zijn moeder was dood, met zijn stiefmoeder had hij geen contact, en met zijn oudste zoon kon hij slecht overweg. Zijn echtgenote was onderhevig aan stemmingswisselingen en zelf had hij afpersers achter zich aan die hem chanteerden met zijn seksuele dubbelleven. Op dit strijdtoneel zorgde de verwende jongere zuster van Willem II, prinses Marianne, voor de nodige afleiding. Je zou haar de prinses Margarita van toen kunnen noemen, maar zeker naar de maatstaven van die tijd, maakte zij het bonter dan de dochter van Irene. In 1814 nog een vertederend vierjarig prinsesje dat bij haar overkomst naar Holland alle harten veroverde, toonde Marianne als volwassene een opmerkelijke seksuele vrijgevochtenheid. De verhalen over erotische spelletjes in haar villa te Voorburg zijn legendarisch. Zo zou zij een verhoogd plateau hebben laten timmeren op een kale boomstam in haar tuin, waar zo nu en dan naakte jonge vrouwen op plaatsnamen. Stalknechten, slechts gekleed in rijlaarzen, moesten het plateau beklimmen. Wie als eerste boven was, mocht de vrouw onder de ogen van prinses Marianne en enkele genodigden, 'nemen'.[109] In het begin van de jaren dertig kreeg Marianne problemen met haar echtgenoot, Albert van Pruisen. Eerst werd de schuld bij hem gezocht. In geheimschrift rapporteerde de Haagse commissaris van politie, Abraham Ampt, verontwaardigd dat Albert werd gesignaleerd in bordelen.[110] Maar toen Marianne bij hem wegliep en een relatie begon met haar – eveneens getrouwde – lakei Johannes van Rossum (14), veranderde medelijden met haar in verachting en werd zij sociaal gezien een paria, zeker toen zij in januari 1849 ook nog van hem in verwachting raakte. Anna Paulowna en Willem II kregen eind februari 1848 nog een grote schok te verwerken toen hun geliefde zoon, Alexander, op 29-jarige leeftijd overleed.

Maar alle persoonlijke problemen werden naar de achtergrond gedrongen toen in diezelfde maand februari de troon in gevaar kwam. In Europa brandde een internationale revolutie los die alle koningshuizen in het nauw bracht. Het systeem van monarchale solidariteit dat in 1814 de revolutionaire geest terug in de fles had gekregen, stond op het punt om het te begeven. Eind februari 1848 werd in Frankrijk koning Louis-Philippe van Orléans afgezet door het volk. Sophie van Württemberg schreef geschokt aan haar vriendin dat ze het niet kon geloven. Maar liberalen zoals Thorbecke zagen hun doel juist dichterbij komen. Zij hadden altijd al voorvoeld dat er een schok nodig was om constitutionele hervormingen erdoor te krijgen.[111] De veranderingen aan de grondwet waar de koning tot dusver mee akkoord was gegaan, gingen niet ver genoeg. Voor echte verandering waren krachten van buiten nodig. En die dienden zich nu aan. Na de Franse opstand in maart volgden opstanden in Oostenrijk, Hongarije en Pruisen en braken ook in Amsterdam en Den Haag relletjes uit. Onder de elite was de sfeer gespannen. 'We deden ons best om vrolijk en op ons gemak te lijken,' schreef de Engelse lady Emma Disbrowe, die te gast was bij vrienden in Den Haag, 'maar alle oren waren gespitst om te horen of er een steen werd gegooid door het raam, wat het signaal zou zijn dat het huis werd aangevallen.' (9)

Om de troon niet kwijt te raken en om niet te hoeven vluchten, net als zijn ouders en grootouders in 1795, besloot Willem II tot een ingrijpende koersverandering. Deze ommezwaai, in het voorjaar van 1848, zou Willem II mede tot zijn eigen verwondering de geschiedenis doen ingaan als de leider van de grootste liberale staatkundige vernieuwing van de eeuw. Dankzij hem zou het koningschap drastisch veranderen. Het was niet uit overtuiging dat hij die stap nam, wel uit overlevingsdrang. De rijtuigen stonden volgens diplomatendochter Emma Disbrowe al klaar voor een nieuwe vlucht van de koninklijke familie naar het buitenland (9), toen Willem II op 13 maart 1848 de voorzitter van de Tweede Kamer, Boreel van Hogelanden, bij hem op het paleis ontbood. Hij was bereid een offer te doen, zei hij. Hij wilde een ruime grondwetsherziening. Boreel antwoordde dat dit volgens hem geen 'offer' was, maar een daad 'in het belang van de dynastie en van de troon'.[112] Willem II drukte de Kamervoorzitter daarop de hand en zei de zaak nu snel te willen regelen, voordat 'een hoop volks hem of de Kamer zou trachten te intimideren'. Twee dagen later riep de koning de Oostenrijkse, Pruisische, Engelse en Russische gezanten bij elkaar en zei: 'Voor u ziet u een man die in 24 uur van zeer conservatief zeer liberaal is geworden.' Hij moest wel, legde hij aan het gezelschap uit. 'Ik dacht dat het beter was de schijn te wekken dat ik er uit vrije wil mee heb ingestemd, dan dat ik er later toe zou worden gedwongen.' (10, 11) In het najaar van 1848 werd de nieuwe grondwet van kracht. Het goedkeuren daarvan is het belangrijkste dat Willem II in zijn regeerperiode heeft gedaan. Wat de koersvaste Willem I in de crisis rond België te laat deed: toegeven, deed zijn wispelturige zoon op tijd. Doordat hij zich opzij liet schuiven, voorkwam hij dat hij werd afgeschaft, zoals met zijn collega in Frankrijk gebeurde.

De nieuwe grondwet bepaalde dat niet de koning, maar de ministers voortaan verantwoording schuldig waren aan het parlement. De koning zou niet langer hoeven te bepalen of en wanneer ministers in de Kamers verschenen en wat ze daar moesten doen. De koning werd als 'onschendbaar' uit de politiek omhoog getild, zodat ministers voortaan samen beleid konden maken. Van moderne democratie was in de verste verte nog geen sprake, want alleen de rijken hadden stemrecht. Maar de grondwet bood aan ministers voortaan wel de ruimte om zelfstandig te opereren en daardoor kon het parlement, dat hun beleid moest controleren, een serieuzere rol krijgen.

Ofschoon Willem II een nederlaag had geïncasseerd, was hij nog nooit zo hartelijk toegejuicht bij een opening van de Staten-Generaal als in september 1848. En dat terwijl het in de rest van Europa nog steeds onrustig was. (13) Het besluit om de grondwet te wijzigen, maakte hem steeds vrolijker. Want populariteit, daar was hij gevoelig voor. Zoals wel vaker, haalde hij ter verklaring van dit 'wonder' de hogere machten erbij. 'Het is werkelijk een inspiratie van boven die mij heeft geleid,' schreef hij naderhand aan zijn dochter Sophie.[113] In werkelijkheid kwam de inspiratie van beneden: van zijn (liberale) onderdanen.

Willem 11 heeft de nieuwe verhoudingen zelf nog nauwelijks kunnen meemaken. Op 17 maart 1849, een jaar nadat hij akkoord ging met de plannen voor de nieuwe grondwet, overleed hij plotseling aan een hartstilstand. (15) Johannes Zwijsen, de Tilburgse bisschop, deed uitgebreid verslag van zijn sterfbed. Zijn vrouw, Anna Paulowna, kreeg te horen dat de koning te zwak was om haar te ontvangen en werd pas bij hem toegelaten toen hij al dood was. Dat had een langdurig en ijselijk gegil van haar tot gevolg. (16)

Toen brak het moment aan dat velen zo hadden gevreesd: Willems oudste zoon moest koning worden.

Ooggetuigen

I INHULDIGING

I december 1840

LADY EMMA DISBROWE, DOCHTER VAN SIR E.C. DISBROWE,
BRITS AMBASSADEUR IN DEN HAAG

Tijdens de inhuldiging van Willem II wordt anderhalf uur lang de grondwet voorgelezen – in het Nederlands. Met name voor de buitenlandse gasten is het weer een lange zit.

Het hele corps diplomatique, de Hollandse ministers, en ambtsdragers in alle gradaties, kortom, het overgrote deel van de society ging van Den Haag naar Amsterdam voor de gelegenheid. (...) Het eerste wat er te zien was, was de entree in de stad van de koning en koningin en de prinsessen. De koning en de prins waren te paard, omringd door de Etat Major en verschillende andere ambtsdragers. Men had Willem II geadviseerd paard te rijden, hij zag er altijd zo goed uit in het zadel. Maar anderen vonden het verkeerd dat hij paardreed, die zeiden dat het leek alsof hij het escorte leidde dat de koets van de koningin begeleidde. Ik geloof dat prinses Sophie, de enige dochter van de koningin, haar vergezelde, en dat de andere prinsessen van Oranje de koningin vooraf waren gegaan en haar ontvingen.

De stad was zeer smaakvol gedecoreerd met vlaggen en groen, en de ontvangst door de burgers van Amsterdam was zeer royaal en loyaal, en de koning en de koningin namen het hartelijke welkom dat ze kregen gracieus in ontvangst.

Die avond bleven de koninklijke hoogheden rustig thuis, en wij werden geïnviteerd op een gemiddelde Amsterdamse partij, de saaiste ontspanning waar ik ooit in mijn leven ben geweest. De kamer stond vol whisttafels, en de enige niet-spelers waren een meisje dat ik niet kende en ikzelf. We hadden een heel klein plekje om te staan met onze rug tegen de muur. Ik had het gevoel alsof er nooit een einde zou komen aan deze avond en ongetwijfeld dacht mijn metgezellin er hetzelfde over, hoewel deze vorm van amusement misschien niet zo nieuw voor haar was als voor mij. De kroningsceremonie werd hier de 'inhuldiging' genoemd, omdat er geen kroon aan te pas kwam. De koning zwoer alleen de eed te regeren volgens de grondwet. Het kostte baron Van Doorn, de voorzitter van het parlement, eerst anderhalf uur die grondwet hardop voor te lezen.

Gezien het zeer koude weer en de enorme omvang van de kerk, die niet kon worden verwarmd, had de koningin toestemming gegegeven aan alle dames om hooggesloten jurken en lange mouwen te dragen, ondanks hun slepen, die natuurlijk niet konden worden weggelaten. Hare Majesteit kondigde ook haar eigen intentie aan zich te bedekken, zodat er geen 'luxe d'épaules' [weelde van schouders] diende te zijn, zoals wij het noemden. Natuurlijk werd de combinatie een grote puzzel. Ik weet dat dat zo was voor mijn moeder, zowel wat haarzelf betrof als voor mij, want onze jurken waren al klaar toen de order werd uitgevaardigd, en haar zilveren stof of mijn paarse zijde lieten zich slecht combineren. Toen kwam het probleem van de hoofdbedekking (...) De vraag prangde wat te doen met de ongetrouwde dames. Onze ouders hadden tulbanden, dopjes, en alle soorten hoeden waarmee ze hun hoofd konden bedekken en hun diamanten konden doen schitteren, maar wij meisjes werden in de kou gelaten bij zulke gelegenheden. Mijn moeder en de hofkapper kwamen samen tot een prachtige creatie van zilveren en paarssatijnen stroken voor mij. Die bedekte mijn hoofd, hing over mijn oren, en door al die zilveren stroken, bloemen en veel haar, heb ik geen herinnering aan enige kou. De heren droegen pruiken.

We verlieten onze verschillende hotels tussen elf en twaalf, iedere delegatie in twee rijtuigen en met al de status die ze konden vergaren, maar ik geloof dat alleen Engeland prat kon gaan op bepoederde koetsiers en voetlui. Ik denk dat die gewoonte elders niet bestond. Het corps diplomatique bezette tribunes links van de troon tegenover de koningin en prinsessen. Natuurlijk waren wij er voor hun aankomst, en op tijd om de statige koningin Anna Paulowna te bewonderen toen ze binnenkwam, haar sleep gedragen door twee pages. Ik denk niet dat ik ooit iemand zo mooi heb zien lopen als zij. Ze was lang, had een goed figuur, en in die tijd ook prachtig blond haar. Ze had meer diamanten dan enige prinses in Europa, uitgezonderd de keizerin van Rusland. Al haar juwelen schijnen verloren te zijn gegaan bij de brand in haar paleis in Brussel, daarom hebben de keizer van Rusland, de koning van Nederland en haar echtgenoot ze samen vervangen, en naderhand werden de meeste verloren stenen gevonden tussen de ruines. Het jaar erop werden al haar juwelen gestolen, en opnieuw vervangen zoals tevoren, en binnen achttien maanden werden de gestolen stenen teruggevonden in New York, en herkend op een verkoop door mevrouw Huygens, de vrouw van de Hollandse minister. Hoewel de koningin een heleboel diamanten droeg bij de inhuldiging, hadden ze daar minder effect dan op het bal, omdat haar jurk van zilveren stof was en haar sleep van gouden stof, beide diep afgezet met hermelijn. De prinsessen van Oranje, Sophie, Frederik [bedoeld wordt de vrouw van prins Frederik, Louise] en haar dochter prinses Louise [de latere koningin van Zweden] die koningin Anna Paulowna volgden, schitterden ook van diamanten en goud en zilver. Bij de entree van het koninklijk gezelschap klonken zeer enthousiaste kreten, maar die waren nog zwak vergeleken bij de kreten die de koning zelf verwelkomden. Hij kwam te voet vanuit zijn paleis, onder een baldakijn gedragen door zes generaals. Hij droeg zijn staatsmantel over zijn uniform en de 'cap of maintenance' zoals hij werd genoemd, op zijn hoofd. Dat laatste was een hoofddeksel dat hij ofwel zelf had uitgevonden of geïntroduceerd had, en dat hij altijd zou dragen tot het eind van zijn leven: een hoge pet van blauwe stof met een brede gouden band. Hij zag er zo goed, zo gedistingeerd, zo ridderlijk uit dat iedereen geroerd was toen hij de eed op de constitutie aflegde, na het voorlezen van de grondwet.

Die werd gevolgd door de eed door zijn zonen [Willem, Alexander en Hendrik], broer [Frederik], evenals de ministers en allerlei ambtsdragers. Hierna kwam er een preek in het Hollands van de hofprediker, en een gebed, en toen verliet de koning de kerk, terugkerend zoals hij was gekomen, onder zijn baldakijn. Zijn vertrek was een signaal voor de koningin, prinsessen en alle anderen om het gewijde gebouw te verlaten.

Er waren twee staatsvoorstellingen in het theater ter gelegenheid van de inhuldiging, een in het Frans, een in het Hollands. 's Avonds was de hele stad prachtig verlicht. De inwoners van elke straat en kade hadden afgesproken op dezelfde hoogte te verlichten, en ook doordat alle lichten in de grachten werden weerspiegeld was het resultaat fantastisch. We wandelden de stad rond, mijn moeder met meneer Willem van Tuyll, na hen mijn vader en ik. We vermeden de straten waar de koninklijke optocht doorheen trok, en konden alles zien zonder in de verdrukking te komen. Andere, meer ondernemende mensen, waren niet zo gelukkig, en sommigen werden doodgedrukt. (...)

Het bal waarin de festiviteiten uitmondden was het mooiste dat ik ooit heb gezien. (...) De diplomaten en de ministers van het land waren al ontvangen in een andere zaal, en de koning had zichzelf geamuseerd zoals hij gewoonlijk deed: door het maken van opmerkingen over de jurken van de dames. Zijne Majesteit zei tegen mijn moeder, die in wit en goud gekleed was, dat ze op de koningin van Golconda leek. Na tien dagen van festiviteiten keerden we terug naar Den Haag, voor eenzelfde koninklijke entree als in Amsterdam. De volgende middag woonden we allemaal een officiële hofbijeenkomst bij. We verzamelden ons in een buitenzaal, tot werd aangekondigd dat de koning en de koningin hun plaatsen in de troonzaal hadden ingenomen. Toen werden we allemaal naar binnen geleid, op volgorde van ouderdom, volgens de regels van het congres van Wenen. Eerst kwam de diplomatie, aangevoerd door de doyen en de doyenne baron en barones Van Selby. De Russische minister, graaf Lottum, kwam daarna, maar omdat zijn vrouw er niet was, liep mijn moeder naast de doyenne; en zo werd ik van haar gescheiden. Iedereen stond op zijn aangewezen plaats, de diplomaten aan de rechterhand van Hunne Majesteiten, de Hollandse ministers aan de linkerhand. Ik moest naast juffrouw Van Selby staan, de dochter van de Deense minister, die ik altijd zag als beschermster in die vroege dagen dat ik nog zo bang was voor de buitenlandse gewoonte om meisjes niet onder hun moeders vleugels te laten. Ella van Selby wist alles van etiquette, en ze had me die dag gewaarschuwd dat wij, dochters van ministers, vóór de echtgenoten van de staatssecretarissen moesten lopen. Maar die dames hadden, geloof ik, niet de intentie om de achterste plaatsen in te nemen. Ik weet niet precies wat er gebeurde, maar in de deuropening werd ik vastgepakt door mijn vriendin Ella, om met haar vóór Madame Pelaprat te passeren, die zelf juist van plan was voor ons naar binnen te gaan. Beiden waren veel grotere vrouwen dan ik, en beiden trokken ze zo hard ze konden, en doordat ik ook nog op mijn sleep moest letten en bovendien bang was, ging ik de verkeerde kant op. Toen ik in staat was op te kijken trof ik mezelf aan aan het hoofd van de landelijke damesoptocht, wat totaal niet de bedoeling was. Zo was ik de eerste persoon die de koning aansprak toen hij zijn ronde door de zaal begon, en hij zei: 'Jongedame, ik zou graag willen weten hoe u hier verzeild bent geraakt.' Ik antwoordde: 'Sire, mevrouw Pelaprat trok zo hard.' Hij was zo geamuseerd dat hij nog heel lang telkens zou vragen als hij me zag: 'Charlotte, vertel me, wat heeft mevrouw Pelaprat je de laatste tijd aangedaan?' Maar mijn zorgen waren nog niet voorbij, toen de koning en koningin, na hun ronde, teruggingen naar hun plaatsen, want door mijn plaatsing was ik de laatste persoon die de zaal verliet, wat ik achterstevoren moest doen via beide kanten van de zaal, met mijn sleep op de vloer achter me. De koningin, die zag hoe angstig ik was, liet me de bood-schap overbrengen dat ik het prachtig had gedaan.

2 TAAL- EN STIJLFOUTEN IN DE TROONREDE

24 oktober 1840

EEN 'EENVOUDIG SCHOOLOPZIENER'

Volgens een schoolmeester barst de eerste troonrede van de nieuwe koning Willem II van de stijl- en grammaticafouten.

Ik ben een eenvoudig schoolopziener, mijnheer de redacteur, en geen staatsman. Ik ben belast met het afnemen van examina in de Nederlandse taal en stijl. Hoe onbevoegd dan ook om staatsstukken uit een rechtskundig oogpunt te beoordelen, meen ik, en dat wel van de regering zelf, enige bevoegdheid te hebben verkregen, om derge-lijke stukken uit het oogpunt van taalkunde te beschouwen.

Betreurenswaardig scheen het mij steeds dat in bijna alle stukken die van de regering uitgingen, onze schone taal zozeer werd miskend en verwrongen. Zodanige taalstukken, meende ik, behoorden vooral in goed Hollands, en niet in brabbeltaal te zijn gesteld. Schreef een kandidaat-onderwijzer een opstel in de taal en in de stijl van de regering, werkelijk, ik zou hem in geweten niet kunnen beschouwen als enigermate bevoegd om aan boerenkinderen onderwijs te geven in de Hollandse taal. Met de nieuwe regering hoopte ik echter wat dit betreft verbetering ingevoerd te zien. (...) Was de proclamatie barbaars gesteld, de troonrede is het niet minder. Verre van mij, dit de koning te willen verwijten; van een koning kan men zulke nauwkeurige kennis van taal en stijl niet vragen: maar er behoorde toch, hetzij bij de Raad van State, hetzij aan het kabinet des konings, iemand te wezen, die zulke stukken met een taalkundig oog overzag. Want is het inderdaad geen schande dat in Nederland de staatsstukken van de grofste fouten krioelen tegen taal en stijl?

(...) En nochtans krioelt deze troonrede weer van de lompste taalfouten, zoals ik met enige aanhalingen wil laten zien.

De eerste stijlfout vindt men in de eerste zin: 'Voor de eerste maal na het aanvaarden der regering op deze zetel plaatsnemende, worden mijne gedachten henen geleid' enz.

Zoals het hier staat, zouden het de gedachten wezen die plaatsnemen op de zetel; hetgeen waarschijnlijk niet bedoeld werd. Men zal vermoedelijk gemeend hebben: Terwijl ik voor de eerste maal na het aanvaarden der regering op deze zetel plaatsneem, worden enz. – Volgens de regel moet het bedrijvend deelwoord (participium activum), vooraf geplaatst, worden gevolgd door het zelfstandig naamwoord waartoe het behoort. (...)

Vervolgens is de uitdrukking: 'worden mijne gedachten henen geleid naar mijne vader' slecht. Want de gedachten gaan zich niet bezighouden met de vader daar waar hij nu is, zoals de zin betekent; maar met de vader als koning beschouwd.

In het begin van de derde paragraaf stuit men weer op twee dubbele fouten. 'Mocht het mijn koninklijke vader gegund zijn, bij het genot der gewenste ruste, nog lange getuige te wezen' enz. Men zegt rust en lang, ruste is niet erkend als zelfstandig naamwoord, evenmin als lange erkend is als bijwoord. Toen onze taal nog ongeregeld was, mag men zich zo uitgedrukt hebben; thans zijn het fouten.

En het zijn hier dubbele fouten, omdat het hier tevens kakofonieën zijn, dat is omdat de verlengingen wanklank veroorzaken die men, al waren de woorden ruste en lange goed, had behoren te vermijden; ruste moest niet volgen op gewenste, evenmin als lange onmiddellijk behoorde te worden gevolgd door getuige; die herhaling van ge, lange getuige, is bijzonder storend voor iedereen die gehoor heeft. In de tweede zin der vierde paragraaf ontmoet men weer een taalfout: in deze ure. Het woord uur, namelijk, is onzijdig, en mag niet meer vrouwelijk gebezigd worden, zoals voorheen, toen men aan de woorden, naar goeddunken zo het schijnt, nu eens dit dan eens dat geslacht gaf.

Verder, in dezelfde zin, 'omdat ik staat make', moet zijn: 'omdat ik staat maak'. Het werkwoord komt hier voor in de aantonende, niet in de aanvoegende wijs (in indicativo, niet in subjunctivo), en het werkwoord maken heeft in de tegenwoordige tijd der aantonende wijs: ik maak; in de tegenwoordige tijd der aanvoegende wijs: ik make. Men behoort de verschillende wijzen der werkwoorden te onderscheiden, en niet door elkaar te haspelen.

Door het aanhalen van deze proefjes, nog slechts uit de vier eerste paragrafen genomen, meen ik de gegrondheid van mijn aanmerkingen genoegzaam te hebben gestaafd.

3 SIGAAR

omstreeks 1845

FRANZ DINGELSTEDT, DUITSE SCHRIJVER

Een Duitser is verbaasd dat de koning van Holland in uniform op straat een sigaar rookt.

Ik zag de koning van Holland na zijn terugkomst [uit Engeland] voor de eerste keer, terwijl hij vanuit zijn zomerresidentie de Scheveningse Poort uitreed, slechts gevolgd door een rijknecht. Hij zat statig te paard, een hoge, ridderlijke gestalte, keek waarlijk vrij en opgewekt om zich heen en rookte door de straten van zijn hoofdstad een sigaar. Duitse etiquette, Duitse politie, hoor dit en huiver! Willem de Tweede, koning der Nederlanden, rookte een sigaar te paard in uniform. In de open straat een sigaar! Hoeveel had Zijne Majesteit in een Duitse residentie voor dit vergrijp moeten betalen? Ik heb tot mijn schrik gemerkt dat de ontaarde onderdanen in dit roken van hun koning niets bedenkelijks schijnen te zien, ze bleven staan en groetten hun monarch met net zo veel eerbied als wanneer hij een commandostaf in zijn hand had gehouden, in plaats van een bolknak, en hij een heel gevolg van adjudanten met epauletten en vederbossen achter zich aan had gehad.

4 GEHEIMZINNIG SPOOK

EILERT MEETER, CONTROVERSIEEL JOURNALIST TIJDENS DE REGERING VAN WILLEM I EN WILLEM II

Koning Willem II is bang voor zichzelf, beweert journalist Eilert Meeter.

In oktober, een maand nadat ik naar Holland was teruggekeerd, ontmoette ik Willem II. Hij was toen bijna 49 jaar en was bijna een jaar koning geweest. Hij was een man van gemiddelde lengte, slank, vlug, levendig en actief. Zijn lichaam was volmaakt geproportioneerd. Hij had, zoals alle leden van de familie Oranje-Nassau, de gewoonte heel korte passen te maken en zijn voeten bewogen met ongewone snelheid. Er was iets van een bescheiden gratie en een aantrekkelijke harmonie in zijn hele manier van optreden en dat was de oorzaak van die plotselinge sympathie die wij soms voelen voor mensen die wij nog nooit eerder hebben gezien. Willem II had een nobel voorhoofd, dat groter leek dan het in werkelijkheid was omdat hij nog maar weinig haar over had; zijn doordringende ogen waren helder grijs, zijn gelaatsuitdrukking wees op vriendelijkheid en om zijn mond lag een glimlach van neerbuigende minzaamheid. Zijn hele uiterlijk verried een avontuurlijke geest; zijn karakteristieke trekken, soms overschaduwd door ernstige overpeinzingen, droegen het stempel van hevige hartstochten en de sporen van innerlijke droefheid en smart die op dat hoofd waren neergekomen. Willem II had geen snor, maar grote, fraaie bakkebaarden, die onder de kin samenkwamen, gaven zijn interessant gezicht een gunstig reliëf. Soms gebeurde het dat het gelaat van deze man onverwacht een andere, vreemde uitdrukking aannam. Eensklaps scheen dan een donkere wolk zijn gedachten te verduisteren; hij raakte de draad van het gesprek kwijt, zijn ogen staarden in het niets, een elektrische schok van smart leek zijn zenuwen te raken en een onuitsprekelijk gevoel van onbehagen zijn hele wezen. Dit alles duurde slechts een paar minuten, maar lang genoeg om duidelijk te maken dat een of ander afgrijselijk denkbeeld zich aan hem opdrong en met geweld zijn gelijkmoedigheid trachtte te verstoren. Wat was dat geheimzinnige spook dat zo als bij toverslag de geest van de vriendelijke koning bekroop en zijn rust en tevredenheid verstoorde? Verweet zijn geweten hem dat hij de kroon op oneerlijke wijze had bemachtigd en dat hij zijn vaders hart had gebroken? Of werd hij tegen wil en dank herinnerd aan enkele van zijn vroegere misdaden? Niets daarvan. Hij werd niet gekweld door de herinnering aan slechte, reeds begane daden; hij was bang voor komende misdrijven, waarvan hij de wellustige verlokkingen misschien niet kon weerstaan. Hij sidderde uit angst voor zichzelf. De koning ontving mij uiterst beminnelijk en sprak mij in zeer vriendelijke bewoordingen toe. Hij zinspeelde echter in het geheel niet op zijn vaders aftreden of op de omstandigheden en machinaties die daartoe hadden geleid en ik wilde natuurlijk dat al te delicate onderwerp niet aanroeren. Hij maakte slechts terloopse opmerkingen over de politiek. Zonder van mijn kant op bijzonderheden in te gaan, drukte ik de hoop uit dat de regering van Zijne Majesteit zou mogen voorgaan zoals zij was begonnen en hem de zegen van een goed en dankbaar volk zou brengen. Na enkele vleiende opmerkingen zei hij dat ik vanaf die tijd erop kon rekenen onder zijn speciale bescherming te staan en dat hij erop vertrouwde dat ik, om zijnentwil, een juist gebruik zou maken van de talenten die de natuur mij had geschonken. Hij verzocht mij in Den Haag te blijven en op audiëntie te gaan bij de verschillende ministers, aan wie hij zijn bedoelingen kenbaar zou maken. Hij verzocht mij ijverig de politiek te bestuderen, waarvoor ik nu de beste gelegenheid zou hebben, en wanneer er na verloop van tijd een mooie post vacant zou komen, zou hij mij benoemen. Hij weidde verder uit over mijn veelvuldige processen en onaangename reizen, op grond waarvan hij wel moest aannemen dat ik de laatste jaren hoge kosten had gehad. Hoewel ik niet zinspeelde op mijn financiële moeilijkheden, noch ook maar in het minst van zins was om dat te doen, merkte ik al snel dat hij in dier voege sprak als inleiding tot het overhandigen van enkele bankbiljetten, waarvan ik, zo voegde hij eraan toe, meer kon krijgen wanneer ik hem daar, met redelijke tussenpozen, om vroeg. Zijn vrijgevigheid niet toeschrijvend aan listigheid, maar aan edelmoedigheid, gefascineerd door zijn optreden en hoogst dankbaar gestemd over zo'n vriendelijke ontvangst, verliet ik het paleis, mij afvragend of allerlei naties reden tot ontevredenheid en tot het verlangen naar democratische meerderen zouden hebben, als alle koningen zo waren als Willem ii. (...) Andere gegevens versterkten de bij mij opkomende veronderstelling dat het Willem ii ontbrak aan kracht en mannelijkheid. Niettegenstaande de persoonlijke moed en durf die hij op het slagveld had tentoongespreid, miste hij de rustige morele moed die vereist is in de raadskamer van een staatshoofd. Hij offerde te veel op aan zijn verlangen tevreden en gelukkig uitziende gezichten om zich heen te zien. Hij was zo zwak dat hij ondoordacht bezweek voor ieder met kracht doorgedreven argument, dat een langdurige en besliste weerstand van zijn kant zou kunnen uitlokken. Hij onderwierp zijn wil aan de wil van degenen die de meest doeltreffende spitsvondigheid opbrachten om hem te leiden. Te veel contact met de wereld – te veel toegeven aan verzwakkende genietingen – hadden een verdovende invloed gehad op zijn vastberadenheid. Gebras en losbandigheid enerzijds, onvoldoende oefening, zowel van lichaam als van geest anderzijds, hadden zijn oorspronkelijke kracht, kloekmoedigheid en vastberadenheid verloren doen gaan.

Koning Willem II voor de gotische zaal van zijn paleis aan de Kneuterdijk in 1848. De koning nam vanaf 1840 persoonlijk de leiding op zich van een grootscheepse verbouwing van zijn paleis. Dit project kostte zijn aannemer 'honderden slapeloze nachten'. Door constructiefouten stortte het gewelf van het dak tijdens de bouw in elkaar en later moest de aanbouw vanwege lekkage goeddeels worden afgebroken. De geopende brief die op de grond ligt, duidt op nog meer onheil. Tijdens het poseren voor het schilderij, eind februari 1848, kwam het nieuws dat Willems tweede zoon, Alexander, was overleden op Madeira. Intussen brak op straat een kleine revolutie uit van burgers die zich verzetten tegen de almacht van de koning. Dat was aanleiding voor een ingrijpende liberalisering van de grondwet. (Door: N. de Keyzer) (Koninklijk Huisarchief)

Anna Paulowna, koningin der Nederlanden, in 1849. Zij draagt hier weer de juwelen die in 1829 waren gestolen uit haar paleis in Brussel, maar die in 1833 werden teruggevonden bij Constant Polari in New York. (Door: J. B. van der Hulst) (Stichting Historische Verzamelingen van het Huis Oranje-Nassau, Den Haag. Foto: RKD/Iconografisch Bureau, 's-Gravenhage)

De prins van Oranje (de latere Willem III) bracht in 1834 samen met zijn moeder Anna Paulowna een langdurig bezoek aan Rusland. Naar verluidt erfde hij van haar het 'Russische bloed', de aanleg voor waandenkbeelden en ongecontroleerde driftaanvallen. 'Met zijn bizarre, recalcitrante ideeën verstoort hij altijd weer de harmonie binnen de familie,' schreef zijn vader, Willem II, over hem. (Door: Tschernezoff, 1834) (Stichting Historische Verzamelingen van het Huis Oranje-Nassau, Den Haag. Foto: RKD/Iconografisch Bureau, 's-Gravenhage)

Foto van prinses Marianne, de jongste dochter van Willem I, omstreeks 1870. Toen dit portret werd gemaakt, keek zij terug op een leven waarin zij was gescheiden van haar man Albert van Pruisen, een kind had gekregen van haar minnaar Johannes van Rossum en vervreemd was geraakt van haar familie. (Fotocollectie Koninklijk Huisarchief, Den Haag)

Albert van Pruisen kwam al snel na zijn huwelijk met prinses Marianne in opspraak vanwege zijn frequente bordeelbezoek. (Door: J. B. van der Hulst, 1833) (Paleis Het Loo, Apeldoorn, bruikleen Stichting Historische Verzamelingen van het Huis Oranje-Nassau)

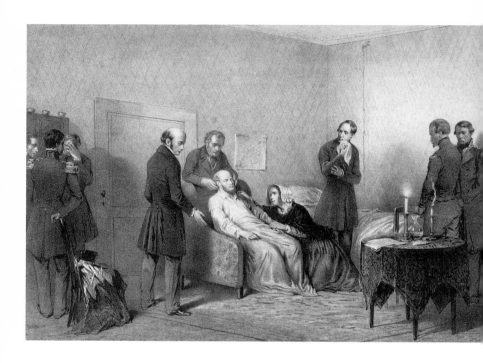

De sterfkamer van Willem II. De knielende vrouw is Anna Paulowna, die haar man pas te zien kreeg toen hij al dood was. Verder zijn afgebeeld: prins Hendrik (achter haar), de artsen Everard en Van Hees, de kamerdienaars J. L. Mattes en C. Aerts en de adjudanten J. P. baron de Girard de Milet van Coehoorn en jonkheer J. G. W. Merkes van Gendt. Bisschop Zwijsen, intieme vriend van Willem II, en in tegenstelling tot diens echtgenote Anna Paulowna wel aanwezig bij zijn sterfbed, schittert door afwezigheid. (Litho naar H. F. C. ten Cate) (Atlas Van Stolk, Rotterdam)

Anna Paulowna bij een buste van de overleden Willem II. Zij trok zich na zijn dood terug uit het openbare leven en zocht troost in de nagedachtenis van haar man en haar Russisch-orthodoxe geloof. (Door: J. A. Kruseman, 1852) (Stichting Historische Verzamelingen van het Huis Oranje-Nassau, Den Haag. Foto: RKD/Iconografisch Bureau, 's-Gravenhage)

Foto van Anna Paulowna uit 1856, gemaakt tijdens haar laatste bezoek aan Sint-Petersburg. Het was de eerste en enige keer dat zij poseerde voor een fotograaf en tevens het laatste portret dat van haar is gemaakt. (Fotocollectie Koninklijk Huisarchief, Den Haag. Foto: R. Severin, Den Haag, naar Russische foto)

De prins van Oranje (Willem III) tijdens zijn verblijf in Engeland. Toen zijn vader Willem II op 17 maart 1849 plotseling overleed, moesten drie ministers daarheen reizen om hem over te halen de troon te accepteren. (Aquarel, 1849) (Stichting Historische Verzamelingen van het Huis Oranje-Nassau, Den Haag. Foto: RKD/Iconografisch Bureau, 's-Gravenhage)

Prins Frederik (1797-1881), de jongere broer van Willem II, met zijn militaire staf. Frederik leidde in 1830 tevergeefs de militaire expeditie die de opstandige Belgen moest neerslaan. Binnen de familie gold hij juist als vredestichter; hij bemiddelde in talloze persoonlijke conflicten. Na de dood van Willem II zag het er even naar uit dat prins Frederik de troon zou bestijgen in plaats van zijn neef Willem III, die toen in Engeland zat. (Fotocollectie Koninklijk Huisarchief, Den Haag)

Intocht van de nieuwe koning Willem iii in Amsterdam op 11 mei 1849. (Litho door C. W. Mieling) (Atlas Van Stolk, Rotterdam)

5 MATERIEEL GEZICHTSPUNT

24 december 1844

J.C.H. BAUD, WAARNEMEND GOUVERNEUR-GENERAAL EN MINISTER VAN KOLONIËN ONDER WILLEM I EN WILLEM II

Hoewel Nederland zijn rijkdom grotendeels aan de koloniën te danken heeft, vindt koning Willem II de scholing van Javanen geen goed idee.

Ik kon in hetgeen de koning zei, geen zweem bespeuren van de overtuiging dat de tegenwoordige bezetters van Java slechts werktuigen zijn in Gods hand om beschaving te verspreiden. Zijne Majesteit scheen de zaak geheel te beschouwen vanuit het materiële gezichtspunt en scheen te vrezen dat men van lieverlede zou afwijken van het principe dat men de Javaan onkundig houdt om hem gemakkelijker te regeren en dienstbaar te maken aan ons financieel belang. Nadat ik de koning gerust had gesteld omtrent de aard van het door mij bedoelde onderwijs, nadat ik hem had voorgehouden hoe belangrijk bekwame inlandse hoofden zijn (ook uit zijn gezichtspunt) voor ons, en nadat ik hem verzekerd had dat het godsdienstige punt buiten aanmerking zou blijven, gaf hij zijn toestemming tot het indienen van de voordracht, echter met blijkbare onwil en zich verheugende dat mijn voorstel slechts de strekking had om consideratie en advies te vragen, dat men zich dus nog nader beraden kon, dat men in alle geval daarmee een jaar uitstel won etc. Ik sprak van de aandrang waarmee het bijbelgenootschap van zijn standpunt scholen verlangde, en van de ontevredenheid die bij onze confessionelen bestaat dat het gouvernement de Javanen slechts beschouwt als koffie- en suikerproducenten en niet als wezens wier beschaving aan onze zorg is toevertrouwd. Ik sprak van de beschuldigingen in druk tegen ons geuit (o.a. in een recent artikel in *De Gids* van prof. Veth), maar dit alles werd beantwoord met een aangezicht waarop ik meende te lezen: geringschatting en ongeloof.

6 KONING WIL BLOEMENTUIN

1842

J.E. ELLINKHUIZEN, AANNEMER TE DEN HAAG

Aan baron Van de Westkapelle, voorzitter van de Commissie van Beheer van de nalatenschap van Willem II

Als bouwmeester was Willem II weinig realistisch.

Toen ZM Koning Willem II in het jaar 1842 de zogenaamde marmeren zaal wilde daargesteld hebben, deelde ZM aan ons werkbazen en de heer De Brouwer zijn plan mee, dat hij die zaal evenals de gang van daaruit tot aan de eerste toren in het Noordeinde, geheel van metselwerk gemaakt wilde hebben, de zoldering van gemetselde gewelven van boven met een plat gemetseld dak, zonder lood of zink, maar net zoals in Italië, waar de meeste daken met tegels gedekt zijn. Hoe wij ook probeerden om ZM daarvan af te brengen, en hoe wij ook aantoonden dat ons klimaat het niet toeliet het zo te kunnen of te mogen bouwen, dat hielp niet. Lachende voegde ZM ons toe: 'Ha! Ha! Bange mensen! Ik wil dat zo, wil daarbovenop een bloementuin en wandeling hebben en van onderen voor brand verzekerd zijn, dat als er brand in mijn paleis komt, ik dadelijk al wat waarde heeft, daarin laat brengen. Voorts laat ik mijn schilderijen aan koorden hangen, zodat die afgesneden kunnen worden en onmiddellijk te transporteren zijn naar de gemetselde zaal, en daar zijn beveiligd tegen brand, dus moet er een voldoende hoeveelheid steen en kalk onder de gotische zaal aanwezig zijn, zodat als de goederen in de gemetselde zaal geborgen zijn, onmiddellijk het deurkozijn waarmee men uit de gotische zaal op het hardsteensbordes der marmeren zaal komt, moet worden dichtgemetseld en laat dan de boel maar branden.'

Wij verhaalden ZM dat er dan zware ijzers met schoten aan de buitenkant der muren aangebracht moeten worden, zoals men die in grote kerkgebouwen en ook onder de gaanderijen op het Binnenhof vindt. 'Dit verlang ik in het geheel niet', was het woord van ZM; 'ik wil volstrekt geen ijzers in het gezicht hebben, het moet tevens een tentoonstellingszaal worden.' Ook al vertelden wij ZM dat het op die manier geen betrouwbaar werk werd, dat hielp niet. 'Ik wil dat zo, man,' voegde ZM mij toe. 'Wil jelui het niet maken, zal ik 't door anderen laten doen.' Wat zouden wij doen, hoogedelgeboren heer? Ons belang vorderde te gehoorzamen. Wij verzochten nog om er een architect bij te mogen halen. 'Wat architecten,' kregen wij tot antwoord. 'Ik ben je architect, ik wil geen architecten, ik verkies niet aan de leiband van die mijnheren te lopen. Ik moet het zelf betalen, en wil zelf ordineren, ordineer ik u een bult te maken, dan maak je mij een bult.'

7 GEVAARLIJKE PRINSES

1846

LADY EMMA DISBROWE, DOCHTER VAN SIR E.C. DISBROWE, BRITS AMBASSADEUR IN DEN HAAG

Inmiddels door de meeste leden van de koninklijke familie verguisd vanwege haar losbandige liefdesleven, wordt prinses Marianne steeds baldadiger.

Het moet denk ik in januari 1846 zijn geweest dat het nieuwjaarsbal, normaal rond het midden van de maand gegeven op het paleis, een week eerder plaatsvond dan normaal. Er werd geen reden voor gegeven, maar men wist dat prinses Marianne ziek was, en er werd verondersteld dat de koningin, die haar aanwezigheid niet op prijs stelde, de zaak had vervroegd terwijl zij veilig in bed lag. Het bal vond plaats, en op het midden van de avond verscheen de prinses, overdekt met waterpokken. Ze liep recht naar de koningin, die haar handen op haar rug legde. De koning schudde haar de hand, en de consternatie was groot. Mijn moeder gebood me, zoals volgens mij de meeste moeders hun dochters geboden, om zo snel mogelijk weg te rennen naar de verste kamer die ik kon bereiken. De prinses die de algemene opschudding opmerkte volgde, en schudde de hand van zo veel mogelijk meisjes als ze kon vinden, inclusief die van mijzelf. Veertienhonderd mensen vingen de waterpokken, inclusief de koning en verschillende prinsessen, maar gelukkig vielen er geen doden en maar heel weinig ernstige gevallen.

8 TACTLOZE KROONPRINS

15 juni 1847

SIR HOWARD, BRITSE DIPLOMAAT

Het karakter van de kroonprins, die Willem III moet worden, doet het ergste vrezen voor de toekomst.

Zijne Majesteit is zeer populair bij zijn onderdanen en deze populariteit wordt, denk ik, enigszins bevorderd door de vrees die in de hoofden van veel mensen is ontbrand, dat de bestijging van de troon door de prins van Oranje nadert. Zijne Koninklijke Hoogheid heeft zich absoluut niet kunnen verzekeren van de achting van zijn toekomstige onderdanen en heeft bij veel gelegenheden zo veel gebrek aan tact en veronachtzaming laten zien van het advies van wijzere en meer ervaren mensen, dat er weinig of geen vertrouwen kan worden gesteld in het oordeel en de vaardigheid waarmee hij de belangrijke rol moet gaan spelen waar hij zeer waarschijnlijk spoedig toe zal worden geroepen. Er wordt al gedebatteerd over vragen die in de afgelopen jaren door alle partijen ter zijde zijn geschoven. De noodzaak van een herziening van de grondwet en de kwestie van de verantwoordelijkheid der ministers heeft op dit moment in beide kamers veel voorstanders. De opwinding die dit debat veroorzaakt, is voor u een voldoende aanwijzing voor het wantrouwen en de angst die de bestijging van de troon door de prins van Oranje op dit moment zou veroorzaken, en zal u in staat stellen de onrust te begrijpen, waarmee alle klassen de precaire gezondheidstoestand van Zijne Majesteit gadeslaan.

9 DREIGENDE MENIGTE

februari 1848

LADY EMMA DISBROWE, DOCHTER VAN SIR E.C. DISBROWE,
BRITS AMBASSADEUR IN DEN HAAG

Als in 1848 overal in Europa opstanden uitbreken tegen de adel en het koninklijke gezag, ziet ook de Hollandse elite de bui hangen. De rijtuigen staan al gereed voor een vlucht van de Oranjes naar het buitenland.

Holland leed minder dan de meeste andere naties op het continent, maar zelfs in Den Haag hadden we verschillende waarschuwingen van de menigte die op straat paradeerde tijdens verschillende opeenvolgende avonden. Op een avond waren we op een grote partij bij baron Van Doorn, de voorzitter van het parlement, een sterke conservatief, en daarom gekant tegen de menigte. Hij was een groot vriend van ons, en omdat hij het geen goed idee vond zijn partij af te blazen, vonden wij het natuurlijk een goed idee om te komen. We deden ons best om vrolijk en op ons gemak te lijken, maar alle oren waren gespitst om te horen of er een steen werd gegooid door het raam, wat het signaal zou zijn dat het huis werd aangevallen. Gelukkig nam de menigte een andere route, hoewel ze heel dichtbij kwamen. Ik geloof dat het die avond was dat ze alle bakkerijen binnendrongen, alle broden pakten, en het geld voor wat ze meenamen achterlieten op de stoepen van de winkels die ze overvielen. Op een andere avond gingen mijn zusje en ik naar het theater met gravin B., dochter van baron Selby, de Deense ex-minister, de vrouw van zijn voorganger. We waren nog niet lang in het theater toen een jonge man die tot de diplomatie hoorde, binnenkwam en tegen gravin Bille Brahe zei: 'Ik veronderstel dat u niet wilt blijven voor het tweede stuk, u zult het niet leuk vinden.' Zij antwoordde: 'Mijn jonge vrienden en ik gaan zelden samen uit, dus we willen ons amuseren en tot het einde blijven.' Count Sievers zei toen: 'U kunt niet blijven, de menigte verzamelt zich in de straten, en u moet zo snel mogelijk naar huis.' Natuurlijk luisterden we naar dit advies en snelden zo snel mogelijk het rijtuig in. (...) Het was goed dat we veilig thuiskwamen. Binnen een halfuur snelde de menigte langs ons huis in alle uitdossingen, met toortsen en lantaarns, en gillend en schreeuwend, maar ze gingen voorbij en deden nergens kwaad.

(...) De volgende dag werd er volgens de overlevering een andere demonstratie gepland door Koning Menigte, maar toen kwam het nieuws van de dood van prins Alexander [20 februari 1848], de favoriete zoon van de koning, in Madeira. De burgemeester zette overal borden neer met het nieuws, en de bevolking zei toen: 'Onze koning is in zulk verdriet, we zullen de stad rustig houden' en geen ziel bewoog zich die avond. Wat was dat een goede reclame voor zowel koning als volk! De burgemeester vertelde ons later dat hij erg in zorgen had gezeten. Hij vond de menigte zeer bedreigend, vooral samengesteld uit vrouwen, maar hij voelde zich enigszins gerust wat de persoonlijke veiligheid van de koninklijke familie betrof toen hij een aanzienlijke hoeveelheid turfstekers onder de massa zag. Dat was een erfelijke vakbond, en als lichaam stonden de turfstekers bekend als toegewijde aanhangers van het Huis van Oranje.

Het was een grote troost voor ons allen om te voelen dat we tenminste voor een tijdje veilig waren voor het bestuur van de massa. Later werd gefluisterd dat alles voorbereid was voor de vlucht van de koninklijke familie, paarden en rijtuigen werden dag en nacht klaar gehouden. Ik geloof dat er vele aanpassingen in de grondwet werden gemaakt in die tijd. De koning gaf op veel punten toe. Alle oude ministers dienden hun ontslag in, en er kwam een totaal andere klasse mannen naar voren. Onze speciale vrienden, de goede oude Hollandse families, trokken zich in groten getale terug van de society, en we moeten het doen met een veel minder gelijksoortig gezelschap.

10 KONING OVERSTAG

17 maart 1848

SOPHIE VAN WÜRTTEMBERG, SCHOONDOCHTER VAN WILLEM II

Aan haar vriendin lady Malet

Na lang tegenstribbelen, accepteert Willem II de voorstellen voor een nieuwe grondwet, die het land democratischer maakt en de macht van de koning drastisch beperkt.

De toestand hier is als volgt: in de vorige herfst heeft de koning in zijn rede bij de opening van de Staten-Generaal een herziening van de grondwet beloofd. Heel de winter heeft hij besteed aan discussies hierover met de ministers, de Raad van State, enz. Toen de nieuwe artikelen ten slotte klaar waren en aan de Kamers werden voorgelegd, waren die Kamers geschokt over de inhoud: geen, of nauwelijks, veranderingen! Toch zeiden een paar vleiers tegen de koning dat het volmaakt was. Geruchten, vooral uit Amsterdam, werden steeds kritieker. Zondag zei de koning tegen prins Frederik en mij: 'Ik zal geen haarbreed toegeven!' waarop ik antwoordde: 'Men dwingt u er dus niet toe!' Maandag hadden wij enkele heren aan het diner, onder anderen de voorzitter van de Tweede Kamer. Hij fluisterde mij in het oor: 'De koning heeft mij vanmorgen bij zich geroepen, om me te zeggen dat hij, na wat hij gehoord heeft over de ontstemming in de Kamer, toegeeft, en de Kamer opdraagt het initiatief te nemen tot nieuwe voorstellen, en ook, dat hij dit uit vrije wil doet, zonder ruggespraak met zijn ministers.' Dinsdag jongstleden liet de koning dit in de couranten zetten, en natuurlijk waren de ministers razend en dienden hun ontslag in. Dit werd woensdag bekend; drommen volk, opgezweept door tendentieuze berichtgeving van een schandaalblad, gaan zich te buiten aan allerlei opgewonden geschreeuw over de val van het kabinet, met de vriendelijke bedoeling bij de ex-ministers de ruiten te gaan ingooien. Tot nu toe heeft dit nog geen ernstige gevolgen gehad, maar u kent het Hollandse gepeupel, het ergste soort dat er bestaat! In het rustige Den Haag ziet men vreemde veranderingen en ongure types. De stad heeft een heel ander gezicht gekregen. Maar het meest verontrustende feit is de buitengewone principeloosheid die de koning aan de dag gelegd heeft, waardoor zijn vroegere ministers zijn onverzoenlijke vijanden geworden zijn, want zij kennen zijn manier van doen te goed en weten wat er achter de schermen gebeurt. Onze positie wordt steeds ongunstiger; en de koning had het allemaal in de hand kunnen houden, wanneer hij de dingen met allure, spontaan, had aangepakt. Ik dineerde aan het hof en dacht dat hij zich tegenover mij terneergeslagen en gegeneerd zou gedragen. Maar hij was in een opgewekte stemming.

II VAN CONSERVATIEF TOT LIBERAAL IN 24 UUR

15 maart 1848

WILLEM II

Aan buitenlandse gezanten in Den Haag

Willem II legt de gezanten van Oostenrijk, Engeland, Pruisen en Rusland uit waarom hij plotseling akkoord is gegaan met de nieuwe grondwet.

Ik heb u alle vier laten komen, omdat u als het ware heel Europa vertegenwoordigt, om u de aard van de gebeurtenissen die zojuist hebben plaatsgevonden uit te leggen en de positie waarin die mij hebben gebracht. U ziet voor u een man, die van zeer conservatief, binnen 24 uur zeer liberaal is geworden. Maar het feit is dat iedereen mij in de steek heeft gelaten en ik plotseling geheel alleen ben. De hele conservatieve partij is overstag gegaan en daardoor zag ik mijzelf overboord raken. Ik dacht dat ik maar beter op zijn minst de schijn kon wekken dat ik akkoord ging, dan dat ik er later toe zou worden gedwongen. Ik zag dat er gevaar in het gebouw was en ik heb de voorzitter van de Kamer laten roepen, zoals u weet. Hij heeft mij bevestigd dat zich in de conservatieve partij een grote draai had voltrokken en dat zelfs de afgevaardigden waar ik tot dusver op kon rekenen, die van Brabant en Zeeland, mij in de steek hadden gelaten. Dus zei ik tegen hem: er is dus geen moment meer te verliezen, zet u aan het werk en zeg namens mij tegen uw collega's dat, omdat ik zie dat mijn voorstellen niet voldoende waren, ik bereid ben om hun eisen te ontvangen en akkoord te gaan met alles wat voor het welzijn van dit land nodig zou zijn...

12 THORBECKE TEVREDEN

8 april 1848

JOHAN RUDOLF THORBECKE, LIBERAAL VOORMAN EN
ONTWERPER VAN DE NIEUWE LIBERALE GRONDWET

De goedkeuring van het ontwerp voor de nieuwe grondwet verloopt uiteindelijk vrij vlotjes.

Ik belegde de vergadering op zondag ochtend 8 april thuis bij de heer Donker. Ik bracht het opstel van de grondwet, het verslag en het voorlopig kiesreglement mee. Wij resumeerden zondagmorgen en -avond en kwamen ten einde. Enkele punten, vooral het stuk der koloniën, vorderden nog een samenkomst die de volgende morgen werd gehouden. Ik liet vervolgens de grondwet en het kiesreglement voor de koning afschrijven. Wij herlazen die stukken met het verslag nog eens dinsdagavond en tekenden toen om elf uur, waarbij mijn medeleden absoluut verlangden, dat wij onze namen zouden plaatsen zoals wij in de vergadering hadden gehandeld, ik dus bovenaan en als president. De volgende morgen om 12 uur vonden wij ons bij de koning, waar ik in diezelfde hoedanigheid de stukken aan Zijne Majesteit aanbood. Ten slotte mijner aanspraak, gaf ik onze dringende wens te kennen dat ons werk aanstonds in druk openbaar mocht worden gemaakt. De koning maakte daartegen geen bezwaar. Hij vroeg of ik er niet een kopie van had. Mijn antwoord was dat ik geen drukbaar afschrift had van het verslag, zodat ik mijn manuscript binnen korte tijd terug moest vragen. De koning gaf het inderdaad de volgende morgen terug met de betuiging dat hij zeer tevreden was; hij had slechts een aanmerking betreffende het voorschrift van de verplichte samenkomst der Staten-Generaal op de derde maandag in oktober, dat wij uit de grondwet van 1815 hadden overgenomen. Ik had ondertussen bij de landsdrukkerij alles geregeld voor een spoedige uitgave, ik bleef donderdag en vrijdag in Den Haag om erover te waken en de drukproeven te verbeteren en in de nacht van vrijdag op zaterdag was alles afgedrukt.

13 EINDELIJK RUST

7 april 1848

ANNA PAULOWNA

Aan Nicolaas I, haar broer

Het goedkeuren van de nieuwe grondwet blijkt een meesterzet. Terwijl overal in Europa onrust heerst, blijft het in Nederland rustig.

De stemming onder de burgerij is uitstekend en dat betekent een belangrijke versterking van de gemeentewacht, die op zijn beurt weer goed overweg kan met de troepen, teneinde zorg te dragen voor de handhaving van rust en vrede, die niet meer zijn verstoord sinds de autoriteiten en de politie gezamenlijk maatregelen troffen om een poging tot opstand van enkele werklui, twee weken geleden, de kop in te drukken. Die opstand was aangemoedigd door een groep communistische Duitse arbeiders, die werden ontdekt en gearresteerd. Je ziet dat ze overal hun vertakkingen hebben en zich overal van dezelfde middelen bedienen. Afgezien daarvan zijn er op dit moment geen tekenen van onrust in het land, want alom heerst rust; in de steden en op het platteland zijn krachtige maatregelen genomen om de orde te handhaven, en het is een goede zaak te zien hoe allen zich eensgezind rond de troon van hun soeverein scharen om de rechtmatige orde te verdedigen tegen de geest van ondermijning. Ik zie de sentimenten van 1830 op dit moment herleven. Ook wij stellen ons vertrouwen in God. Moge Hij ons bezielen en ons vrijwaren van de besmetting door subversieve doctrines van enige maatschappelijke orde, en ons de vrijheden gunnen die een op wettelijke grondslagen georganiseerd land kan genieten. Willem heeft het juiste moment afgewacht voor de maatregelen waartoe hij had besloten, en die maatregelen die in het land algemene instemming hebben ondervonden, hebben de onrust doen afnemen en zijn voor een belangrijk deel verantwoordelijk voor de rust waarvan de natie op dit moment zo een opmerkelijk voorbeeld vormt.

14 WEG DES HEMELS

1848

J.C.H. BAUD, WAARNEMEND GOUVERNEUR-GENERAAL EN MINISTER VAN KOLONIËN ONDER WILLEM I EN WILLEM II

Aan J. Rochussen, oud-minister, gouverneur-generaal van Nederlands-Indië

Prinses Marianne heeft intussen heel andere dingen aan haar hoofd. Zij verruilt haar Pruisische prins voor een lakei/ bibliothecaris.

De prinses Albert [prinses Marianne] heeft zich onherroepelijk met Berlijn gebrouilleerd. Haar hofstoet is terug ontboden en zij woont thans als een particuliere onbestorven weduwe op een buitenplaats nabij Voorburg. Men moet uit Berlijn de verwijdering hebben geëist van een zekere bibliothecaris Van Rossum. Aan deze voorwaarde heeft de prinses niet willen voldoen, bewerende dat de exegetische bekwaamheid van die man, met wie zij de bijbel bestudeert, haar de weg des hemels heeft geopend. Te Berlijn schijnt men aan een ander toneel te hebben gedacht. De Haagse theologanten zijn op de hand van de prinses, wier bekering zij als oprecht beschouwen, en ik ben ook op haar hand, omdat zij een allerliefste vrouw is.

15 STERFBED

14-17 maart 1849

J. ZWIJSEN, BISSCHOP VAN TILBURG EN INTIEME VRIEND VAN WILLEM II

Aan Monseigneur Carlo Belgrado, internuntius van de Hollandse Missie bij het Vaticaan

In de nacht van 13 op 14 maart roept Willem II in zijn paleis te Tilburg om een dokter. Drie dagen later sterft hij. Zijn goede vriend bisschop Zwijsen doet verslag.

14 maart 1849

Zijne Majesteit, die gisteren hier is aangekomen, werd diezelfde nacht ziek; het was op dat ogenblik elf uur. Hij maakt het nu beter en het gevaar is voorbij. Dat God hem nog lange tijd spare! Menende met deze inlichtingen aan de wensen van Uwe Excellentie tegemoetgekomen te zijn, heb ik de eer Uwe Excellentie nogmaals van de gevoelens van toewijding te verzekeren, waarmee ik verblijf

van Uwe Excellentie
de zeer nederige dienaar
J. Bisschop van Gerra

P S Nadat ik deze brief had geschreven, zei de dokter mij dat de longen van de koning zijn aangedaan en dat het slijm dat hij opgeeft met bloed is vermengd, wat niet zonder gevaar is. Dit in het geheim. Indien er een opvallende verandering in het ziekte(beeld) is, zal ik u dit berichten.

15 maart 1849

Geheim

Monseigneur,

De toestand van de hoge lijder is gisteren tegen de avond zeer verbeterd en men koesterde hoop op een prompt herstel. De benauwdheden hebben zich gedurende de nacht herhaald en duren vandaag voort, waardoor de situatie alarmerend is geworden. Om vier uur in de namiddag: de ademhaling is sedert een uur veel vrijer geworden. Om zes uur 's avonds: de situatie is niet veranderd. Men verwacht morgenochtend de koningin en de koninklijke familie. Ik hoop Uwe Excellentie morgen meer hoopgevende inlichtingen te kunnen geven.

16 maart 1849

Monseigneur,

Sinds mijn laatste mededeling is de toestand van Zijne Majesteit verergerd; volgens de mening van zijn arts, de heer Everard, kan alleen God hem nog redden. De koning heeft me laten vragen om de koningin en de koninklijke familie onderdak te willen verlenen, zodat ik veel werk heb om alles te arrangeren. Ik zal de afsluiting van deze brief tot aan het ogenblik dat de post vertrekt, uitstellen om nog in staat te zijn u nog vanavond enige informatie te doen toekomen. Ik schrijf in haast. Uw toegewijde en bedroefde dienaar J. Bisschop van Gerra

17 maart om 2 uur 's morgens

Monsieur!

De koning is dood. Ik kan u de omstandigheden niet schrijven; hier is alles in grote verslagenheid de post vertrekt.

16 GILLENDE WEDUWE

maart 1849

GILLES DIONYSIUS JACOBUS SCHOTEL, PREDIKANT IN TILBURG

Anna Paulowna is ontroostbaar na de dood van haar man.

Nog was alles in die stemming, toen 's avonds, tussen 6 en 7 uur, het rijtuig van HM de Koningin [Anna Paulowna] naderde. De geneesheren, bevreesd voor zenuwachtige aandoening, vooral bij het naderen van de nacht, achtten het hoogst gevaarlijk de diepbedroefde aan het ziekbed van de koning, die al haar komst vermoedde, echter daar niet van op de hoogte gesteld was, toe te laten. Met moeite laat zij zich bewegen te wachten tot de volgende dag, doch begeeft zich, vergezeld door de baronesse Van Nagell, dame du Palais, zachtjes in een aangrenzend vertrek en plaatst zich achter de deur om de koning te horen spreken en ademhalen. Enige ogenblikken later keert zij terug en met opgeruimder gelaat zegt zij tot een van de haar omringenden: 'Mon coeur est un peu soulagé, j'ai entendu sa chère voix.' [Mijn hart is enigszins opgelucht, ik heb zijn lieve stem gehoord.] Nauwelijks was HM enige uren te ruste gegaan, of een snel toenemende hartklopping deed de koning zelf dr. Everard roepen. 'Sentez mon coeur' [voel mijn hart], zei hij tot hem. Onmiddellijk wenkt de geneesheer met een angstige blik de omringenden om de prins [Hendrik, de derde zoon van Willem II] te roepen. Terwijl men heen snelt, springt de koning van zijn legerbrits op, vliegt zijn geneesheer in de armen, uitroepende: 'Je me sens faiblir.' [Ik voel mij verzwakken.] Deze houdt de wankelende vorst omvat, en leidt hem naar een ziekenstoel waar zijn hart welhaast ophoudt te kloppen. Enige ogenblikken later staat de prins aan de zijde van zijn vader, doch reeds was de laatste levensvonk uitgeblust. Ook Hare Majesteit is toegeijld en valt gillende op het lijk van haar koninklijke gemaal. Toen ik 's nachts om drie uur voor het paleis stond, waarheen het verlangen om een woord van troost te mogen spreken, mij gevoerd had, heerste daar rondom een diepe, akelige stilte die alleen werd afgebroken door het gillen en jammeren der onuitsprekelijk bedroefde koninklijke weduwe en van de vaderloze prins. Naderde men het paleis meer nabij, dan hoorde men het zacht wenen en snikken der trouwe dienaren. (...) Toen ik de volgende middag om twaalf uur, op verlangen van HM in de sterfkamer bij het koninklijke lijk stond, was ik getuige der diepe en toch zo onderworpen smart van de daarnaast neergezonken koningin, der tranen en snikken van de zielsbedroefde prins en van allen, die dit weemoedig toneel bijwoonden. Toen ervoer ik, zoals een dichter het uitdrukt, 'hoeveel tranen de ogen der koningen bevatten'.

17 HELP MIJ!

1 oktober 1849

ANNA PAULOWNA

Aan Nicolaas I, haar broer

Van de enorme erfenis die Willem I had nagelaten, lijkt na de dood van zijn zoon niet zoveel meer over te zijn. Weduwe Anna Paulowna wendt zich tot haar broer, tsaar Nicolaas I van Rusland.

Je zult begrijpen, dierbare en voortreffelijke vriend, dat de beweegredenen van extreem dringende aard zijn die mij ertoe brengen ons gemeenschappelijk verdriet te onderbreken door je te spreken over zaken van materiële aard. Ik meende echter, lieve vriend, dat ik, daar de familie-eer en de gedachtenis van onze dierbare Willem, van wie jij zoveel hield, in het geding zijn, tot je hart moest spreken en een beroep moest doen op je genegenheid. Je bent op de hoogte van de toestand van Willems nalatenschap.

De werkzaamheden van de commissie die was aangesteld om deze zaak te onderzoeken en te overwegen, bestonden uit het verzamelen van gegevens en het optellen van de boedel en de aanwezige activa, alsmede het vaststellen van de schulden. Deze laatste blijken uiteindelijk vierenhalf miljoen gulden te bedragen! Men acht het noodzakelijk alle bezittingen aan grond en huizen in dit land te verkopen, en ik wend me tot jou, geliefde broer en vriend, om je in deze wrede nood te verzoeken toe te stemmen in de aankoop van Willems schilderijenverzameling, waaraan je zo hecht, en die al aan je verpand is.

En als je besluit er afstand van te doen, wees dan zo goed de hypotheek op te heffen, zodat de erfgenamen – mijn kinderen, want ik ben hierin geen belanghebbende – de schilderijen door verkoop te gelde kunnen maken. Ik durf te zeggen dat hun lot in jouw handen ligt; als je mijn verzoek zou honoreren, zou je mijn kinderen redden! Je zou er de eer van de familie mee redden! De tijd dringt en de periode van beraadslaging, die al verlengd is, loopt op 17 november af, dat wil zeggen over nog geen zes weken. Ik stuur een brief mee die baron Van Doorn zojuist aan mijn secretaris, Schultz, heeft geschreven, waaruit je duidelijk zal worden hoezeer een van de voornaamste leden van de commissie van nalatenschap eraan hecht dat jij de verzameling aankoopt. Baron Van Doorn is een rechtschapen en verdienstelijk man. Hij was vicepresident van de Raad van State en is nu grootkamerheer. Ik geef je deze informatie om je te tonen dat het de opvatting is van een man van gewicht. Ik wil je ook meedelen, geliefde broer en vriend, dat ik het gezien de dringende aard van de successiekwestie mijn plicht achtte mijn erfgenamen te hulp te komen en een laatste bewijs van toewijding te geven aan de nagedachtenis van hem voor wie ik leefde, namelijk door het landgoed Soestdijk aan te kopen – onze Willem door de natie geschonken ter gelegenheid van de slag van Waterloo – opdat dit nationaal bewijs van dankbaarheid niet in handen van god weet wie zal vallen. Aangezien de som die ik hiertoe aan mijn rekeningen op Lombard Street moet onttrekken een aanzienlijke is, wil ik je hiervan zelf op de hoogte brengen en je daarbij mijn motieven geven, welke ongetwijfeld je goedkeuring zullen kunnen wegdragen. Men moet nu eenmaal materiële offers brengen ten behoeve van hen die ons dierbaar zijn, en er is onder de huidige omstandigheden geen moment te verliezen indien ik mijn kinderen wil helpen een van de fraaiste en nobelste bestanddelen van hun erfenis uit de schipbreuk te redden. Dat is de stand van zaken op dit moment, lieve vriend. Ik sluit een afschrift bij van de brief van de heer Schultz aan het Huis van Hoop en Gezelschap, om je een waarachtige indruk te geven van de situatie met betrekking tot de aankoop van Soestdijk en terzelfder tijd van het urgente karakter van de toestand.

18 ONDUIDELIJKE BEZITTINGEN

15 januari 1852

RIDDER VAN RAPPARD, FABER VAN RIEMSDIJK EN L. VAN BYLANDT, LEDEN VAN DE COMMISSIE VAN BEHEER VAN DE NALATENSCHAP VAN WILLEM II

De Commissie van Beheer van de nalatenschap van Willem II probeert een indruk te krijgen van bezittingen en schulden van Willem II. Hoewel de afwikkeling van de erfenis nog jaren zal duren, wordt althans voorlopig toch nog afgesloten met een batig saldo.

Het beheer van de bezittingen van de overleden koning was aan een aanzienlijk aantal verschillende personen opgedragen, van wie de meesten in rechtstreekse betrekking met Zijne Majesteit stonden, zonder dat er een punt bestond waarin die afzonderlijke administraties zich verenigden of samengevat werden. Ook het beheer van de thesaurier des konings, liep slechts over een gedeelte van zijn bezittingen en inkomsten, en bij de thesaurier werd geen algemeen overzicht van de bezittingen of inkomsten gevonden. Van verreweg de meeste administrateurs waren geen rekeningen voorhanden, en het bleek dat velen sinds lange tijd zelfs geen rekening hadden ingediend. Er werd dus een zeer omslachtig onderzoek en een uitgebreide briefwisseling gevorderd om tot een juiste kennis van de bezittingen te geraken en dit onderzoek werd nog ingewikkelder omdat het bleek dat omtrent de overschrijving der vaste goederen veel verzuimen en onregelmatigheden hadden plaatsgehad. Ten aanzien van de lasten en schulden, waren de werkzaamheden van de commissie ook aanzienlijk. Een algemene aantekening van een en ander werd niet gevonden; en er was zelfs veel onderzoek en briefwisseling nodig om tot een behoorlijke kennis van de vele op de vaste goederen rustende hypotheken te komen. Een oproep aan iedereen die vorderingen meende te hebben ten laste van de nalatenschap was onvermijdelijk en werd met succes gedaan, maar onder de beweerde schuldvorderingen waren er verscheidene als van R.L. van Andringa de Kempenaer, Leon en anderen die veel naspeuring en onderzoek tot juiste beoordeling vorderden en bovendien gaven verschillende omstandigheden aanleiding om de mogelijkheid te veronderstellen dat er later schuldvorderingen konden opkomen waarvan opzettelijk de opgave teruggehouden werd, tot na de beslissing over de aanvaarding der nalatenschap. (...) In de laatste maanden van 1849 was de commissie tot voldoende kennis over de toestand der nalatenschap gekomen, om daarvan een overzicht aan de hoge erfgenamen te kunnen aanbieden. (...) Bij het naderen van het tijdstip waarop het beraad zou eindigen, moest de commissie zich bezighouden met de zorg om dadelijk na de aanvaarding over voldoende middelen te kunnen beschikken ter betaling van de dringende schulden. Hiertoe werd een aanzienlijk kapitaal vereist, want behalve de som van een miljoen gulden die door Zijne Majesteit de Keizer van Rusland aan de overleden koning tijdelijk verstrekt was, behoorde van de overige schulden een aanzienlijk bedrag onmiddellijk betaald te worden. Door de toezegging van Zijne Koninklijke Hoogheid prins Frederik om voorlopig de middelen te verstrekken tot bestrijding van de schuld aan de keizer van Rusland, door de welwillende tussenkomst van Hare Majesteit de Koningin-moeder, die zich bereid verklaarde om het domein van Soestdijk voor ruim 400.000 gulden over te nemen en die som dadelijk bij de aanvaarding te voldoen, door een belening van een half miljoen gevoegd bij de in kas zijnde penningen, achtte de commissie zich in staat gesteld om bij de aanvaarding van de nalatenschap de nodige betalingen te kunnen doen. (...)

De schuld aan de keizer van Rusland werd onmiddellijk afgedaan en binnen enkele dagen werd een zeer aanzienlijk gedeelte van de deugdelijk bevonden schuldvorderingen betaald. (...) Zij [de commissie] heeft daarna de daartoe geschikte roerende en onroerende goederen te gelde gemaakt en naarmate de verkoopprijzen ontvangen werden, schulden afgedaan. (...) De verkoping van de zo aanzienlijke galerij van schilderijen, voor het grootste gedeelte in 1850 en voor een geringer gedeelte in 1851, heeft veel zorg gevorderd. (...)

De schulden, vatbaar om betaald te worden, zijn alle gekweten.

Het voorschot van Zijne Koninklijke Hoogheid prins Frederik is uit de opbrengst van de galerij teruggegeven – de belening door de commissie gedaan, is afgelost. De commissie meent dat de tijd gekomen is om de hoge erfgenamen met de tegenwoordige staat der vereffening en der nalatenschap, bekend te maken. (...) Bij vergelijking van deze twee staten, ziet men voorts dat de overgebleven baten, de schulden en lasten met ruim negen miljoen overtreffen. (...)

Willem III

6 'Vindt u hem niet precies een gek?' Willem III op de troon (1848-1890)

Met in de hoofdrol:
Koning Willem III, zijn eerste vrouw Sophie van Württemberg en
hun zoons Willem ('Wiwil') en Alexander, en zijn tweede vrouw
Emma van Waldeck-Pyrmont en hun dochter prinses Wilhelmina.

Onder degenen die met angst en beven de dag tegemoetzagen dat Willem III koning moest worden, was ook zijn eigen vrouw, Sophie van Württemberg. 'Het ergste komt als de koning voorgoed zijn ogen sluit,' schreef ze op 3 februari 1845. 'Ik smeek God op mijn knieën dat het nog heel lang moge duren voor het zover is.' (4) Maar vier jaar nadat ze dat schreef, was het zover. En er was een merkwaardige complicatie: Willem III wilde zelf niet. Nadat Willem II de verantwoordelijkheid voor het beleid aan zijn ministers had afgestaan, had zijn oudste zoon verkondigd dat het voor hem op deze manier niet meer hoefde. Dat ze hem als koning mochten overslaan en dat ze zijn oudste zoon, de toen acht jaar oude Willem IV, bijgenaamd 'Wiwil', de honneurs maar moesten laten waarnemen. Twee maanden voor de plotselinge dood van zijn vader, op een donkere regenachtige ochtend in januari 1849, had prins Willem de boel de boel gelaten om te vertrekken naar zijn minnares in Engeland. Sophie had verbitterd geschreven aan haar vriendin: 'Hij is weg. Naar die vrouw van hem, met achterlating van onbetaalde schulden en thuis een chaos waarvan men zich geen voorstelling kan maken.'[114]

In bestuurlijke kring heerste ook een 'opgeruimd staat netjes'-gevoel. Als de beruchte kroonprins vrijwillig afstand deed, kon een evenwichtiger lid van de familie, oom Frederik bijvoorbeeld, regent worden tot prins 'Wiwil' meerderjarig was.

Maar Sophie was zich ervan bewust dat behalve de toekomst van haar man, ook die van haar op het spel stond. Als hij geen koning werd, werd zij geen koningin, terwijl dat nu juist de reden was geweest dat ze destijds met hem had moeten trouwen. Als de troon aan Willems neus voorbijging, hield zij de last van met hem gehuwd te zijn, terwijl ze de lusten misliep. Als koningin zou ze naar eigen zeggen namelijk 'meer interesses hebben, omgaan met intelligente mensen, iets te doen hebben, iemand zijn'. (2)

Hoe ongeschikt prins Willem voor het koningschap ook mocht zijn, hij moest op de troon, besloot Sophie. 'Ieder interregnum zou een ramp zijn, en de Nederlanders wensen RUST,' verklaarde ze in een brief aan haar vriendin.[115] Terwijl Anna Paulowna zich in Tilburg huilend en gillend op het lijk van haar dode man, Willem II, stortte, hield Sophie haar hoofd koel. Ze ontbood de ministers en vertelde hun dat haar man 'goed recht' had om koning te zijn, dus dat het hem op zijn minst gevraagd moest worden. De ministers antwoordden volgens haar 'geprikkeld'; Willem had toch gezegd dat hij onder de nieuwe grondwet niet wilde regeren? Maar Sophie vond dat pas als Willem na uitdrukkelijk verzoek zou blijven weigeren, een regent aangewezen kon worden. (1)

De ministers zagen ook in dat de stabiliteit van het land misschien wel niet gebaat zou zijn bij een breuk in de erfopvolging. Dus vertrok een drietal van hen naar Engeland om prins Willem tot terugkeer te bewegen. Enkele dagen later begaf Sophie zich naar de haven bij Hellevoetsluis, in de hoop daar de nieuwe koning te ontvangen. Ze moest tweeënveertig uur wachten, waarin 'miljoenen gedachten, of gebeden' door haar hoofd gingen. 'Hebt u geaccepteerd?' vroeg ze toen Willem eindelijk van de boot kwam. 'Ja,' antwoordde hij. En daarna, haast kinderlijk: 'Wat moet ik nu doen?'

Dat Willem III op dit beslissende moment om raad vroeg bij zijn vrouw, was tekenend voor hun verhouding. Sophie was intelligenter en praktischer dan hij. Ingewijden waren op de hoogte van deze scheve verdeling van talenten en zelf kon Willem er ook niet omheen.

Maar voor het grote publiek was Willem III de vader des vaderlands. Aan het begin van zijn regeringsperiode was hij populair genoeg. Hij had zijn uiterlijk mee, was groot en sterk, zoals past bij een vaderfiguur. De meeste Nederlanders bleven lange tijd onkundig van zijn vreemde buien. De inhuldiging, in mei 1849, verliep volgens Sophie 'uitstekend'.[116] 'Ik zag er goed uit en hij ook,' schreef ze. Toeschouwers vormden een cordon rond de koning en zijn paard en brachten hem zo naar het paleis op de Dam. Sommigen probeerden daarbij even zijn laars, zijn uniform of zijn sabel aan te raken.[117] Toen Sophie in de Nieuwe Kerk verscheen met haar twee zoons, werd ze 'uitbundig' toegejuicht.

De eerste dagen vervulde Willem III het koningschap beter dan verwacht. Tot opluchting van zijn vrouw gedroeg hij zich 'correct' en was hij 'gelukkig en in opgewekte stemming'. (3) De geringe verwachtingen van de nieuwe koning hadden als voordeel, analyseerde zijn moeder, Anna Paulowna, dat 'men prettig [is] verrast door alles wat hij tot dusver heeft gedaan'.[118] Maar anderhalve week nadat ze dit vaststelde, ging het al mis. Op 1 mei 1849 schreef Sophie aan haar vriendin dat haar man ruzie schopte met zijn ministers en met de hofhouding. 'Mijn hart is vol angst. De ogen van de mensen gaan open, de eerste opwelling van geestdrift is al voorbij.'[119]

Met een koning die serieus beval om ministers of ambtenaren te laten executeren, was het moeilijk werken. De regering had de koning dankzij de nieuwe grondwet in theorie minder nodig dan destijds zijn vader. Maar het duurde een tijd voordat de theorie van de grondwet praktijk werd en de koning dreigde in het begin regelmatig met aftreden. Ook ging in de eerste jaren van zijn bewind het gerucht dat hij een grondwetsherziening wilde forceren die zijn macht zou herstellen.[120] Ministers hadden zwaar te lijden onder de beledigingen die ze tijdens zijn woede-uitbarstingen naar hun hoofd geslingerd kregen. Vooral de ministers van Oorlog, het terrein waar de koning zich in zijn historische rol van 'opperkrijgsheer' bij uitstek bevoegd voelde. Ministers van Oorlog hadden de twijfelachtige eer om met koning Willem III een 'bijzondere relatie' te hebben, wat er uiteindelijk toe leidde dat voor de post nog nauwelijks kandidaten te vinden waren.[121] Volgens Kamerlid Van Eck was de koning zo overtuigd van zijn oppergezag over de strijdkrachten dat hij op een dag beval het Binnenhof te belegeren. (9) Oorlogsminister Weitzel, ingeklemd tussen parlement, legerleiding én de vaak briesende koning, blies stoom af door van Willem III een 'zielkundige studie' te maken. De gouverneur-generaal in Nederlands-Indië, Loudon, beschreef in zijn dagboek hoe hij op zijn stoel zat te 'beven van geconcentreerde woede' terwijl hij door de koning werd uitgescholden en bedreigd. (10) Het is moeilijk om achteraf vast te stellen aan welke geestelijke aandoening(en) Willem III precies leed. Vaststaat dat hij zich door het minste of geringste in zijn waardigheid voelde aangetast, last had van driftaanvallen en moeilijk onderscheid kon maken tussen waan en werkelijkheid. Tot op heden wordt in de koninklijke familie verwezen naar het 'Russische bloed' van de Romanovs dat Anna Paulowna in het Huis van Oranje heeft geïntroduceerd. Dit ter verklaring van driftaanvallen. Volgens Sophie stormde koning Willem op een dag zomaar haar kamer binnen om haar hard te krabben op haar armen, hals en keel. Om de krassen enigszins te camoufleren droeg ze dagenlang lange zwarte handschoenen.[122] Sophie was ervan overtuigd met een 'gestoord mens' van doen te hebben,[123] net als de gouverneur-generaal Loudon die tijdens de eerdergenoemde woede-uitbarsting van de koning dacht dat hij 'met een gek te doen had'. 'Vindt u hem niet precies een gek?' schreef ook hofdame Henriëtte van de Poll over de koning aan haar moeder.[124] Uit haar gedetailleerde brieven naar huis komt Willem III naar voren als een gekwelde geest, die, ervan overtuigd dat zijn omgeving tegen hem samenspande, zichzelf overeind probeerde te houden door iedereen bang te maken.

Hofpersoneel moest ertegen kunnen om het ene moment te worden uitgescholden, om daarna juist weer mierzoet te worden aangehaald. 'Houdt uw vader van bloemen?' vroeg hij dan bijvoorbeeld aan Henriëtte van de Poll. Anderzijds choqueerde de koning zijn omgeving graag door grove taal te gebruiken. Dat belastte het fijnbesnaarde trommelvlies van de hem omringende adellijke hovelingen bovenmatig. Toen in 1862 een Japanse delegatie bij hem op bezoek kwam, riep hij volgens een daar aanwezige hoffunctionaris dat zijn gasten 'godverdomme wel wandluizen' leken. (13) De hofarts Sytze Greidanus had de handen vol aan Willems personeel, dat leed aan 'nerveuze stoornissen', 'overprikkelde zenuwen' en maagklachten. (15) Weitzel beschreef hoe de koning op een balkon in Montreux zijn kamerjas opengooide om zijn geslachtsdelen te tonen aan passagiers van langsvarende boten. (14) Daar vloeide een diplomatieke rel uit voort, die met veel diplomatieke inspanning werd gesmoord.

In de loop van Willem III's regeerperiode draaide het roddelcircuit op volle toeren. Het opmerkelijkste gerucht was dat de koning zijn eigen vader zou hebben vermoord. Het was algemeen bekend dat vader en zoon op slechte voet stonden. Tegen het einde van Willem III's regeerperiode, in 1887, stelde de socialist Sicco Roorda van Eysinga dit gerucht op schrift. (11) Een andere versie van het 'vadermoord'-verhaal verscheen bijna een eeuw later, van de hand van Feyo Schelto van Heemstra, de zoon van de particulier secretaris van de latere koninginnen Emma en Wilhelmina. (12) Hij beschrijft hoe Willem II onverwachts op Het Loo verscheen, waar zijn zoon juist een feest hield met naakte vrouwen. Uit woede zou hij hem toen hebben doodgeschoten. Maar voor de koningsmoord zijn verder geen aanwijzingen, en praktisch gezien lijkt het onwaarschijnlijk dat koning Willem II, die in de ochtend van 13 maart 1849 in Rotterdam nog een schip bezocht, diezelfde avond op Het Loo was, om diezelfde nacht om twee uur vanuit zijn paleis in Tilburg een dokter te laten roepen. Willem III zat volgens de beschikbare bronnen op het moment dat Willem II stierf, bovendien in Engeland. Aannemelijker is dat de geruchten in de loop van de regeerperiode van Willem III zijn ontstaan als gevolg van zijn merkwaardige gedrag en bovendien welkome munitie waren voor de socialistische beweging, die aan het eind van de negentiende eeuw in opkomst was.

Veel andere roddels hadden wel grond. Willem III's promiscuïteit bijvoorbeeld. Volgens Sophie ging hij zover, dat hij op paleis Het Loo 'een soort kroeg' inrichtte, waar hij vrouwen ontving. (4) Deze activiteiten konden lange tijd worden gecamoufleerd, maar vanaf het begin van de jaren zestig raakten de verhalen over de vele minnaressen van de koning toch in bredere kring bekend.[125]

Volgens zijn tante Marianne, het andere zwarte schaap van de familie, was haar neef geen 'aardige man' en was er niets waar hij goed in was, maar was hij ook niet in staat tot werkelijk kwade dingen.[126] Maar minister Weitzel en echtgenote Sophie vonden dat zijn totale gebrek aan inlevingsvermogen Willem III wel tot een kwaadaardig persoon maakte. Ook hofdame Henriëtte van de Poll berichtte veelvuldig over de 'wreedheid' en het gebrek aan medeleven van de koning.[127] Zelfs Willem III's milde adjudant, Dumonceau, die de koning ondanks alles 'een diepe genegenheid' toedroeg, koesterde 'een zekere vrees' voor deze man, bij wie 'een kleinigheid zijn ideeën verstoorde' en hem 'de redelijkheid totaal uit het oog' deed verliezen.[128] Toch keek Dumonceau meestal geamuseerd naar wat zijn baas nu weer voor geks deed. Triomfantelijk vermeldde hij ook in zijn memoires dat hij de koning 'vaak op andere gedachten bracht'.[129] Aan de geesteziekte van de koning was dus eer te behalen: zij gaf ondergeschikten de gelegenheid om bij te sturen. Dat zou een van de redenen kunnen zijn dat een gestoord mens als Willem III het zo lang – eenenveertig jaar – op de troon uit heeft kunnen houden. Hij werd hierbij gedragen door dienaren, die het een eer vonden om hem de weg te wijzen.

Ook de liberalen hadden baat bij het vreemde gedrag van de koning. Voor hen was Willem III de juiste man op het juiste moment. Vanaf het moment dat de nieuwe grondwet van kracht werd, ruzieden zij met de conservatieven over de interpretatie ervan. De liberalen vonden dat de ministeriële verantwoordelijkheid niet samenging met een politieke rol voor de koning, de conservatieven vonden van wel.[130] Met Willem III aan het roer kregen de liberalen de kans om de ruimte die de nieuwe grondwet hun gaf, volop te benutten. De koning schold dan wel veel, maar hij was door zijn geestelijke verwarring nauwelijks in staat om serieus politiek te bedrijven. Thorbecke, drie keer minister van Binnenlandse Zaken in de regering van Willem III, had altijd twee pennen op zak als hij de koning iets wilde laten ondertekenen. Als de koning de eerste pen woedend door de kamer had gesmeten, zei Thorbecke: 'Hier had ik al op gerekend' en haalde de tweede pen tevoorschijn.

De koning maakte het de liberalen gemakkelijk om hun interpretatie van de grondwet – de ministers besluiten, de koning is van die besluiten slechts het symbool – door te duwen. De conservatieven zagen langzamerhand in dat zij met hun bondgenoot, de onberekenbare koning, in het moeras belandden. Een door hem afgedwongen kabinet dat niet de steun van de Kamer had, sneuvelde in 1858.[131] Dat jaar wordt beschouwd als een keerpunt: de Kamer dwong het ontslag van het kabinet af. De liberale interpretatie van de nieuwe grondwet had gewonnen: ministers moesten luisteren naar de Kamer, in plaats van naar de koning. Tussen 1866 en 1868 had een vergelijkbare confrontatie plaats, waarbij het parlement ook aan het langste eind trok. Nederland was voortaan een parlementaire monarchie.[132] Koningin Sophie profiteerde minder van de gekte van haar man dan de liberalen. Ze werd er vooral heel moe van. Knarsetandend moest ze toezien hoe hij zichzelf en het hele Nederlandse hof belachelijk maakte. 'Ik ben halfdood van al het sussen en gladstrijken,' schreef ze aan haar vriendin, na een bezoek van de prins van Zweden.[133] Sophie compenseerde veel. In haar ambitie om van haar leven wat te maken, gaf ze aan het hof van haar half waanzinnige echtgenoot toch nog enige glans. 'Als de koningin er niet is, bestaat het Nederlandse hof niet meer,' zei een Pruisische gezant zelfs in 1850.[134] Maar Sophies bewonderaars zaten vooral in het buitenland. Napoleon III, sinds 1848 president en later keizer van Frankrijk, was een van haar beste vrienden. Dichter bij huis werd ze door velen gezien als vals en ambitieus. Zelf schreef Sophie die negatieve mening over haar toe aan de 'onvoorstelbaar lage dunk van het begripsvermogen van een vrouw', die Hollanders volgens haar hadden.[135] Inderdaad werd Sophies intellectuele kijk op zaken niet altijd gewaardeerd door de mannen aan het hof. De gouverneur van de twee prinsen Wiwil en Alexander, De Casembroot, vond haar hoogdravende opvattingen onverdraaglijk. (19) Was haar maar wat meer vertrouwen in God bijgebracht, verzuchtte prinses Marianne in een brief aan een vriendin.[136] Als internationale ster die in eigen omgeving minder op waarde werd geschat, keek Sophie minachtend naar de in haar ogen bekrompen Hollanders, met hun 'lelijkste taal die er bestaat'.[137] Een minachting die ze deelde met haar schoonmoeder, Anna Paulowna. (3)

Wat zij óók met elkaar deelden, was verachting voor prinses Marianne, de zuster van Willem II. De koningin en de koningin-moeder waren het erover eens dat haar losbandige gedrag niet door de beugel kon en geen van beiden wilden haar na de geboorte van haar onechte zoon, in 1849, nog zien. Toen Marianne haar familie begin jaren vijftig kwam vragen om een adellijke naam voor hem, kreeg zij nul op het rekest. (7)

Maar deze gedeelde afkeer bracht Anna Paulowna en Sophie niet dichter bij elkaar. Voor Anna Paulowna was het moeilijk te accepteren dat Sophie haar positie als koningin overnam. Ze trok zich na de dood van haar man verbitterd terug op Soestdijk en op Buitenlust bij Scheveningen. Troost zoekend in haar Russisch-orthodoxe geloof en ervan overtuigd dat haar zoon was overgeleverd aan zijn vrouw, 'zijn gesel hier op aarde'.[138]

De kinderen van Willem III en Sophie hadden zwaar te lijden onder het slechte huwelijk van hun ouders. Kroonprins Wiwil en zijn broer Maurits werden volgens hun gouverneur De Casembroot verwaarloosd, terwijl hun vader en moeder oorlog voerden. De in 1840 geboren Wiwil, de toekomstige Willem IV, werd door zijn vader, als hij zich met hem bemoeide, bovendien ongewoon hard aangepakt. Dat leidde er volgens De Casembroot mede toe dat de prins in 1849 een onhandelbare jongen was, die voortdurend dwarslag, egocentrisch en gevoelloos was en grove taal uitsloeg. (20) Om hem klein te krijgen, werd Wiwil in 1852 naar een elitaire kostschool gestuurd. Daar werd hij scherp in de gaten gehouden, niet in de laatste plaats door zijn gouverneur, die van deze observaties tot in de intiemste details verslag deed. (21)

Wiwils jongere broer, Maurits, was volgens De Casembroot gezeglijker. Maar toen Willem III een jaar op de troon zat, kreeg deze lieveling van Sophie, zeven jaar oud, hersenvliesontsteking. Sophie en de koning kregen ruzie over de behandeling en tijdens die ruzie stierf hun kind, op 4 juni 1850. Daarop brak een totale oorlog uit in huis. Op 3 oktober 1850 schreef Sophie dat zij 'niets meer te verwachten' had van een man 'die zich van zijn vrouw afkeert aan het sterfbed van hun kind'. Voor Sophie was de dood van haar jongste zoon de genadeklap. Volgens haar vriendin lady Malet was ze sindsdien 'nooit meer kalm of gelukkig'. 'Altijd op de vlucht voor zichzelf. Een eeuwigdurende marteling.'[139] Sophie had nu alleen nog haar oudste zoon, Wiwil, die ze in zijn driftbuien op zijn vader vond lijken.

Ze zag maar één manier om het leven toch nog vol te houden: een nieuw kind baren. De slechte verhouding met de koning stond dat kennelijk niet in de weg.[140] Op 25 augustus 1851, iets meer dan een jaar na de dood van Maurits, werd prins Alexander geboren. Vlak daarna ondernam Sophie stappen om zich van haar man te laten scheiden. Er was correspondentie tussen Nederland en Württemberg omtrent de voorwaarden. (6) De echtscheiding werd nooit officieel, maar van samenleven was geen sprake meer. Sophie woonde op Huis ten Bosch, terwijl Willem III meestal verbleef op paleis Noordeinde of op Het Loo. Toen bleek dat hun jongste zoon Alexander mismaakt was – zijn ruggengraat groeide krom en zijn linkerschouder was hoger dan de rechter – dacht Willem III volgens Sophie nog steeds aan 'niets anders dan aan de jacht, zijn maîtresse, zijn smerige vermaken'.[141]

Er was nog iets waar de koning vaak aan dacht: oorlog. Willem III droomde ervan om die mee te maken, net als zijn vader en grootvader. Tot zijn grote verdriet was hem dat niet gegeven: zijn land verkeerde gedurende zijn hele regeringstijd in vrede, de overzeese oorlog in Atjeh buiten beschouwing gelaten. 'Hij leefde in een tijd zo saai, zo kleurloos dat u als mens van de twintigste eeuw u daar geen voorstelling van kunt maken,' zei zijn dochter Wilhelmina, die toen nog geboren moest worden, later over Willem III. 'Volmaakt effen land, waarin niets van allure te doen viel, waarin vooral van het koningschap heel, heel weinig viel te maken. Vader heeft altijd zijn vader en grootvader benijd, die in een tijd leefden dat er iets te presteren viel.'[142]

Willem III moest het hebben van relatief kleine nationale rampen, zoals de in Nederland geregeld terugkerende overstromingen. De watersnood in de winter van 1861 bijvoorbeeld. Na dagen van elkaar snel afwisselende dooi en vorst braken in Brabant en Gelderland de dijken door en vielen tientallen doden. Tijdens een bezoek aan het overstroomde gebied kon Willem III zich eindelijk voelen wat hij zo graag wilde zijn: een nationale held. Volgens hoogleraar Lauts, die een boekje samenstelde over de koning tijdens de ramp, werd Willem III in het dorp Alphen begroet 'als een reddende Engel door de Hemelse Vader gezonden'. Hij stond 'tot aan de knieën in het water, om hen, die alles verloren hadden, toe te spreken, troostwoorden toe te voegen en hun het uitzicht op de toekomst te verhelderen'.[143] Thuis beschreven als 'precies een gek', werd de koning in Alphen verwelkomd als verlosser. In zijn euforie begon hij opeens, geheel tegen zijn gewoonte in, feesten te geven. Sophie schreef kort na de watersnoodramp dat zij opeens 'in een sfeer van louter bals' leefde. 'Die plotselinge dolle zucht naar feesten is vreemd voor iemand van zijn leeftijd,' merkte zij nuchter op.[144] Volgens hofdame Henriëtte van de Poll was de watersnood twintig jaar later in het paleis aan tafel nog steeds hét favoriete gespreksonderwerp van Willem III.[145]

De relatie tussen de koning en zijn opgroeiende opvolger, kroonprins Wiwil, raakte intussen volledig verstoord. Volgens de negentiende-eeuwse Oranjetraditie hield de koning zijn oudste zoon zo ver mogelijk van de troon. Wiwil, die volgens zijn moeder intelligenter en wereldser was dan zijn vader, had, ook geheel volgens de familietraditie, geen enkel respect voor hem. En eenmaal volwassen, zocht hij de opwinding in het Haagse nachtleven. 'Ik zoek geen geluk, ik zoek alleen genot,' zei hij tegen zijn verontruste moeder.[146] Toen hij eindelijk een serieuze liefde vond, Mathilde van Limburg Stirum, verbood zijn vader hem met haar te trouwen, naar verluidt omdat zij geen prinses was. Tekenend voor Willem III's reputatie was dat in het roddelcircuit nog een andere reden werd genoemd, namelijk: dat Mathilde een halfzusje van Wiwil was.

Na de dwarsboming van dit huwelijk wilde Wiwil helemaal niets meer met zijn vader te maken hebben. Hij vertrok in 1875 naar Parijs, waar hij enthousiast werd onthaald door de beau monde, die het wel interessant vond dat deze kroonprins 'een ijzeren stoel op het terras van Bignon' verkoos 'boven alle kastelen van zijn vaderland'. (30) Maar zijn moeder, Sophie, was er 'dodelijk bedroefd' om. Toen haar zoon 36 jaar oud was en nog steeds niet getrouwd, begon zij te vrezen dat het koninklijke geslacht waar zij haar leven aan had gewijd, ten onder ging: 'Ik heb een groot verdriet. Het betreft mijn oudste zoon. Ik zie hoe dit nobele Huis van Oranje, dat glorieuze geslacht, uitsterft.'[147] Terwijl Wiwil volgens zijn moeder niets voelde 'voor een huwelijk met een prinses'[148] viel van haar jongste zoon, prins Alexander, op dat gebied ook weinig te verwachten. Zij vond hem weliswaar 'een voortreffelijk mens', maar zag dat hij 'geen charme voor vrouwen' had, en: 'hij voelt ook niets voor hen'.[149] Op die regel was Sophie zelf de enige uitzondering: prins Alexander adoreerde zijn moeder. Toen Sophie, wier 'hele bestaan' naar eigen zeggen draaide 'om die twee jongens'[150] in 1877 stierf, sprak heel Den Haag nog weken over hoe Alexander steeds naar de kist was teruggelopen om die te kussen. (23)

Sophie liet een ontredderd huis achter. Drieënzestig jaar na oprichting was de Oranjemonarchie op een dieptepunt beland. Met aan het roer een verwarde koning, die op voet van oorlog verkeerde met zijn beide ongetrouwde zoons, van wie de oudste zich vermaakte in het Parijse nachtleven en de jongste een kluizenaarsbestaan leidde in Den Haag. Maar het kon nog erger, merkte de hofhouding ruim een maand na de dood van Sophie. Toen ging Willem III openlijk samenleven met een Franse operazangeres, mogelijk een bijvangst van de masterclasses voor operazangers en -zangeressen die hij regelmatig op Het Loo organiseerde. Zijn omgeving was buiten zichzelf van afgrijzen. (24) De tijd dat operazangeressen Maria Callas-achtige allure konden verwerven, lag nog in het verschiet. Wat status betreft kwam juffrouw D'Ambre eerder in de buurt van een prostituee. Zij was de dochter van een trompettist, maar Willem III dacht het probleem van haar komaf te kunnen oplossen door haar in de adelstand te verheffen. Van 'mademoiselle D'Ambre' maakte hij 'comtesse D'Ambroise'. Hij liet de vertrekken van de overleden koningin Sophie voor haar gereedmaken, en meldde zijn omgeving dat hij met haar ging trouwen. Met vereende krachten werd hij daarvan afgebracht. De zangeres werd ongetrouwd ondergebracht op een landgoed in Rijswijk, waar de koning zelf ook min of meer ging wonen. (25) Als hij even in Den Haag moest zijn, wist hij niet hoe snel hij naar haar terug moest keren, hetgeen volgens adjudant Dumonceau leidde tot wilde ritten in de koninklijke koets, waarbij het rijtuig 'soms met twee wielen over de stoep' vloog.[51] Toen de comtesse D'Ambroise de koning na enkele maanden in de steek liet, met medeneming van de juwelen die zij van hem had gekregen, was de koning daar nog lange tijd rancuneus over. (26) Maar Den Haag haalde opgelucht adem.

Aan het begin van de lente van 1878 besloot Willem III, inmiddels 61 jaar oud, opnieuw een vrouw te gaan zoeken. Hij wilde geen betweterige leeftijdgenote zoals Sophie was geweest, maar een jonge, meegaande en vooral vruchtbare prinses. Omdat hij met zijn vijandige zoons niet uit de voeten kon, wilde hij een nieuwe troonopvolger. Hij had nog genoeg energie. Fysiek was hij sterk, zelden of nooit ziek, volgens zijn lijfarts. (37) In zijn zoektocht naar een jonge vrouw herinnerde de koning zich het bestaan van de dochter van zijn zuster Sophie, de 24-jarige Elisabeth van Saksen-Weimar. In juli 1878 ging hij op familiebezoek. Toen hij aankwam op het station van Saksen-Weimar nam hij zijn zuster voor het oog van haar onderdanen in een houdgreep, waardoor haar hoed afviel, haar rok naar boven schoof en haar benen ontbloot raakten, in die tijd reden voor diepe schaamte. Nichtje Elisabeth behandelde haar bejaarde oom en zijn gevolg aanvankelijk met alle egards, totdat de koning zijn huwelijksaanzoek deed. Vanaf dat moment was de delegatie uit Nederland lucht voor haar. (27)

Maar er waren meer jonge prinsessen in Europa. In een piepklein vorstendommetje ergens in Duitsland, Waldeck-Pyrmont genaamd, zelfs meerdere. Twee weken na de afwijzing in Weimar, liet de koning Dumonceau naar Pyrmont telegraferen dat hij wilde komen logeren. De vorst van Pyrmont schreef geschrokken terug dat de 'geringheid van zijn paleis' hem deed 'aarzelen Zijne Majesteit te kunnen ontvangen'. (28) Maar met twee huwbare dochters in huis, moet de vorst van Waldeck-Pyrmont wel hebben vermoed dat het de koning-weduwnaar niet alleen om zijn paleis te doen was.

Willem III vroeg zijn adjudant Dumonceau de reis te organiseren. Dumonceau kon Pyrmont niet vinden op de kaart, omdat het zo ver verwijderd lag van de 'gewone wegen'. Toen de koninklijke delegatie het kleine paleis vanaf het station via de kleine landweggetjes eenmaal had weten te bereiken, zat vorstin Helena klaar in de salon, met haar dochters Pauline en Emma op de sofa. Aanvankelijk richtte de koning zich tot prinses Pauline, maar algauw verplaatste hij zijn aandacht naar de negentienjarige prinses Emma, die 'knapper was'. Toen de bejaarde koning de net twintig jaar geworden Emma tijdens een tweede bezoek in september 1878 een huwelijksaanzoek deed, vond haar familie dat een niet te weigeren eer. Emma was zo opgevoed dat zij dat begreep, en zei 'ja'. Ze was serieus, geen danstype. Al hield ze wel van vrolijkheid om zich heen. 'Hoewel de prinses zelf niet erg van dansen houdt,' schreef haar hofdame voor de bruiloft aan Dumonceau, 'schept zij er toch een zeer groot behagen in andere personen te zien dansen.'[152]

Maar Willem III zat met zijn hoofd bij andere zaken. Nog vóór hij goed en wel was getrouwd, wees hij volgens minister Weitzel op paleis Het Loo de kraamkamer aan en bepaalde hij zelfs de datum waarop zijn aanstaande bruid zou moeten bevallen. (31) De bruiloft werd gevierd in het landje van de bruid. Op bescheiden wijze, maar voor Waldeck-Pyrmontse begrippen overrompelend genoeg. 'Arm klein hof, het zal overstelpt worden,' verzuchtte Dumonceau.[153] De twee zoons van Willem III, Wiwil en Alexander, waren ostentatief afwezig bij de plechtigheden.

De ontvangst van het jonggehuwde paar in Nederland was niet uitbundig. Er heerste zware scepsis over het huwelijk van de bejaarde koning met zijn kindvrouw. Journalist Busken Huet noemde Emma een 'Keulse Pottenmeid', die alleen om de status trouwde met een 'oude afgeleefde koning'. (33) Wiwil en Alexander wilden niets te maken hebben met hun nieuwe stiefmoeder, die Wiwils dochter had kunnen zijn. Kroonprins Wiwil leidde in Parijs een uitputtend leven met veel uitgaan en weinig slaap. Een paar maanden na het huwelijk liep hij een longontsteking op. Zijn arts schreef hem absolute bedrust voor, maar daar hield hij zich niet aan. Hij stierf op 11 juni 1879, achtendertig jaar oud.

Zijn jongere broer, de mensenschuwe en van jongs af aan gehandicapte Alexander, was nu de enig overgebleven kroonprins. Dat was voor hem aanleiding om even uit de anonimiteit te treden. Hij verkondigde dat Wiwils dood een groot verlies was voor het land en dat hij, steeds als hij zijn broer in Parijs had bezocht, had gemerkt dat diens 'hart warm klopte voor de belangen van het dierbaar vaderland'. Volgens Alexander zouden de 'edele en voortreffelijke eigenschappen' van zijn broer hem 'bij uitnemendheid geschikt hebben gemaakt om de teugels van het bewind te voeren.'[154] Maar hoewel Alexander duidelijk maakte dat hij zichzelf nu beschouwde als troonopvolger, leefde hij geïsoleerd verder in zijn paleis op de Kneuterdijk.

Tot zijn afschuw boekten de plannen van zijn vader om hem als troonopvolger te passeren, snelle voortgang. Op 31 augustus 1880 werd hij geconfronteerd met de geboorte van zijn rivale. Koningin Emma bracht – weliswaar niet precies op de door de koning bepaalde datum maar globaal toch volgens planning – Wilhelmina ter wereld. Alexander volhardde in zijn besluit om het kleine prinsesje, dat vlak in zijn buurt opgroeide, niet te ontmoeten. In zijn mensenschuwheid ontmoette hij overigens ook weinig andere mensen. Zijn gezondheid ging snel achteruit en toen Wilhelmina vier jaar oud was, stierf hij. Zijn vader deed dat nieuws weinig. Op de dag van de begrafenis van zijn jongste, laatste zoon, gedroeg hij zich volgens hofdame Henriëtte van de Poll zelfs opvallend vrolijk. (34) Na de dood van Alexander was het reservoir mannelijke Oranjetroonopvolgers uitgeput. De toekomst van de Nederlandse tak van het Oranjehuis hing nu af van een klein meisje, prinses Wilhelmina. Toen zij tien jaar oud was, stierf Willem III.

Nadat vrouwen de hele negentiende eeuw lang aan het hof een belangrijke rol hadden gespeeld naast de mannen op de troon, namen ze het roer nu over. Samen met prinses Wilhelmina loodste koningin-regentes Emma de Nederlandse monarchie veilig richting twintigste eeuw.

Ooggetuigen

I NOODZAKELIJKE LOYALITEIT

22 maart 1849

SOPHIE VAN WÜRTTEMBERG, ECHTGENOTE VAN WILLEM III

Aan lady Malet, vriendin

De kroonprins zit na het overlijden van Willem II in Engeland en weigert de troon te accepteren. Een Nederlandse delegatie weet hem over te halen, op aandringen van zijn vrouw, Sophie.

Ik was buiten mijzelf van ongerustheid over de koning. Zaterdagmorgen kwamen er gunstige berichten, maar om één uur trad secretaris van Staat, Van Doorn, mijn kamer binnen met het bericht dat de koning dood was. Dat ogenblik zal ik nooit vergeten.

Ik ontbood de ministers, voor wie het bericht kwam als een donderslag bij heldere hemel en vroeg hun een deputatie samen te stellen om in Engeland de nieuwe koning te gaan halen. Zij reageerden geprikkeld, spraken van troonsafstand. Ik zei: 'Het is zijn goed recht koning te zijn, maar als hij niet wil, moet prins Frederik regent worden.'

Daarmee stemden zij in. Van zaterdag tot woensdag had het land geen regering. De ministers mochten geen besluiten nemen, niets doen. Maandag ging ik naar Hellevoetsluis om hem te ontvangen en moest daar tweeënveertig uur wachten. Eindelijk kwam hij. 'Hebt u geaccepteerd?' vroeg ik. 'Ja,' luidde zijn antwoord. 'Wat moet ik nu doen?' Hij is dezelfde als altijd, onveranderd. Het volk heeft hem zonder enige vreugde of geestdrift aanvaard, uit noodzakelijke loyaliteit. Ieder interregnum zou een ramp zijn, en de Nederlanders wensen rust. Wij hebben onze plicht gedaan. Die veertig uren in Hellevoetsluis zal ik nooit vergeten, miljoenen gedachten, of gebeden, gingen door mijn hoofd; mijn verleden, mijn toekomst, alles trok aan mijn geestesoog voorbij.

2 IEMAND ZÍJN

30 maart 1849

Aan lady Malet

Koningin Sophie is opgelucht dat haar man de troon heeft geaccepteerd.

Tot nog toe gaat alles goed. Dat zal misschien anders worden, maar 'à chaque jour suffit sa peine'. Hij [koning Willem III] luistert naar de ministers, en ik hoor dat men tevreden is. Mijn leven zal er niet vrolijker op worden; ik ben meer gebonden, maar zal ook meer interesses hebben, omgaan met intelligente mensen, iets te doen hebben, iemand zijn. Wij kunnen nog geen regelingen treffen voor onze hofhouding, want wij weten niet welke civiele lijst men ons zal toestaan. Wij weten wel dat de financiën van wijlen de koning in een treurige, ja, ontstellende staat verkeren. Hij heeft zijn schilderijen verpand aan de tsaar van Rusland, en niemand weet waar de familiejuwelen zijn; sommige diamanten hebben nog toebehoord aan koningin Mary, de gemalin van Willem III. Van de grote erfenis die zijn vader hem had nagelaten, is niets overgebleven. Desondanks betreuren de mensen zijn heengaan. Hij had charme, was soms royaal en hartelijk, moedig, en ongelukkig. Ik bracht een bezoek aan zijn weduwe en ging ook naar zijn stoffelijk overschot. Hoewel niet gebalsemd en al meer dan acht dagen dood, was hij niet akelig om te zien. Bij háár [Anna Paulowna] kwam ik vol medelijden, want zij verliest alles. Maar toen ik haar woede zag, haar walgelijke heftigheid, geen zweem van echt gevoel of tederheid, alleen maar razernij, ben ik vol afkeer van haar weggegaan. Zij zal alles doen wat zij kan om een wig te drijven tussen mij en mijn echtgenoot. Nooit voelde ik zo sterk als nu, hoe door en door boosaardig zij is. Ik ben bang dat zijn volslagen gebrek aan kennis en aan routine in het afhandelen van de staatszaken betekent dat de ministers alle macht zullen hebben en dat wij stap voor stap naar een republiek toe gaan. Ik moet in het begin buitengewoon voorzichtig zijn, vermijden dat er een crisis ontstaat en alleen maar in het algemeen enige invloed trachten uit te oefenen. Alstublieft, schrijf mij, blijf mij gewoon 'u' en 'mevrouw' noemen zoals vroeger en laat mijn 'majesteit' maar over aan mijn onderdanen. Ik zal u er dankbaar voor zijn en eens te meer voelen dat u in mijn leven de enige bent die mij onveranderlijk vriendschap schenkt. Wij gaan wonen in het paleis van de vorige koning. Daar ben ik blij om. Ik heb nooit van mijn sombere huis gehouden.

3 ONVOORSTELBAAR GEMENE SCHOONMOEDER

13 april 1849

SOPHIE VAN WÜRTTEMBERG

Aan lady Malet

De nieuwe koning presteert boven verwachting, maar zijn moeder verziekt de sfeer.

Wat u zegt over mijn koning is zeer juist: nu hij gelukkig en in opgewekte stemming is en zich correct gedraagt, is men uitgesproken tevreden over hem. De mensen hadden een zo geringe dunk van hem, dat zij verbaasd zijn wanneer hij iets goed doet, zij merken het op en zijn dankbaar. Laatst hadden wij een grote receptie; terwijl iedereen boog en instemmend knikte, dacht ik eraan hoe diezelfde personen twee of drie maanden geleden geen goed woord voor hem over hadden. Zo is de wereld nu eenmaal, verachtelijk. Gisteren zijn wij naar Amsterdam geweest. In mei vindt daar zijn inhuldiging plaats; hij moet de eed afleggen, de ministers zweren hem trouw. Ik zal er ook bij zijn. Stel u voor welke streek de koningin-moeder [Anna Paulowna] mij heeft willen leveren. Zij schrijft aan de koning en vraagt hem of zij in de toekomst al mijn hofdames mag kiezen; zoiets is nog nooit ergens vertoond! In plaats van vierkant neen te zeggen, antwoordt hij dat wij ze samen zouden kunnen aanstellen, waarop ik nee zeg, geen sprake van. Als de brief hier niet naast mij lag terwijl ik zit te schrijven, zou ik het niet geloven. De verraderlijkheid en gemeenheid van die vrouw zijn onvoorstelbaar.

4 SLECHT HUWELIJK

1845-1846

SOPHIE VAN WÜRTTEMBERG

Aan lady Malet

Prinses Sophie van Württemberg over haar huwelijk met Willem III.

3 februari 1845. Een geestelijk gestoord mens – en erger nog. Een zwakkeling zou zich laten leiden uit eigenbelang, een volslagen krankzinnige kan men het gezag ontnemen, maar dit onberekenbare mengsel van absurditeit, onmenselijkheid, dwaasheid – met daartussenin ogenblikken van welwillendheid en rechtvaardigheid – zelfs een Talleyrand zou hem niet aankunnen. Het afschuwelijke van mijn positie is, dat ik vaak de schuld krijg van zijn dwaasheden en dat sommigen, met wie ik dagelijks moet omgaan, er een duivels plezier in scheppen op alles kritiek te hebben, op het model van mijn schoenen, de kleur van een japon, op alles, alles. Op het ogenblik is hij verliefd op Madame Eastbourne, dat vind ik niet zo erg; voor haar plezier heeft hij een 'bal costumé' georganiseerd. Ik zie hem haast nooit. Een hevig geschilpunt is zijn adem, die iedereen opvalt en die vermoedens wekt... Het is zo erg dat mijn kleinste jongen [prins Maurits], op wie hij dol is, begint te huilen als hij hem een kus wil geven – op een afstand houdt hij wel van zijn vader. (...)
16 april 1846. Een vreemde verrassing met betrekking tot Het Loo. Ik heb ontdekt dat de prins daar een soort van kroeg inricht, en er zijn maîtresse installeren wil. Hoewel ik vastbesloten ben nooit meer navraag te doen naar zijn schandalen, kan ik zoiets toch niet dulden, want het brengt Het Loo in diskrediet. Men zal zeggen: 'O,

daar gebeuren de gekste dingen, de prinses is er ook en zal zich wel op haar manier schadeloosstellen. Anders liet zij iets dergelijks niet toe.' Indien hij mij niet in tegenwoordigheid van een derde op ere-woord belooft dat het niet gebeuren zal, wil, noch kan ik naar Het Loo gaan.

(Ik heb een verschrikkelijk verhaal gehoord: laatst op een nacht heeft men in de straten van Leiden een dronken vrouw opgepakt en naar het politiebureau gebracht. In de cel vonden ze een andere vrouw, die ze een week eerder gearresteerd en daarna gewoon ver-geten hadden. Zij was stervende. Denk u eens in, acht dagen zonder voedsel of drinken. De cel lag aan het einde van een binnenplaats, niemand kon haar horen. De minister van Justitie heeft het mij zelf verteld. Is dat niet een voorbeeld van echt Hollandse laksheid?)

15 augustus 1846. De prins is nu weer iets beter. Elke keer wan-neer hij in de afgelopen tijd een aanval kreeg, gedroeg hij zich als een waanzinnige. Op een ochtend, toen ik zat te schrijven in de klei-ne salon, u weet wel, stormde hij naar binnen en krabde mij zonder enige aanleiding zó op mijn armen, mijn hals en keel, dat de krassen van zijn nagels nog te zien zijn. Op een andere dag liet hij me door een bediende het bevel overbrengen dat ik met mijn hofdames in mijn slaapkamer moest eten. Alleen al die aanblik van dat woeste gezicht, dat slordige lange haar en de manier waarop hij rondbeende – men kan het geen lopen noemen – maakte me ziek van afschuw. Nu is de storm uitgewoed en is hij zichzelf weer. Maar, hoewel hij iedere dag door mijn zwarte lange handschoenen herinnerd wordt aan de krassen op mijn armen, geen woord! Net als een kind dat ondeugend geweest is probeert hij het weer 'goed' te maken, door dinertjes te organiseren van het soort dat ik prettig vind, enz. enz.

5 MOEILIJK KIEZEN

1852

JONKHEER EDUARD AUGUST OTTO DE CASEMBROOT,
GOUVERNEUR VAN DE PRINS VAN ORANJE

Willem III en koningin Sophie vullen elkaar volgens sommigen goed aan.

Zal wat ik hier schrijf door de mensen die later mijn dagboek in handen zullen krijgen, worden begrepen? Men moet wel diep in de geheimen van dit hof zijn ingewijd. Men zal denken: wat voor man is die koning toch? Zou Sophie, die niet nalaat hem te tergen en tot het uiterste te drijven door hem zo diep mogelijk in zijn eergevoel te krenken, zich bij een andere man niet heel anders gedragen hebben? Neen. Geef haar het puik der mannen en nog zal zij niet stilzitten en tevreden zijn met de haar voorgeschreven positie als vrouw en koningin. Een gerust leven zou dodelijk geweest zijn. Zij heeft de intrige en het kabaal nodig. Bovendien heeft ze een dermate overwaardering voor zichzelf dat zij alleen tevreden zou zijn geweest met de rol van een Catharina van Rusland. De koning kan grofheid worden verweten en het vergeten van zijn eenvoudige plichten. Hij heeft heldere ogenblikken, doch ook andere waarin hij echt krankzinnig is. Maar wat heeft de opvoeding van de koning nu voorgesteld? Wetenschappelijk werd hij met van alles en nog wat volgepropt en fysiek ruw, hard en tartaars [ruig] behandeld. Hij werd altijd kort gehouden en daarom zou hij later met extra inzet grenzeloos zijn lusten vervullen. Wat de morele opvoeding betreft: daarin heeft hij niets meegekregen, behalve allerlei absolutistische en Russische denkbeelden en vooroordelen; en uiteindelijk een militaire opleiding van mensen die hem volpompten met grondregels en het van buiten kennen van exercitieregels. Hij is een man zonder beginselen met een verward hoofd. Zijn gedrag is af te keuren, maar voor het niet-ingewijde volk lijkt het hare onberispelijk. Hij zal worden veroordeeld en zij diep beklaagd. Hij is de grofheid en dwaasheid in eigen persoon, zij de valsheid zelve tot in het merg van haar beenderen. Men kieze nu tussen de twee.

6 SCHEIDINGSVOORWAARDEN

oktober 1851

H.F.C. BARON FORSTNER DE DAMBENOY, ONDERHANDELAAR
IN STUTTGART NAMENS KONING WILLEM III

*De huwelijksproblemen tussen Sophie en Willem III worden zo ernstig,
dat Württemberg en Nederland onderhandelen over een scheiding. Aan
Nederlandse zijde worden de voorwaarden opgesomd.*

1 De onderhandelingen die met dit doel worden gevoerd, mogen
slechts één doel hebben: dat van een vriendschappelijke scheiding. Die moet geen enkele uitbarsting tot gevolg hebben en de
koningin de ruimte geven om een klimaat te kiezen dat bevorder-
lijk is voor de gezondheid.

2 Wat betreft de personen in onze dienst die voor de koningin werken: Zij zullen het profijt van hun aanstelling en alle voordelen
die aan hun functies vastzitten, behouden.

3 Aan de 20.000 gulden die aan de koningin middels huwelijkscontract zijn toegezegd hebben wij 20.000 gulden toegevoegd voor
reiskosten en bijzondere uitgaven. Wij zullen deze sommen jaarlijks aan de koningin blijven uitbetalen.

4 De koningin zal in geen enkel geval en onder geen enkele voorwaarde een gescheiden etablissement mogen vormen binnen het
koninkrijk der Nederlanden.

5 De appartementen die worden bewoond door de koningin in onze paleizen zullen in goede staat worden gehouden voor het geval
dat Hare Majesteit daar zo nu en dan zal willen verblijven.

6 De koningin stelt zelf de duur van deze verblijven, die slechts één
keer per jaar plaats kunnen hebben en waarvan de duur nooit langer mag zijn dan de tijd van twee maanden, vast.

7 Tijdens haar verblijf in dit land heeft de koningin alle mogelijkheid om de prins van Oranje te zien, zo vaak als de reguliere lessen en het opvoedingsplan dit toestaan.

8 De allerjongste der prinsen wordt toevertrouwd aan de zorg van
de koningin tot hij zijn derde jaar zal hebben bereikt. Wij zul-

len een jaarlijkse som van tienduizend gulden bestemmen om de uitgaven te dekken die uit deze zorg voortvloeien en de personen betalen die daarmee zijn belast.

9 Alle genoemde posities van de regeling die moet worden vastgesteld, moeten worden opgenomen in een akte, ondertekend door de speciaal daartoe gemachtigden.

7 ONREDELIJKE BEHANDELING

omstreeks 1850

PRINSES MARIANNE

Aan haar biechtvader

Prinses Marianne vindt dat zij door haar familie onredelijk is behandeld. Niemand was behulpzaam toen zij een adellijke naam wilde geven aan het kind dat zij kreeg met haar vriend, Johannes van Rossum.

Innig dankbaar voor uw schrijven van gisteren zou ik willen dat ik in de stemming van vorige jaren verkeerde en me boven de onredelijke behandeling van mijn familie zou kunnen verheffen, maar deze behandeling ergert mij vooral vanwege mijn broer. Hij, de zo algemeen geachte prins Frederik, hij, de zoon van mijn brave, welwillende, christelijke ouders, hoe kan hij zo bitter tegen zijn enige zuster zijn en blijven! In 1850, toen ik terugkeerde uit Palestina, ontving hij mij met open armen. Hij waarschuwde me koningin Anna Paulowna noch koningin Sophie te bezoeken, omdat beiden openlijk verklaard hadden mij niet meer te willen zien, en omdat het hem verdriet zou doen als ze in de gelegenheid werden gesteld me onbeleefd te behandelen.

Toen ik in 1855 om regelingen voor Johannes Willem kwam verzoeken, zag ik mijn broer weliswaar niet en dat nam ik hem niet kwalijk, want mijn vorderingen moesten hoogst onaangenaam zijn voor mijn familie. Hij zond wel zijn rechtsconsulent om mij ervan af te houden op dat spoor verder te gaan, maar ik liet mij er niet van afbrengen omwille van Johannes Willem. Toen trad de hertog van Nassau in het midden en de naam Von Reinhartshuizen werd gegeven, waarmee ik vrede had.

8 TAIFOEN

1861

JAMES LOUDON, GOUVERNEUR-GENERAAL IN NEDERLANDS-INDIË

Koning Willem III staat bij ministers bekend om zijn redeloze woede. Slachtoffer Loudon doet verslag.

De ontvangst was beleefd, maar er waren tekenen van storm op het ernstige, of eerder: knorrige gelaat te lezen. Eerst de pijnlijke stilte, de gewone voorbode. Ik wilde die verbreken en vroeg: 'Is UM tevreden over de ontvangst te Amsterdam?' Sire: 'Ja, maar nu we het daar toch over hebben, ik heb veel klachten van de handel vernomen over de vrachtvermindering, en ik wil dat daar op teruggekomen wordt. Die Cornets de Groot is een gemene vent, hij heeft mij bedrogen, hij had dat niet buiten mij om mogen doen,' enz. enz. Ik keek hem vreemd aan en hoezeer C. de Groot mij tamelijk onverschillig was, hinderde 't mij toch dat die man, die in 't vorstenoog veroordeeld was omdat hij liberaal was en heulde met Van Hoevell, op die manier achter zijn rug om werd besproken. Ik zei dus: 'Sire, mag ik u zeggen dat de heer C. de Groot mij op een ochtend na een gesprek met Uwe Majesteit vertelde dat hij toestemming van Uwe Majesteit gevraagd en gekregen had voor de vrachtvermindering [letterlijk: 'om de 15 procent kaplaken af te schaffen'] en dat Uwe Majesteit hem daarbij alleen had toegevoegd: "Daar zal je de handel geen plezier mee doen."'

De koning ontstak in woede en vroeg me met wijd opengesperde ogen en donderende stem: 'Dus houd je mij voor een leugenaar?' Ik (zo kalm mogelijk): 'Volstrekt niet, sire, ik weet echt niet hoe Uwe Majesteit daarbij komt. Ik vertel alleen een feit dat Uwe Majesteits geheugen misschien te hulp kan komen. Het zou toch onverantwoordelijk zijn als de Minister strijdig met zijn plicht buiten de koning om handelde.' (...)

Misschien had ik wel wat wind gezaaid – ik kon trouwens niet anders – maar zeker is dat ik niet alleen een storm, maar zelfs een cycloon, een taifoen oogstte. De koning begon te snuiven en te blazen van dolle woede, schoof heen en weer op zijn stoel, hield zijn pol[icie]muts met dreigende gestrekte arm naar mij gericht, alsof hij hem mij in 't gezicht wilde smijten. Hij raasde als een bezetene, zou mij tussen de bajonetten voor de Hoge Raad laten terechtstellen voor hoogverraad (hij bedoelde zeker majesteitsschennis) en ik weet al niet wat voor onzin meer. Hij schreeuwde zó dat men het op straat kon horen. Ik dacht dat ik met een gek te doen had. Intussen begon dit spektakel mij gloeiend te vervelen – nooit was ik door wie ook zó bejegend. Ik zat te beven (buitengewoon) van geconcentreerde woede. (...) 'Nog nooit is zoiets gezegd tegen een prins van Oranje!' schreeuwde hij, 'en als de afstand tussen ons niet te groot was, dan sloeg ik de hand aan 't gevest van mijn degen!' Hij was ongewapend, d.i. in burgerkleding maar met pol[icie]muts, en terwijl hij deze woorden uitgilde, sloeg hij zijn rechterhand aan het denkbeeldig gevest van zijn sabel. Ik had nu ruim genoeg van die blague [= grootspraak] en terwijl ik hem strak in de ogen keek, antwoordde ik hem op zeer besliste toon: 'En als die afstand niet zo groot was dan zou ik U slaan met de degen.' Hij keek mij verstomd aan en alsof hij een emmer koud water op 't hoofd had gekregen, koelde hij een paar graden af. Na een korte pauze begon hij weer: 'Je zult erop terugkomen.' Ik: 'Nee, sire, dat kan en doe ik niet. U valt de heer Cornets de Groot hard, maar ik heb hem tot de maatregel overgehaald in het belang van het land en kan er dus niet op terugkomen. Als Uwe Majesteit echt wil dat de maatregel wordt ingetrokken, dan moet zij een andere minister nemen die ervoor te vinden is – ik doe 't niet!'(...)

Ik keek hem niet meer aan, maar staarde nijdig en bevend naar het groot schilderij van Pieneman – de slag van Quatre Bras – dat tussen ons tegen de wand hing en waarop het ridderlijk gezag van zijn vader bijzonder gunstig afstak bij zijn onridderlijk en ploertig gedrag van 't moment. Herhaaldelijk schreeuwde hij me toe: 'Heb je me verstaan?' Maar ik bleef staren en antwoordde niet. Eindelijk stond hij op, mij 'du haut de sa grandeur' toiseerend. [vanuit van zijn grootheid met minachting beziend] Ik maakte een buiging, hij draaide mij de rug toe en stapte de deur uit.

9 KONING WIL TWEEDE KAMER BELEGEREN

MR. DANIËL VAN ECK, LIBERAAL KAMERLID

De luimen van de koning maakten het hem [minister van Oorlog Delprat] en de andere ministers dikwijls ondraaglijk. Ging Delprat naar de koning, dan had hij op een boekje alles aangetekend waarover hij het moest hebben. Was er iets wat de koning niet beviel dan riep hij onder veel vloeken: 'Ik zal je laten fusilleren, daar kun je zeker van zijn. Ik zal je arrest forcé geven met een schildwacht met scherp voor je deur en met commando om als je je deur durft verlaten je neer te schieten!' Delprat boog dan even ten teken dat hij begreep dat die zaak afgedaan was en vervolgde zijn lijstje. Dikwijls scheidde de koning na zo'n woeste bui zeer hartelijk van hem en schudde hem de hand. (...) Thorbecke, zei Delprat, pleegde bij zulke aanvallen te zeggen: 'Uwe Majesteit moet niet vergeten dat als ik bij UM kom ik mijn verzoek tot ontslag steeds in de linkerhand heb.'
   (...) Oktober 1880. De oud-minister Jolles vertelde mij dat koning Willem III op een dag de minister van Justitie bij hem liet komen en hem beval de heer Bas Backer, burgemeester van Apeldoorn, te doen ophangen. De minister vroeg: 'Waarom?' Het antwoord was: 'Omdat hij majesteitsschennis heeft gepleegd.' [Wat was er gebeurd?] Een bediende van de koning die in het paleis woonde, had na sluitingstijd in een herberg vertoefd en was door Bas Backer – als ambtenaar van het Openbaar Ministerie – voor het kantongerecht gedagvaard. Die dagvaarding was aan de bediende overhandigd in het paleis des konings. Toen de minister van Justitie antwoordde dat zoiets niet met de dood bestraft werd zei de koning: 'Nou, zeg hem [Bas Backer] dan dat ik hem zes jaar tuchthuisstraf geef.'

(...)
Minister Van Heemstra, indertijd minister van Eredienst, zei mij
dat de koning hem een keer heel laat 's avonds had laten roepen, toen
hij net naar bed wilde gaan. De koning bleek van mening te zijn dat
de Tweede Kamer tegen hem gekant was omdat de Kamer bezwaar
had tegen een wetsontwerp. Hij zei van plan te zijn manschappen op
te stellen op het Binnenhof om een aanval te doen op de Kamer, en
wees aan waar hij de artillerie, de cavalerie en zijn grenadiers zou opstellen. Hij vroeg Van Heemstra om zijn oordeel. Deze antwoordde
dat hij geen advies kon geven, dat hij van dit soort dingen geen verstand had en dat hij tijdens dit soort treurige ontwikkelingen blij was
dat hij maar een eenvoudig minister van Eredienst was. De koning,
zeer tevreden dat hij in zijn plannen niet tegengesproken was, liet
Van Heemstra vertrekken en deze ging naar zijn bed.

10 PRIKKELBAARHEID

AUGUST WILLEM PHILIP WEITZEL, MINISTER VAN OORLOG
ONDER WILLEM III

Zijn ziekelijke gevoeligheid en zijn lichtgeraaktheid als hem niet de
eerbied werd betoond die hij eist gaan echter zover, dat het zelfs met
de meeste oplettendheid en omzichtigheid niet lukt hem niet nu en
dan te kwetsen. Heeft men die tegenspoed in een gesprek, tijdens
een conferentie, dan ziet men meteen aan zijn gezicht dat men heeft
gezondigd, want zijn vele onnodige vlagen van toorn kondigen zich
aan door verschijnselen die geen twijfel overlaten aan hetgeen er zal
volgen. In zijn houding komt geen verandering. Hij zit, of liever
ligt, half in een leunstoel, het ene been achteloos over het andere
geslagen met de enkel ongeveer op de knie, zijn ellebogen rusten op
de armen van de stoel, zijn handen zijn met de toppen der vingers
samengevouwen. Zo blijft hij, maar het bloed stijgt hem plotseling
naar het hoofd, zijn wenkbrauwen fronsen zich, de aderen van zijn
voorhoofd zwellen op, zijn neusvleugels zetten zich uit, en hij krijgt
soms een voorkomen, geschikt om vrees aan te jagen aan wie hem

niet kent. Ik zou ministers kunnen noemen die de nachten voor hun conferentie uit angst schier slapeloos doorbrachten als zij moeilijkheden met hem voorzagen. (...) De aanvallen van toorn worden vaak met verbazende snelheid opgevolgd door opwellingen van goede luim, maar dan moet de toorn niet opgewekt zijn geweest door vermeende krenking van het IK des konings. De prikkelbaarheid van zijn oplopend karakter en zijn autocratische neigingen schijnen met de jaren toe te nemen en het staat te vrezen dat hij vroeg of laat een even oplopend en niet zeer onderdanig karakter ontmoet dat hem antwoorden geeft waarmee de justitie geen vrede kan hebben, want ook in het openbaar en vooral ten aanzien van hoger of lager geplaatste officieren hebben nu en dan ergerlijke tonelen plaats. Die tonelen worden door de pers wel met de mantel der liefde bedekt maar zijn toch in het leger te zeer bekend om daar niet velen te verbitteren en van hem te vervreemden. Na alles wat voorafging, zal men begrijpen dat er nooit sprake is van echt overleg, van echte beraadslagingen tussen de koning en zijn ministers. Men kan met de koning niet overleggen omdat het onmogelijk is met hem te redeneren. In de ministeriële conferentie worden gewoonlijk slechts onbeduidende zaken besproken.

11 KONINGSMOORD I

SICCO ERNEST WILLEM ROORDA VAN EYSINGA, OUD-MILITAIR EN VOORMAN VAN DE ARBEIDERSBEWEGING

Sommigen verdachten koning Willem III ervan dat hij zijn eigen vader, Willem II, had vermoord.

Het was een donkere, gure avond in het voorjaar, toen de schildwacht aan het ijzeren hek van het buitenverblijf van de oude Gorilla [Willem II] een schamel gekleed persoon de weg naar het huis van de koning zag opkomen; zijn gelaatstrekken waren afstotend en droegen de sporen van een weinig ingetogen leven. Een zware rode baard omkrulde zijn vervallen gelaat, (...) en zijn hand omvatte een doornen stok met loden knop, een zogenaamde ploertendoder.

Was het te verwonderen, dat de schildwacht aan deze vreemdeling van zulk ongunstig voorkomen de toegang tot het buitenverblijf weigerde? Zeker niet. In ieder geval versperde de schildwacht hem de weg.

Hierdoor ontstond een woordenwisseling en de dienstdoende commandant der wacht, de brigadier Jossens die op het gerucht toesnelde, dreigde de vreemdeling in arrest te zullen stellen, als hij zich niet verwijderde.

De vreemdeling bedreigde de wacht op zijn beurt woedend met zijn stok, totdat er eindelijk voor iedereen uitkomst kwam opdagen in de persoon van een vertrouwde dienaar des konings, wiens woorden "'t Is prins Gorilla!' de schildwacht en de brigadier Jossens als een donderslag troffen. Prins Gorilla begaf zich met een sarcastische glimlach op het gelaat voorbij de ontstelde wachten in de tuin van het paleis, terwijl de dienaar van de koning en de brigadier Jossens enige tijd op en neer wandelden en het geval verder bespraken. Het was ongeveer zeven uur 's avonds toen deze beide vrienden afscheid van elkaar namen.

Omstreeks tien uur van dezelfde avond, na aflossing van de wachten, wandelde de brigadier Jossens nog een ogenblik in de tuin, toen hij merkte dat er nog licht brandde in de werkkamer van de koning, wat anders zelden het geval was.

Door nieuwsgierigheid gedreven, drentelde hij een beetje nader tot het paleis en hoorde op dat moment een heftige woordenwisseling. Hoewel hij de woorden niet kon verstaan, merkte hij meteen dat de koning en zijn zoon ruzie hadden, wat ook af te leiden was uit hun heftige bewegingen, die door het venster zichtbaar waren.

Plotseling ziet hij prins Gorilla met diens doornen stok een uitval doen naar het lichaam van zijn vader, hij ziet de oude man wankelen en op een stoel ineenzinken.

Op hetzelfde ogenblik snelt prins Gorilla naar het venster en sluit de blinden. Brigadier Jossens verwijderde zich en begaf zich te ruste, maar hij kon niet slapen. Voortdurend stond hem het schrikbeeld voor ogen van een zoon, die zijn vader slaat!

Pas na enige uren beving hem een onrustige slaap, waaruit hij

reeds vroegtijdig werd gewekt, om de treurige mededeling te ontvangen: 'De koning is hedennacht aan een beroerte overleden!'

In allerij werd een renbode naar de hoofdstad van het rijk gestuurd om dit treurige nieuws aan de relaties van de vorst te berichten en aan de vorstin die gescheiden leefde van haar gemaal.

Bovendien werd een bericht gezonden, (let wel!) aan prins Gorilla, die zogenaamd in het buitenland verbleef, met het verzoek om,
uit naam van zijn volk, zijn overleden vader op te volgen. Zo kreeg
het volk de indruk dat prins Gorilla, toen koning Gorilla geworden,
niet eens bij het overlijden van zijn koninklijke vader aanwezig was
geweest. Arme prins!

Maar brigadier Jossens was niet te spreken over de situatie, en
toen zijn vriend, de dienaar des konings, hem uitnodigde in het geheim nog een laatste blik op zijn overleden meester te werpen, vol-
deed hij hieraan graag, om meer dan één reden. Weemoedig begaven ze zich naar het legerbed van de vorst: daar lag hij, hun koning,
maar... ontzetting greep beiden aan, toen brigadier Jossens, indach-
tig aan wat hij de vorige avond had gezien, een onderzoek instelde,
en de dienaar des konings opmerkzaam maakte op een dikte, die op
het lichaam van de koning, even onder de plaats waar het hart ligt,
zichtbaar was.

Men onderzocht verder en ze zagen blauwe plekken. Alle bewijzen waren op het lijk voorhanden, dat de koning geen natuurlijke
dood gestorven was en toen brigadier Jossens mededeelde wat hij de
vorige avond gezien en gehoord had, waren beiden ervan overtuigd,
dat de oude koning een gewelddadige dood was gestorven.

Op de vraag waar prins Gorilla zich bevond, antwoordde de
bediende dat hij hem omstreeks 11 uur 's avonds haastig had zien
vertrekken. Hij zag er toen zeer ontdaan uit en in de gang naar de
bediende lopend, had hij die gezegd dat de koning sliep en dat hij,
prins Gorilla, onmiddellijk op reis ging.

Diezelfde nacht moet prins Gorilla nog een havenplaats hebben
bereikt en de volgende avond was hij alweer in het vreemde land
terug. Maar in die 24 uur had zich een verschrikkelijk drama tussen
vader en zoon afgespeeld.

Sindsdien werden allerlei verhalen omtrent de dood van de oude
koning verspreid. Sommigen meenden hem in leven gezien te heb-

ben in een ver land, anderen beweerden dat hij nog leefde, maar gevlucht was, om zijn schulden te ontgaan. Allemaal praatjes, meer niet. Wat hier is verteld is de zuivere waarheid, door ooggetuigen verhaald. Het is ook opmerkelijk dat men zijn voorgangers in de vorstelijke grafkelder mag bezichtigen, maar dat men weigert u het gebalsemde lijk te laten zien van de koning wiens treurig einde wij hierboven beschreven.

Zo werd Gorilla dan koning op hetzelfde ogenblik dat hij vadermoordenaar werd.

12 KONINGSMOORD II

FEYO SCHELTO VAN HEEMSTRA, ZOON VAN EEN HOFFUNCTIONARIS

Op een zekere ochtend kwam ook het verhaal los van die koningsmoord op Het Loo, waar ik nog nooit eerder van had gehoord. (...) De kroonprins van toen, dat was dus de latere koning Willem III, gaf een feest op Het Loo, en liet blote meisjes dansen op de statietrap. Helemaal onverwacht verscheen in het geroezemoes plotseling zijn vader, de koning, boven aan de trap. De kroonprins, die aangeschoten was, trok zijn revolver en schoot hem pardoes dood. Het keukendepartement was toen nog onder de hoofdingang gesitueerd. Op het gegil en geschreeuw stormde al het personeel uit het onderhuis naar boven. De kroonprins vluchtte, de koning werd weggedragen. Met alle deuren op slot moest iedereen wachten tot in de vroege ochtend de hofmaarschalk een toespraak hield, waarbij hij zei dat op doorvertellen de straf des doods stond. 'Daarom,' zo besloot hij, 'is dit zo'n mooi verhaal: Omdat je het alleen kunt vertellen aan iemand die je echt vertrouwt.' Voorzichtig polste ik vader met een vragende zinspeling.

'Bien sûr! Ces ballets roses étaient en grande vogue a cette époque-là. [Maar zeker! Die roze balletten waren in die tijd in de mode.] Bij de Heeckerens op Sonsbeeck moeten die dansende elfjes in de maneschijn langs de verlichte sprengen een feeëriek schouw-

spel zijn geweest. Blijkbaar praten dienstmeisjes daar nu nog over.'
'En grootpapa? Was die toen hofmaarschalk?'
'Welnee! Hij was toen pas getrouwd, en ikzelf nog niet geboren.'
Veel later heb ik, zonder dat iemand het gezegd heeft, beseft dat
het natuurlijk vaders grootvader, die beste Gerrit Schimmelpenninck is geweest, die midden in de nacht op Het Nijenhuis in zijn
nachtrust werd gestoord, en halsoverkop naar Het Loo is gebracht
om daar de orde te herstellen en een donderpreek te houden. Ik vergat het verhaal niet. Toen ik in mijn verlovingstijd wel eens intieme
gesprekjes met Schelto had, bracht ik het eens wat onverhoeds ter
sprake. Dat was jeugdige overmoed. Zulke indiscreties heb ik mij
later niet meer gepermitteerd. Schelto keek mij strak aan. Met een
kortaangebonden stem kreeg ik te horen: 'Voilà un sujet indiscu-
table.' [Indiscutable – niet voor discussie vatbaar – kan betekenen:
'Niet bespreekbaar' of 'Boven elke twijfel verheven.'] Nu weet ik dat
hij mij heeft gebiologeerd. Nooit ben ik erop teruggekomen. Zelfs
toespelingen heb ik niet gemaakt. Door zijn verspreking had ik overigens zijn antwoord al gekregen:
    – 'Indiscutable? Voulait-il dire non discutable?' [Niet discutabel?
Bedoelde hij onbespreekbaar?]
    'Mais non! Bien sûr: indiscutable!' [Maar nee! Echt: boven elke
twijfel verheven!]
    Tot mijn verbazing heb ik twintig jaar later uit een opmerking
van freule Van de Poll, hofdame van de koningin-moeder, in een
gesprek na het diner in onze blauwe salon aan de· Koningskade, geconcludeerd dat zelfs zij van deze geschiedenis op de hoogte was.
Daardoor heb ik nóg meer bewondering voor de koningin-moeder
gekregen, voor haar ferme karakter, haar wilskracht en doortastend-
heid. (...)

13 WANDLUIZEN

1862

S. GREIDANUS, HOFARTS

Tijdens een bezoek van een Japanse delegatie aan Nederland in 1862 beantwoordt Willem III de oosterse hoffelijkheid op zijn eigen wijze.

De plechtigheid had plaats in de ontvangstzaal, waarin een gladde parketvloer. Achter in de zaal stond de koning in generaalsuniform, terwijl zijn hunnengestalte boven de lieden in zijn omgeving uitstak, toen de kleine Japannertjes tot de ontvangst werden toegelaten. Nu zijn de Japanners uit de hogere standen allen klein van stuk en toen die mannetjes op hun veldschoenen over de gladde parketvloer nader schuifelden en hun diepe buiging maakten, was dat niet indrukwekkend. De koning sprak hen toe met zijn diepe basstem, terwijl mr. De Graaf van Polsbroek als tolk fungeerde. De taak van de tolk was niet zo heel moeilijk, want, mochten de Japanners misschien iets verstaan van wat de koning zei, ZM verstond en begreep niets van de woorden der gezanten en dus kon De Graaf er helemaal van maken wat hem het beste voorkwam. Enfin, hij deed zijn plicht en toen de audiëntie was afgelopen en het gezantschap na enige diepe buigingen weer rugwaarts schuifelde over de gladde vloer om de uitgang te bereiken, zei de koning tot zijn adjudant, die ik niet zal noemen, maar die het mij zelf vertelde, met een koninklijk woord: 'Het lijken GVD wel wandluizen.'

14 BETAMELIJKHEID

augustus 1875

AUGUST WILLEM PHILIP WEITZEL, MINISTER VAN OORLOG
ONDER WILLEM III

*Hoe de minister van Buitenlandse Zaken, P. van der Does de Willebois,
koning Willem III af weet te houden van een oorlog met Zwitserland.*

In het *Journal des Débats* van 2 augustus 1875 las men een bericht
dat op het volgende neerkwam. De koning bevond zich incognito te
Montreux en had moeilijkheden met de Zwitserse politie. De zaak
zou voor de Raad van State worden gebracht. Het betrof bepaalde
punten van betamelijkheid. (...) Men hield er zich ter plaatse veel
mee bezig, op vrolijke, spottende wijze. Volgens onze consul-gene-
raal, zoals mij door een van mijn ambtgenoten werd meegedeeld,
kwam het hierop neer: De vertrekken van de koning hadden uitzicht op het meer van Geneve. Dagelijks voeren er stoomboten
voorbij, onder en langs het balkon van een der kamers van zm. Tijdens dat voorbij varen zou zich op genoemd balkon bij herhaling
iemand hebben vertoond, die niets aan het blote lijf had, behalve
een volstrekt niet dichtgeknoopte 'redingote' [overjas]. Een feit is
dat de koning in die tijd plotseling aan de minister van Marine liet
telegraferen hem 'par grande vitesse' een Nederlandse vlag met een
oranje wimpel te zenden. [Waarschijnlijk wilde Willem III de vlag
gebruiken om zijn koninklijke status te benadrukken, zodat de ver-
ontwaardigde Zwitsers hem minder durfden aan te pakken] Toen zm
weer in Nederland was teruggekeerd, vroeg hij in een van zijn eerste
conferenties met de minister van Marine hoe de mariniers, die zich
destijds te Atjeh bevonden, het maakten. Het antwoord was: 'Goed,
sire, maar de sterfte onder hen is groot geweest, wij hebben er 25
procent van verloren.' Dit scheen de koning onverschillig te zijn, hij
nam er niet de minste notitie van maar zei: 'Nou, u zorgt maar dat ze
volgend voorjaar allemaal weer thuis zijn. Ik neem er een paar honderd mee naar Zwitserland met enige getrokken 30 ponders.'
In een conferentie kort daarna met de minister van Buitenlandse

Zaken gehouden, zei hij dat men hem in Zwitserland 'un peu trop familiairement' [een beetje te familiair] begon te behandelen en dat hij dat recht wilde trekken. Hij zou met dat doel bij een volgende reis een paar honderd mariniers en enige stukken geschut meenemen. De minister zette grote ogen op, maar vroeg slechts:

En omstreeks wanneer denkt um weer naar Zwitserland te gaan?

Koning: In de volgende zomer.

Minister: O, dan hebben wij nog tijd om de nodige voorbereidingen te treffen.

Koning: Welke?

Minister: UM zal zich herinneren dat vreemd krijgsvolk in volle vrede geen voet op Nederlands grondgebied mag zetten zonder toestemming van de koning?

Koning (op hoge toon): Dat spreekt voor zich.

Minister: Misschien zullen de Zwitsers ook iets dergelijks eisen.

Nu zette de koning grote ogen op. 'Maar,' vervolgde de minister, 'Wij hebben nog een schat van tijd voor ons en zouden als UM het goed vindt, later op de zaak kunnen terugkomen.'

De koning stapte van de zaak af en kwam er nooit meer op terug, maar ZM was blijkbaar zeer verbolgen op de arme Zwitsers.

Ik ben bang dat men mij ervan zal verdenken sprookjes te vertellen, maar ik verhaal de zuivere waarheid, mij door de beide betrokken ministers zelf medegedeeld.

15 VERKEERDE SOEPTERRINE

S. GREIDANUS, HOFARTS

De hofarts heeft zijn handen vol aan de zenuwinzinkingen van het personeel van Willem III.

ZM was geen gemakkelijke persoon; eerder de schrik van zijn omgeving. Toen prins Hendrik [broer van Willem III] nog op Soestdijk resideerde, bracht de koning hem soms een bezoek, en dan sidderde de gehele hofhouding al dagen tevoren. Kleinigheden konden hem in woede brengen en dan werden links en rechts zeer onterechte en soms zelfs belachelijke straffen uitgedeeld en boeten opgelegd. (...) Nadat de koning in '83 voor het eerst het paleis Soestdijk had betrokken, was een zilverknecht een van mijn eerste patiënten. Hij kwam onder behandeling wegens totale heesheid, hij kon geen woord meer hardop zeggen. Tevoren had hij een goede stem gehad, maar hij had die verloren door schrik, toen ZM hem hoogst eigenhandig of liever eigenvoetig de kamer had uit getrapt: de man was bij vergissing met een verkeerde soepterrine binnengekomen. Zes weken bleef hij stom. Gelukkig is hij uiteindelijk genezen, maar ik denk niet dat die behandeling van ZM de man erg sympathiek is geweest. (...) Waar ik als arts het meeste mee te kampen had waren de overprikkelde zenuwen en nerveuze stoornissen bij vele functionarissen. Toen ik eens bij de particuliere secretaris van de koning, mr. Trosarello (eigenlijk de secretaris van graaf Dumonceau), werd geroepen, trof ik ook hem in een toestand van zenuwachtige opwinding, kampend met een nerveuze maagaandoening, waarover hij heel bezorgd was. Gelukkig kon ik hem wat kalmeren en geruststellen. Hij vertelde mij dat hij van 's morgens 6 tot 's avonds 9 uur op een kantoor moest zitten, dat paalde aan de werkkamer van de koning, met in de middag één uur vrij voor lunch. Meestal had hij niet meer dan twee of drie brieven per dag te schrijven, maar hij moest toch de gehele dag in de kamer blijven, om bij de hand te zijn als de koning hem nodig had. (...) Twee dagen later bezocht ik hem weer en trof hem toen vrij opgewekt en rustig. Hij vertelde mij, dat ZM de vorige dag in zijn kamer was gekomen en het flesje met medicijnen had zien staan. 'Wat is dat?' 'Van de dokter, iets voor mij, sire.' 'Ben je ziek?' 'Ja, mijn maag is van streek, sire.' 'Zo, dan weet ik een veel beter middel dan wat de dokter je geeft. Ik heb pillen, die moet je nemen.' De koning, die zoals de meeste hoge personen graag dokterde, en zoals velen het knapst was in zaken waar hij niets van wist, kwam een ogenblik later terug met een lakei, die op een presenteerblad een doos pillen en een glas water droeg. 'Die pillen moet je innemen,' zei de koning. De secretaris was doodsbang om ze te slikken, en had de moed te zeggen dat hij die medicijnen niet durfde innemen, uit vrees dat het strijdig zou zijn met wat de dokter had voorgeschreven. Maar zm liet zich niet zo gauw uit het veld slaan en drong er opnieuw op aan, terwijl de lakei klaar bleef staan met het glas water en de pillen. De patiënt bleef echter standvastig en toen de koning bemerkte dat hij geen succes had in zijn rol als geneesheer, werd hij boos en zei: 'Als je het dan verdomt, dan moet je het laten.'

16 TJOEK TJOEK

9 november 1880

HENRIËTTE VAN DE POLL

Om kunnen gaan met het humeur van de koning is voor hofpersoneel een belangrijke vereiste.

Alles couleur de rose is het hier echter op het ogenblik toch niet, daar het humeur van de koning zeer slecht is. (...) Hij kijkt zo woedend alsof hij ons allen zou willen opeten. Eergisteren moet hij woedend zijn geweest omdat wij één minuut over elven naar boven gegaan waren; hij heeft toen order gegeven de klok in de bibliotheek tien minuten voor te zetten. Aan tafel spreekt hij weinig en zit de mensen om beurten te fixeren om te zien of hij ook een of ander kwaad ontdekken kan. Gisteren heeft hij na het eten een standje aan mr. De Jonge gegeven omdat die zijn menu in zijn zak gestoken had; maar daar waren wij niet bij, omdat we toen met de koningin in de vestibule waren. Het schijnt echter dat mr. De Jonge het er niet bij laten zal en gisterenavond een brief aan de koning geschreven heeft. Na die geschiedenis van dat menu heeft mr. De Jonge van Zwijnsbergen zijn ontslag gevraagd maar de koning heeft het hem niet willen geven. Een paar avonden geleden toen wij in druk gesprek met de koningin waren, hoorde ik de koning in de bibliotheek: 'Tjoek, tjoek, tjoek, tju, tok' of zo'n soort van geluid maken. Dat duurde een poosje en ineens kreeg ik een idee, maar zei er niets van. Toen Elise en ik de volgende dag met mr. De Ranitz en mr. Vegelin wandelden

vroeg ik: 'Wat maakte de koning gisteren toch voor rare geluiden?
Hebt U dat gehoord?' [De Ranitz zei] 'Ja, dat is iets heel geks, zou
ik het wel zeggen Vegelin?' 'Och ja,' zei Vegelin, 'zegt het maar.'
'Welnu, dan doet hij het praten van u beiden met de koningin na.'
Hoewel ik dat wel gedacht had, was ik toch geïndigneerd toen ik het
hoorde. De avonden daarop hebben wij in het begin de koningin alleen laten praten en zijn pas goed mee gaan praten toen de koning in
druk gesprek was; dit middel schijnt te helpen, want zo brutaal om
zijn eigen vrouw na te doen als zij alleen praat is hij toch nog niet.
Men zegt dat de koning altijd zo is bij het vallen van de bladeren.

17 DESERTEUR

S. GREIDANUS, HOFARTS

De koning geeft bevel om een wind te vangen.

Op een dag, tijdens zijn verblijf op Oranje-Nassauoord, toen hij dus
nog in goede gezondheid was, reed hij [koning Willem III] te paard
met de heer Huyssen van Kattendijke in de richting van Arnhem.
Plotseling overkwam ZM iets menselijks – er ontsnapte een wind, die
tamelijk veel geraas maakte en de koning, in jolige bui, zeide: 'Attrappe [Grijp hem], Huyssen', waarop deze aansloeg en meteen 'Tot
uwe orders majesteit,' zijn paard de sporen gaf en weggaloppeerde
in de richting van Arnhem. De koning riep hem wel terug, maar
Huyssen deed alsof hij het niet hoorde en reed naar Arnhem, waar
zijn familie woonde en waar hij die dag verbleef en zichzelf een dag
vakantie gaf. De volgende dag reed hij naar Oranje-Nassauoord terug, wel wat angstig in het vooruitzicht hoe de koning die escapade
zou opnemen. De ontvangst was dan ook niet mals, maar Huyssen
wist zich met son bon mot [zijn welsprekendheid]te redden en zei:
'Ja majesteit, Uw bevel was "attrappe", en ik heb gereden zo hard ik
kon, steeds de deserteur achterna, tot ik vlak bij de Duitse grens hem
meende te pakken, toen hij, floep, over de grens vloog en ik hem
kwijt was!' Dat antwoord beviel de koning, zodat hij weer in genade
werd aangenomen.

18 VERZACHTENDE OMSTANDIGHEDEN

S. GREIDANUS, HOFARTS

Het vreemde gedrag van Willem III laat zich wel verklaren.

Men moet niet vergeten dat een vorstenkind bijna altijd onder de slechtst mogelijke omstandigheden verkeert, wat betreft karaktervorming. Over Willem II als vader zullen wij geen oordeel vellen en de moeder, Anna Paulowna, was een Russische prinses met erg hoge opvattingen van haar grootheid en vorstelijkheid, wat natuurlijk ook invloed had op de zoon. Dan de omgeving van een kind in die omstandigheden geboren. Beurtelings vertroeteld en gevleid, dan weer onzinnig streng bestraft door de vader; steeds ontzien door de omringende personen, die om in de gratie te blijven elke nog zo afkeurenswaardige handeling zo niet toejuichen, dan toch stilzwijgend goedkeuren; in latere jaren ook bij de malste excessen personen vindend die voor geld en gunst de behulpzame hand reiken en de ogen sluiten voor alle verkeerdheden, moet iemand onder die invloeden (...) wel tot buitensporigheden vervallen, vooral wanneer ten gevolge van vroegere excessen de gezondheid van lichaam en geest belangrijk heeft geleden.

19 SOLLICITATIEGESPREK

12 februari 1849

JHR. E.A.O. DE CASEMBROOT

De gouverneur van de twee prinsen, jonkheer De Casembroot, doet verslag van zijn sollicitatiegesprek met koningin Sophie.

Ik werd door HM ontvangen op een manier die mij met verbazing vervulde. Vrijwillig, met een gevoel van zelfopoffering, had ik een zware last op mij genomen, voor welke bereidwilligheid zij mij eigenlijk dankbaar had moeten zijn, als er een rechtvaardig hart en on-beneveld verstand in haar huisde. (...) De behandeling was zodanig dat daarop, als ik zou zijn vergeten wie ik voor mij had, alleen een bitse reactie had gepast, maar verbazing aan de ene, verontwaardi-ging aan de andere kant, sloten mij als het ware de mond. (...) Onder andere zotheden vroeg zij mij:

Kent u Latijn?

De Casembroot: Nee, mevrouw.

Sophie: Hoe kan het dat u geen Latijn kent? Kent u de geschiede-nis?

De Casembroot: Het is erg moeilijk om te zeggen of ik de geschiede-nis ken, want het gaat om een wetenschap die men nooit geheel kan omvatten en te zeggen dat ik haar zou beheersen, zou ar-rogant zijn, maar ik kan zeggen dat de geschiedenis altijd mijn lievelingsstudie is geweest en dat ik er alle tijd aan heb opgeofferd die mijn bezigheden mij toestonden.

Sophie: Ja, u kent misschien de geschiedenis van uw vaderland, maar de universele geschiedenis, nee, die kent niemand in dit land.

(Hier klonk haar verachting uit voor de Hollanders waarvan zij later zo veel blijken gegeven heeft.) (...)

Weet u wel dat mijn zoon al zeer goed is onderwezen, dat hij zeer, zeer gevorderd is voor zijn leeftijd?

De Casembroot: Mevrouw, ik ben niet gewend mijzelf te loven, maar ik denk toch niet te hoeven vrezen dat ik zal hoeven beven voor een kind van acht jaar oud als het gaat om diens kennis.

Sophie: Ja, maar kent u het karakter van het kind? Hij heeft sterke opinies, is bruusk, zelfs brutaal en hij houdt van niemand anders dan van mij, mejuffrouw Eusden en mijnheer Sikema, hij houdt zelfs niet van zijn vader! Enz. enz. enz.

Hoe is het mogelijk dat zulke onzin mij niet voorgoed van een be-trekking deed afzien, waarin ik tegen een dergelijke moeder zou moeten worstelen? Ik begrijp het nog niet. Het noodlot moet het zo hebben gewild.

20 VERWAARLOOSDE PRINS

18 juli 1849

Eenmaal aangesteld als gouverneur, noteert De Casembroot in zijn dagboek zijn zorgen over de ontwikkeling van Wiwil, dan negen jaar oud.

Terugkomst op Het Loo. Na die terugkomst vond ik W. – die zich al voor mijn vertrek, meer dan vroeger, van zijn kwade kant had laten zien – verergerd dat dit alleen het gevolg kon zijn van een verwaarloosde behandeling gedurende mijn afwezigheid van drie weken. Ik leerde nu ten volle zijn karakter kennen, een wonderlijke vermenging van schijnbaar tegenstrijdige eigenschappen.

1 Grote grilligheid en plotseling door niets teweeggebrachte veranderlijkheid, zowel tegenover zijn kameraden als in zijn liefhebberijen. Terwijl hij zich veertien dagen met een en dezelfde zaak bezighoudt, en wel zodanig en als het ware met zo'n razernij dat men er echt alle geduld bij verliest, verandert hij plotseling, om zich dan weer even lang en met dezelfde furie met een andere zaak bezig te houden en met driftige verachting over de vorige te spreken. Veranderlijkheid is zeker aan veel kinderen eigen, maar de schier dolzinnige en woeste drift waarmee die zich bij hem openbaart, maakt mij zeer ongerust; temeer daar dit een zonderlinge overeenkomst is met het karakter van de vader, wat mij doet twijfelen of gezond verstand zich wel ooit bij W. zal openbaren.

2 Vergedreven egoïsme en ongevoeligheid. Het eerste ziet men bij kinderen veel vaker dan bij volwassenen, want bij kinderen is dit egoïsme, aan alle mensen eigen, nog door niets gewijzigd en verzacht, terwijl zij bovendien nog niet veinzen zoals volwassenen, en zich dus laten zien zoals zij zijn. Maar ongevoeligheid in een kind is een zeer ongunstig verschijnsel. Indrukken worden bij kinderen snel uitgewist, maar ze worden even spoedig weer opgewekt; en op geen enkele leeftijd tonen mensen zo veel gevoeligheid en medelijden als in de eerste jeugd; tenzij er een slecht hart in zit. W. toont niet het geringste medelijden met armoede en spreekt met minachting en hardvochtigheid van arme mensen.

3 Een zeer onvergenoegd en nooit tevreden humeur.

4 Grote halsstarrigheid en baldadige ongehoorzaamheid, die hij niet alleen betoont wanneer hem iets geweigerd wordt wat hij graag zou hebben, wat tenminste nog begrijpelijk zou zijn, maar in de onbelangrijkste zaken, blijkbaar alleen om het genoegen te hebben te kunnen dwarsliggen. Er gaat haast geen dag voorbij zonder onaangenaamheid met hem, of waarop hij niet verschillende malen in razende drift ontsteekt om niets.

5 Een onverklaarbare zucht om ordinaire taal te gebruiken, en slechte gewoonten aan te nemen, waarvan men meestal niet weet waar hij ze geleerd heeft.

6 Grote vadsigheid en gebrek aan lust of belangstelling bij zaken die normaal bij bijna elk kind nieuwsgierigheid wekken. Zelfs in zijn spelen verraadt zich dit gebrek. Bij zijn lessen moet men onwaarschijnlijk geduldig zijn. Zucht tot spelen en snel afgeleid zijn, zijn normale verschijnselen bij een kind, maar bij hem is dit gebrek tot zo'n hoogte gestegen dat degene die hem les moet geven of hem de eenvoudigste taken moet laten verrichten haast een martelaar is.

7 Bij dit alles vertoont hij fysieke gebreken: Hij laat zijn hoofd naar de rechterzijde overhangen, en hij neemt een voorover gebogen, zeer slechte houding aan tijdens het lopen. Zijn gezondheid laat veel te wensen over, vooral door zijn slechte voeding en voortdurende gesnoep. Met de grootste moeite kan men hem 's middags een beetje vlees laten eten, terwijl taarten, koek en allerlei lekkers met graagte naar binnen worden geslagen.

De bovengenoemde gebreken zijn blijkbaar voor een groot gedeelte het gevolg van een zeer verwaarloosde en verkeerde opvoeding, maar ontegenzeggelijk ook van zijn karakter; want zijn broer Maurits is, ofschoon hij vele gebreken met hem deelt of van hem overgenomen heeft, zachtaardig, gevoelig en, bij goede leiding, duidelijk tot de orde te roepen. Terwijl W. meestal nors, brutaal en onvriendelijk is, is M. de beleefdheid en vriendelijkheid zelve. Zijn gezondheid wankelt zeer, mede als gevolg van een zeer verkeerde leefwijze. Maar de conclusie is, dat, terwijl beider opvoeding allerellendigst is geweest, die bij W. veel meer schade heeft berokkend door zijn karakter.

2I ZELFBEVLEKKING

25-28 oktober 1854

EDUARD AUGUST OTTO DE CASEMBROOT

Vijf jaar later dreigt de zedelijke ontwikkeling van Wiwil volledig te ontsporen.

Ik weet niet wat ik te denken heb van de ongelukkige vermoedens die onlangs bij mij zijn gerezen, en niet zonder grond!! Gisterenmiddag trof ik hem onverwachts in een uiterst verdachte toestand nadat hij van een zekere plaats [de voorloper van de wc] kwam. Ik wacht altijd op meer zekerheid voor ik overga tot een standje dat hoognodig is als men zeker weet dat een jongmens zich werkelijk aan zelfbevlekking [masturbatie] schuldig maakt, maar die heel nadelig werkt als zij niet terecht is (...).

26 okt. 1854. Vandaag komt de heer Ruitenschild zoals gewoonlijk op donderdag zijn godsdienstles aan de prins geven. Een ogenblik voor zijn komst word ik beneden geroepen voor iemand die me wil spreken. Als ik weer boven kom, vind ik de prins niet in de kamer waar ik hem achtergelaten had en ik wil juist naar zekere plaats gaan om hem daar te verrassen, als Ruitenschild komt en mij daarin belemmert. Nadat ik een paar minuten verloren heb door hem [Ruitenschild] te ontvangen, vol ongeduld om van hem verlost te worden en bewegingsvrijheid te krijgen, komt de prins van de beste kamer, in dezelfde fletse, flauwe en bleke toestand waarin ik hem gisteren verraste. Als hij zich in die paar momenten ONMIDDELLIJK voor de komst van dominee Ruitenschild, aan zelfbevlekking heeft schuldig gemaakt, dan bewijst dit weer helemaal hoe weinig bescherming zijn ziel heeft tegen het kwaad. Ik zal nu niet langer wachten dan nodig om hem een materieel bewijs van schuld onder de ogen te houden en hem zonder omwegen op de afgrond te wijzen die hij tegemoet gaat. (...)

27 okt. 1854. Vandaag heb ik dat materiële bewijs gekregen. En ook zonder dat bewijs viel zijn bleke gezicht en stompe uiterlijk me op

Koning Willem III tijdens een bezoek aan het door een ernstige watersnood getroffen Brakel in Gelderland. Omdat in Nederland gedurende
zijn regeringstijd geen oorlog werd gevoerd, was dit een van de weinige
momenten waarop het koning Willem III was gegeven om de rol van 'vader des vaderlands' te spelen. Terwijl hij in zijn eigen paleis 'precies een
gek' werd genoemd, werd hij tijdens de watersnood onthaald als verlosser. (Gravure uit 1874 door C. L. van Kesteren naar J. H. Otterbeek) (Gemeentearchief Den Haag)

Foto van koningin Sophie (1818-1877), prinses van Württemberg, echtgenote van Willem III, omstreeks 1865. Het huwelijk van Willem en Sophie, dat in de zomer van 1839 werd gesloten, was niet gelukkig. Al tijdens het huwelijksaanzoek viel het Sophie op dat haar aanstaande leed aan een 'gebrek aan verstandelijke ontwikkeling'. Later sloeg deze geringschatting om in regelrechte haat tegen hem. (Gemeente-archief Den Haag)

Foto van koning Willem III omstreeks 1865. (Fotocollectie Koninklijk Huisarchief, Den Haag. Foto: R. Severin, Den Haag)

Foto uit omstreeks 1847 van prins Maurits en prins Willem ('Wiwil'), de twee zoons van Willem III en Sophie. De jongste, Maurits, overleed in 1850, pas zes jaar oud. Sophie kreeg kort daarna nog een zoon, Alexander. De kinderen van Willem III en Sophie hadden zwaar te lijden onder de slechte verstandhouding tussen hun ouders. Dit is vermoedelijk de eerste foto die ooit van leden van het Koninklijk Huis is gemaakt. (Fotocollectie Koninklijk Huisarchief, Den Haag)

Kroonprins Wiwil (1840-1879) omstreeks 1860. Terwijl hij op voet van oorlog verkeerde met zijn vader en geen belangrijke bezigheden had, stortte hij zich in het uitgaansleven. Vlak na de dood van zijn moeder Sophie en na het tweede huwelijk van zijn vader met Emma van Waldeck Pyrmont overleed hij in 1879 in Parijs aan een longontsteking. (Fotocollectie Koninklijk Huisarchief, Den Haag. Foto: Disdéri & Cie, Parijs)

Foto uit 1875 van prins Wiwil in jachtkostuum. (Fotocollectie Koninklijk Huisarchief, Den Haag)

Prins Alexander (1851-1884), de jongste zoon van Willem III en Sophie omstreeks 1866. Na de dood van zijn oudste broer 'Wiwil' in 1879 was deze mensenschuwe zonderling de enige overgebleven troonopvolger, totdat in augustus 1880 prinses Wilhelmina werd geboren uit het tweede huwelijk van Willem III met Emma van Waldeck Pyrmont. Niet lang daarna, in 1884, stierf Alexander. (Fotocollectie Koninklijk Huisarchief, Den Haag. Foto: M. Verveer, Den Haag)

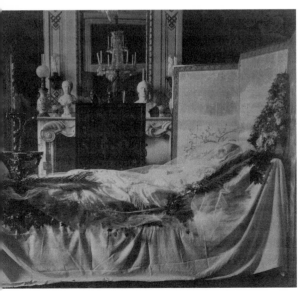

Koningin Sophie, opgebaard na haar dood in 1877. Haar zoons Wiwil en Alexander waren na haar dood ontroostbaar, maar haar man Willem III begon al snel nadien openlijk samen te wonen met een Franse operazangeres. (Fotocollectie Koninklijk Huisarchief, Den Haag. Foto: De la Vieter, Den Haag)

Sophie, groothertogin van Saksen-Weimar-Eisenach (1824-1897), jongste zuster van Willem III. Zij kreeg in 1878 onverwachts bezoek van hem. Na haar huwelijk in 1842 met erfgroothertog Karel Alexander van Saksen-Weimar-Eisenach woonde Sophie met haar man en vier kinderen in Weimar. De inmiddels bejaarde Willem III reisde daarnaartoe om de jongste dochter, Elisabeth, ten huwelijk te vragen. Het aanzoek werd afgewezen. Tijdens het bezoek aan Weimar omhelsde de koning zijn zuster Sophie zo uitbundig, dat voor het oog der wereld haar rok omhoogschoot. Toen het ernaar uitzag dat de familietak van Willem III geen (geschikte) troonopvolgers meer zou voortbrengen, begon het gezin te Weimar zich warm te lopen om de Nederlandse troon over te nemen. Op deze foto draagt Sophie de beroemde juwelen van haar moeder, Anna Paulowna. (Foto: Louis Held, Weimar) (Gemeentearchief Den Haag)

Emma, prinses van Waldeck Pyrmont (1858-1934), later koningin der Nederlanden, rond 1875 gefotografeerd. Een paar jaar nadat deze foto werd gemaakt, verloofde zij zich met de 63-jarige Willem III. (Fotocollectie Koninklijk Huisarchief, Den Haag)

Koning Willem III,
omstreeks 1875.
(Foto: M. Hille, Den Haag)
(Gemeentearchief Den Haag)

De familie van Emma van Waldeck Pyrmont in de zaal van het slot te Arolsen waar koning Willem III in 1878 werd ontvangen toen hij Emma ten huwelijk kwam vragen. Deze foto werd een jaar daarvoor gemaakt. V.l.n.r. prinses Pauline, een hofdame, prinses Emma, vorst Georg Victor, erfprins Friedrich, vorstin Helena, prinses Elisabeth en prinses Helena. (Fotocollectie Koninklijk Huisarchief, Den Haag)

Koning Willem III in 1881 met zijn dochter prinses Wilhelmina (1880-1962), die in 1898 koningin der Nederlanden werd. (Gemeentearchief Den Haag)

tijdens de les. Geen langer uitstel nu! Na de ochtendlessen neem ik hem met hoge ernst en nadruk onder handen. Die ernst en nadruk blijken niet overbodig om hem tot een bekentenis te brengen. Vrij onbeschaamd zegt hij mij: 'Maar, Mijnheer, zeg mij nu eens, wát ik dan toch eigenlijk tegenwoordig doe?' Maar die vlieger gaat hier absoluut niet op. Met één enkele blik doe ik hem schaamrood de ogen neerslaan, en daarna bekent hij me dat hij de laatste tijd op Noorthey geleerd heeft aan zelfbevlekking te doen! Van wie? Op die vraag van mij wil hij niet antwoorden. 'Ik moet het weten,' voeg ik hem nu op strenge toon toe, 'of u zult merken wat ik met u zal doen. Ik moet weten wie uw verleider is, alleen al om te voorkomen dat ik die persoon, die u tot de schandelijkste en vernederendste der ondeugden heeft verleid, hier per ongeluk ontvang en de hand reik.' 'Het is Otto Groeninx,'zegt hij nu met tranen in de ogen. Hierna zet ik hem de verkeerde en rampzalige gevolgen van zelfbevlekking uiteen, op een toon van diep medelijden. Maar ook met verontwaardiging jegens zijn verleider; en met strengheid vanwege zijn gedachteloos voortleven en toegeven aan allerlei driften, lusten en grillen. (...) Daarna spreken we over middelen om hem te genezen. Hij belooft mij plechtig die te zullen aanwenden, en zegt dat hij niet heeft geweten dat hij zo'n grote zonde beging, en dat het zo'n schade toebracht aan zijn lichaam en geest. 'Otto Groeninx zei me,' zegt de prins, 'dat ik het rustig kon doen, omdat het heel aangenaam is en geen kwaad kan.'

Ziet u dat het niet helpt, de prins zo lang mogelijk in onschuld te laten, zoals ik me had voorgenomen? Bij een individuele opvoeding is het misschien goed (...) maar op kostscholen lijkt altijd de gesel van het onanisme [masturbatie] te heersen, en te laat zie ik nu dat ik te lang gerekend heb op een onwetendheid die op een school niet erg lang blijft bestaan. Streng oppassen is nu het voornaamste middel tot genezing. Hij belooft mij minder vlees te zullen eten en in het algemeen minder vraatzuchtig te eten (want dat doet hij).

28 okt. 1854. Wat het werk betreft is het gedrag van de prins redelijk wel geweest, maar hij was de laatste dagen van de week duf en slaperig, en geen wonder: want elke dag heeft hij zich gemasturbeerd! Wanneer hij aan het onanisme verslaafd raakt, zal hij zich elk mo-

ment bevlekken, met een soort van furie, zonder enig maat of terughouding. Die furie waarmee hij zich aan al het kwade – net als aan het op zichzelf meer onschuldige – vergeeft, heeft hij van zijn vader geërfd, die ook in hoegenaamd niets enige maat kent.

22 JEUNESSE DORÉE

1874

AUGUST WILLEM PHILIP WEITZEL, MINISTER VAN OORLOG ONDER WILLEM III

Het besluit om Wiwil naar kostschool te sturen, was misschien geen goed idee.

Men kan niet ontkennen dat aan de opvoeding van deze prins veel zorg was besteed. Maar verschil van inzicht bij de ouders – door oorzaken waarop wij later zullen terugkomen – leidde tot moeilijkheden waaraan men op heilzame wijze een einde wilde maken door de zoon niet dagelijks met beiden in aanraking te brengen. Hij ging naar de toen zeer beroemde kostschool te Noortheij en ook zijn gouverneur vestigde zich daar om zijn opvoeding te blijven besturen en een wakend oog te houden op zijn studie. Deze maatregel werd in het land algemeen toegejuicht. Men kende de beweegredenen niet en zag er alleen de wens van de koninklijke ouders in om hun zoon, door hem op voet van gelijkheid te laten leven met leeftijdgenoten, te leren zich naar anderen te schikken en de wrijving te overwinnen die uit de omgang met mensen voortkomt.

Op zich zou het naar kostschool sturen van de prins dan ook geen afkeuring hebben verdiend, maar het bleek achteraf dat de gedane keuze niet gelukkig was geweest. Vanwege zijn beminnelijke, gezellige en volstrekt niet hovaardige aard wilde de prins op zijn leeftijd natuurlijk min of meer gewone omgang hebben met degenen in wier midden hij verkeerde. Hij zou op elke kostschool dan ook snel goede vrienden zijn geworden met al zijn schoolmakkers. Het gevaar dat hieraan kleefde zou geen gevolgen hebben gehad, als hij die makkers zelden of nooit meer had teruggezien. Maar helaas was dit absoluut niet het geval. Er waren knapen bij uit de hogere standen van de residentie, die hij al kort na het verlaten van Noortheij in 's-Gravenhage terugvond, en met wie hij weer snel de oude betrekkingen aanknoopte. Via hen kwam hij in kennis met hun vrienden, en zo beschikte het lot hem voor uiteindelijk helemaal thuis te zijn in een soort van kring die wel eens die van 'la jeunesse dorée' [de vergulde jeugd] wordt genoemd, en die in iedere hoofd- en residentiestad wordt aangetroffen. Een kring die voor het merendeel bestaat uit oppervlakkige, rijke jongelieden zonder bezigheid, die hun tijd doden met de meest lichtzinnige genietingen. Toen de prins op zijn achttiende jaar, volgens de grondwet, in politieke zin meerderjarig was geworden, werd hij, hoewel dat niet noodzakelijk was, ook meerderjarig verklaard in burgerrechterlijke zin. Als ingezetene en als militair bleef hij gebonden door de landswetten, maar verder was hij, met een afzonderlijke hofhouding en aanzienlijke inkomsten, nog maar net uit de handen van zijn gouverneur, en weinig meer dan een knaap, opeens helemaal eigen heer en meester.

Men moet toegeven dat een dergelijke toestand, voor een levenslustig jongeman, onder vrienden zoals wij hebben geschetst, nog gevaarlijker en verderfelijker kan worden als die jongeman geen ernstige bezigheden, geen werkkring heeft in overeenstemming met zijn krachten, met zijn bekwaamheden en met de plaats die hij inneemt in de maatschappij. Zo'n werkkring had de prins van Oranje niet. (...) Zijn bezigheden hebben vele vredesjaren lang bestaan uit een soort administratief beheer dat, onder medewerking van een kundig hoofdofficier, aan de schrijftafel werd gevoerd en dat hem weinig meer dan een uur per dag kan hebben gekost. Die werkkring die hem werd toegewezen verhief zijn geest niet boven het alledaagse en vormde geen tegenwicht met zijn levendige opgewekte natuur die zich niet kon onderwerpen aan aan vadsige rust. Het was geen werkkring voor een Nederlands troonopvolger, en al helemaal niet voor een troonopvolger als deze, wiens uitstekende hoedanigheden en helder verstand hem geschikt maakten voor een belangrijke post. Maar de jaloezie van zijn vader voorkwam dat de zoon ook maar iets meer op de voorgrond kwam dan nodig. Was het dan een wonder dat hij, onder de genoemde omstandigheden en verhoudingen, ten prooi raakte aan het euvel waarin zo veel schatrijke jongelieden vervallen? Wekt het bevreemding dat de wereldse verleidingen hem vaak te sterk zijn geweest en dat hij maar al te dikwijls is veroordeeld wegens verschijnselen, die weliswaar afkeuring verdienden, maar waarvan men de oorzaak niet begreep of over het hoofd zag?

Toen deze jongeman eindelijk een oprechte en ernstige liefde opvatte voor een vrouw die hem waardig was; toen hij innig verlangde haar tot de zijne te maken, en toen hij het onwrikbaar voornemen aan de dag legde zich nooit met een andere dan met haar te zullen verbinden, had toen het eenvoudigste gezond verstand niet het onmogelijke mogelijk moeten maken om zijn wens te bevredigen? Temeer aangezien die jongeman de troonopvolger was en de enige prins van ons Koninklijk Huis van wie destijds op goede gronden afstammelingen te verwachten waren? Helaas brachten vooroordelen en kortzichtigheid het gezond verstand tot zwijgen en bleef de wens van de prins onvervuld, tot grote schade voor het land. De prins hield zich vooral op in Parijs nadat het verblijf in Den Haag door de reeds genoemde en nog te vermelden oorzaken, pijnlijk was geworden.

23 TREURIGE PLECHTIGHEID

22 juni 1877

EEN REDACTEUR VAN DE ARNHEMSE COURANT

Bij de begrafenis van koningin Sophie is de belangstelling overweldigend.

Nu het spoorwegverkeer de residentie zoveel beter dan vroeger in verbinding stelt met alle oorden des lands, was te verwachten dat een talrijke menigte naar 's-Gravenhage en Delft stromen zou, om de treurige plechtigheid bij te wonen van de begrafenis van het stoffelijk overschot van HM de Koningin. Maar de drukte is nog veel groter dan verwacht. Het is of bijna heel Noord- en Zuid-Holland

hier is gekomen. Eergisteren al waren alle treinen die in deze richting liepen overvol en sommigen konden op de tussenstations zelfs
geen passagiers meer opnemen. Gisteren voerde de ene trein na de
andere nog honderden nieuwe bezoekers aan, die zich in dichte rij-
en schaarden langs de weg waar de stoet langs zou komen. In Delft
en Den Haag waren aan de stations allerlei voorzorgsmaatregelen
genomen, om de orde te handhaven. Net als in de stad, natuurlijk.
Voor zover is na te gaan werd die orde goed bewaard, mede door de
stemming onder het publiek. De stoer vertrok op de afgesproken
tijd. Hoewel de menigte groot was heerste overal plechtige stilte.
Toen de lijkkoets naderde met de kist, bedolven onder bloemen, ont-
blootten alle toeschouwers het hoofd. Blijkbaar maakte de plechtigheid diepe indruk en onder de omstanders waren veel opmerkingen
te horen die bewezen hoezeer het verlies van HM hier in Den Haag
wordt betreurd.

Tegen halftwee kwam de stoet in de kerk aan en even na tweeën
was de indrukwekkende plechtigheid afgelopen. Na de toespraak
van ds. Molenkamp omarmde de koning zijn zonen. De kroonprins,
prins Alexander en prins Frederik waren bijzonder aangedaan.
Langzaam daalde de kist in de grafkelder, waar een roerend toneel
plaats had, omdat prins Alexander telkens weer naar de verdwijnen-
de kist terugsnelde en haar kuste.

Bloemen en kransen, ridderorden en kroon waren vooraf van
de kist verwijderd. De plechtigheid was hoogst eenvoudig en juist
daardoor zo indrukwekkend. Er klonk zelfs geen orgelspel. Volgens het programma gingen uiteindelijk de ministers van Justitie en
zijn secretaris-generaal met een paar hooggeplaatste personen de
grafkelder in om de kist te verzegelen. Daarna kondigde de heraut
Nederland met luide stem aan, dat de plechtigheid volbracht was.
Alles eindigde statig en ordelijk. De vorstelijke personen keerden
onmiddellijk in gewone rijtuigen naar Den Haag terug. De kroonprins, prins Alexander, prins Hendrik en de groothertog van Saxen
Weimar hebben de grafkelder nog bezocht voor de terugkeer naar
Den Haag.

24 CHARMANTE VROUW

1877

C.H.F. GRAAF DUMONCEAU, ADJUDANT VAN WILLEM III EN
J.E. ELLINKHUIZEN, AANNEMER TE DEN HAAG

Aan baron Van de Westkapelle, voorzitter van de Commissie van
Beheer van de nalatenschap van Willem II

*Vlak na de dood van koningin Sophie heeft Willem III tot wanhoop van
zijn hofpersoneel een openlijke romance met een Franse operazangeres,
Mlle D'Ambre.*

Hetzij die avond hetzij de volgende morgen, schreef ik een brief aan
de koning waarin ik hem smeekte af te zien van het voornemen en
public met Mlle D'Ambre te leven. Ik vroeg hem erbij stil te staan
dat de koningin nog maar korte tijd geleden was heengegaan, en
welk een schande dat in de hele wereld maar vooral in ons land zou
opwekken als het bekend zou worden. Ik wachtte het resultaat van
die brief in doodsangst af. Ik geloof dat Gevers mij het antwoord
bracht. Hij zei dat de koning mijn brief in goede orde had ontvangen en dat hij [de koning] mij voorstelde met René [Dumonceaus
zoon] te vertrekken, maar dat hij mij daarvóór wenste te spreken.
Ik ging naar Zijne Majesteit, die buitengewoon hartelijk voor mij
was, mij tegen zijn borst drukte en mij Henri noemde, terwijl hij
zei: 'U, die weet hoezeer ik een leven heb geleid beroofd van ieder huiselijk geluk, beroof mij niet van de charmante vrouw die ik
heb ontmoet.' Op datzelfde moment gaat er een deur open en komt
Mlle D'Ambre binnen die, ik moet het bekennen, aardig was en een
zeer sympathiek voorkomen had. Zij sprak tegen mij met zachtheid
en ik, die enigszins verrast was, zei haar dat het me, nu ik haar zag
en haar had gehoord, moeite kostte me als hindernis tussen haar
en de koning te plaatsen, maar dat mijn toewijding jegens de koning mij ertoe dwong. Enige ogenblikken later verliet ik met René
Zürich. [Graaf Dumonceau maakt een uitstapje van enkele dagen
naar Genève, Lyon, Montpellier en voegt zich later weer bij het ko-

ninklijke gezelschap dat zich intussen gevestigd heeft te Hûchon].
Welnu, de derde dag kwam ik bij het vallen van de avond aan in
Hûchon. Ik had Gevers op de hoogte gebracht van mijn komst.
Wie schetste mijn verbazing, hem op het station te zien, vergezeld
van de adjudant des konings, Van de Poll, die mij de situatie in de
somberste kleuren afschilderde. De koning had hem [Van de Poll]
opgeroepen per telegram en zo was hij nu opgenomen in een leven
dat hem ten zeerste vernedert, doordat hij de maaltijden gebruikt
en uit rijden gaat met de koning én demoiselle D'Ambre, die een
metgezel heeft die zich 'le Comte Rose' noemt. De heren vertelden
mij ook dat de koning zijn rijtuigen had laten komen, onder leiding
van de tweedestalmeester Wagemans, en dat Zijne Majesteit geheel
en al onder leiding stond van Mlle D'Ambre, die hij 'la Comtesse
D'Ambre' noemde. Ik was verbijsterd en had op dat moment maar
één wens: ongemerkt het hotel binnengaan waar de koning was, om
niet bij Zijne Majesteit geroepen te worden. Ik ging slapen zonder
iets gegeten te hebben, terwijl ik die reis niets gegeten had. Mijn
keel was uitgedroogd en toen ik wilde drinken van het water dat
nog in een karaf zat bemerkte ik dat het slecht rook en op de bodem
groen was... Maar uiteindelijk, nadat ik gebeden had, kwam ik tot
rust en sliep tegen de ochtend in, vastbesloten een onderhoud met
de koning te hebben, waarin ik zM zou verzoeken mij te laten gaan,
en als hij dat niet deed, mij mijn ontslag als adjudant toe te staan.
De heren Gevers en Van de Poll hadden mij gewaarschuwd, dat ik
er niet in zou slagen de koning te spreken buiten de aanwezigheid
van de demoiselle D'Ambre. Zodra ik was opgestaan, ging ik de kamerdienaar des konings daarover raadplegen. Hij zei me dat er maar
één moment is waarop Zijne Majesteit alleen is: als hij terugkeert
van de wandeling die hij iedere morgen met Mlle D'Ambre maakt
en zijn slaapkamer binnenkomt om zich te verkleden. Ik beval de
bovengenoemde kamerdienaar mij te waarschuwen zodra de koning
in zijn slaapkamer zou zijn teruggekeerd, en dan de deur voor me
open te doen zonder me aan te kondigen. Ik ging trillend naar binnen, voorbereid op een afschuwelijke woede-explosie waarin de koning zou zeggen: 'Hoe durft u zo bij mij binnen te komen, zonder
dat ik u toestemming geef!' Dan zou ik ik-weet-niet-wat hebben
gezegd in de woede die ook mij aangegrepen zou hebben en het

was mogelijk dat dat mij mijn positie aan het hof gekost zou hebben. Mijn opluchting en mijn verbazing waren dan ook groot toen de koning mij, toen hij me zag binnenkomen, op vriendelijke toon zei: 'Tiens! vous voilà revenu!' [Kijk, daar bent u weer!]. Toen zei ik hem: 'Ja sire, ik ben teruggekeerd, maar ik vraag u mij bij graaf de Franqueville te Bizanos te laten, want er gebeuren hier zaken waaraan ik mij niet zou kunnen onderwerpen. Als u mij de graventitel heeft gegeven, sire, moet ik mij waardig tonen die te dragen!' De koning, die vriendelijk bleef, zei me: 'Maar mijn waarde Dumonceau, het is de moeite niet waard u zo op te winden om te verzoeken naar uw vriend te gaan. Ga er heen, maar doe mij een plezier door, voor uw vertrek, om 11 uur met ons te déjeuneren.' Ik bedankte de koning hartelijk dat hij het mij had toegestaan en had niet de moed de uitnodiging voor het middagmaal af te slaan. De maaltijd verliep beter dan ik had durven hopen. Ik hoefde Mlle D'Ambre, die met de koning binnenkwam, slechts te begroeten. Wij gingen meteen aan tafel. Mlle D'Ambre zat rechts van de koning, ik links van ZM zodat ik niets met haar te maken had. Ik geloof dat ik aan mijn linkerzijde Gevers had en tegenover mij Van de Poll. Ik besteedde aan geen enkele gast aandacht. Het middagmaal was schitterend, men sprak en gedroeg er zich als mensen uit de juiste kring. De maaltijd was nauwelijks voorbij of ik vluchtte naar het station.(...) Ik deed niet als de kinderen van Loth: in plaats van zoals zij, achter mij te kijken, had ik slechts één doel, afstand te nemen tussen Hûchon en mij. Ik was geestelijk zó verslagen dat ik me in Montréault verdekt opstelde toen een trein aankwam uit de richting Hûchon: ik was bang dat, zodra la demoiselle A. over mijn vertrek was ingelicht, zij van de koning gedaan zou krijgen dat ZM mij liet terugroepen. Ik was pas gekalmeerd toen ik me in de trein bevond die naar Pau ging.

25 HUISVESTING VAN EMILIE D'AMBRE

1877

AUGUST WILLEM PHILIP WEITZEL, MINISTER VAN OORLOG
ONDER WILLEM III

Ik begin ermee in de herinnering te brengen dat de dame met wie de
koning in de echt wilde treden, dus mademoiselle D'Ambre heet; dat
zij nog in het pas afgelopen speelseizoen als zangeres verbonden was
aan de Franse Opera te Den Haag; dat zm niet haar eerste minnaar
is, en dat hij haar – hoewel niet op regelmatige en wettige wijze – in
de adelstand heeft verheven met de titel van comtesse D'Ambroise.
Voorts dat de constitutionele raadslieden der Kroon en bovendien
zelfs prins Frederik met kracht tegen het voornemen van de koning
in het geweer zijn gekomen, met het gevolg dat hij op de 23ste augustus aan zijn ministers de verzekering heeft gegeven ervan te hebben afgezien. Vervolgens dat hij haar niettemin, als zijn maîtresse, in
zijn paleis wilde huisvesten en daartoe de vertrekken die door de pas
overleden koningin waren bewoond, geheel en al liet restaureren en
opnieuw meubileren. Die werkzaamheden gaven er aanleiding toe
dat het gerucht van zijn aanstaand huwelijk bleef leven.

26 WRAAK

1883

S. GREIDANUS, HOFARTS

*Aan de breuk met Emilie d'Ambre houdt de koning rancuneuze gevoelens
over.*

Ik herinner me een anekdote bij de opening van de wereldtentoon-
stelling in 1883 te Amsterdam, die mij werd verteld door de Amsterdamse stadsadvocaat Kappeyne v.d. Coppello. Natuurlijk was er

voor het slagen van de tentoonstelling veel geld nodig. Enige heren uit Amsterdam en elders hadden een garantiefonds bijeengebracht door te tekenen tot een aanzienlijk bedrag, ieder voor 50 mille. Het in duigen vallen van de expositie zou voor hen dus een belangrijk geldelijk verlies betekenen. (...) Nu had men, ter verhoging van de plechtigheid, zm de Koning verzocht de tentoonstelling te openen. Hij had dit ook toegezegd. Maar terwijl de dag van de opening naderde kreeg men maar geen vaste belofte of bepaling van dag en uur van zm, wanneer het hem uitkwam het te doen. Op een maandag ontving het comité plotseling bericht van de secretaris van zm, de heer De Ranitz, dat zm op dinsdag één uur aanwezig zou zijn voor de feestelijke opening. (...) Maar opeens kwam er een kink in de kabel. Het was nog niet zo heel lang geleden dat de koning een liaison had gehad met een zekere mademoiselle D'Ambre, die hem pijnlijk bij de neus had genomen. zm had in Rijswijk een buiten voor haar in orde laten brengen, dat hij helemaal met een grote muur had omringd uit vrees en jaloezie dat ook anderen op haar verliefd zouden raken; en het kleine, min of meer scheve, en tamelijk tanige individu had hem wijsgemaakt dat zij moeder zou worden, waarover de koning zo verrukt was dat hij uitgeroepen zou hebben: '"Enfin je serai pere."' [Eindelijk word ik vader.] Waarmee hij beweerde dat de kinderen van Sophie, Willem en Alexander, en het andere dat reeds jong gestorven was [Maurits] geen kinderen van hem waren. Uit dankbaarheid had hij haar in zijn verrukking o.a. een prachtig parelsnoer gegeven, waarvoor hij zich zelfs in schulden had gestoken. Deze bewijzen van toewijding beantwoordde zij door eerst een massa kostbaarheden te roven van Het Loo, die ze in kisten naar Brussel liet zenden, en vervolgens ruzie te maken en met de noorderzon te vertrekken.

Nu was de koning met die vrouw in aanraking gekomen door bemiddeling van Madame D'Agoitini, de vrouw van de voorzitter van het tentoonstellingscomité. Toen zm vernam, dat die M. D'Agoitini president van het comité was, werd hij woedend en zei hij, dat hij het verdomde de expositie te openen. Daar zaten de lui met de handen in het haar. Alle gezanten en de leden der verschillende comités waren aanwezig en wachtten op de bepaling van het juiste uur, toen het comité hun moest mededelen dat hun was gemeld, dat zm de plechtigheid niet wilde bijwonen en de expositie niet zou openen. Natuurlijk leidde dit tot grote woede van de kant van de gezanten, die expres voor de gelegenheid waren overgekomen, en tot grote verlegenheid van het comité. Verscheidene gezanten waren zo woedend dat zij de exposanten van hun landen bevalen om de boel weer in te pakken en niet meer mee te doen. Wat dacht die koning van een landje als Nederland wel, dat hij de vertegenwoordiger was van Engeland of Frankrijk en andere landen voor de gek kon houden? (...) Er moest dus iets op gevonden worden. Het comité vergaderde permanent en ten slotte werd besloten een brief aan de koning te sturen om hem te verzoeken op zijn besluit terug te komen en de expositie alsnog te openen. Aan M. Kappeyne werd opgedragen een brief op te stellen, die dan, door de heren van het comité ondertekend, aan ZM, die al in Amsterdam was, zou worden gezonden. (...) Toen ZM de brief inzag werd hij woedend, frommelde het papier in een bal en smeet die in een hoek van de kamer. Kalm raapte De Ranitz de brief op, streek die glad en legde hem weer voor de koning neer. Nog eens dezelfde manoeuvre en weer herhaling van de handeling van het gladstrijken. Ten slotte nam de koning een potlood en met een woedend gelaat werd dwars over de brief geschreven 'akkoord'. Dat wilde dus zeggen dat de koning toegaf; De Ranitz had slechts de vorm te vinden.

Na afloop van het onderhoud kwam De Ranitz terug bij Kappeyne, die natuurlijk in zijn gewone kleding was binnengelopen, en gaf aan dat de koning hem wilde zien. Om de eigen woorden van de stadsadvocaat te gebruiken: 'Zo stond ik dan in mijn kotspakje voor mijn vorst, die mij woedend aankeek en zei: "Bent u de schrijver van die brief?" Ja, majesteit!'

Waarop de koning hem woedend bij de schouder greep, hem heen en weer schudde en zei: 'Nou, dan verdom ik het om jou ooit te decoreren.'

27 ONTHUTST NICHTJE

1878

C.H.F. GRAAF DUMONCEAU, ADJUDANT VAN WILLEM III

Koning Willem III onderneemt in 1878 een poging om te trouwen met de dochter van zijn eigen zuster, Sophie.

Aan het begin van de lente van 1878 besloot hij een prinses te gaan vinden én te trouwen, waardig de koninginnenkroon te dragen. De ogen van Zijne Majesteit waren het eerst gericht op prinses Thyra van Denemarken. Graaf Schimmelpenninck, grootmeester van het Huis des konings, kreeg opdracht met dat doel op de gewenste plek openingen te maken, maar zij slaagden blijkbaar niet, onder meer wegens de huwelijksplannen van de prinses met de hertog van Cumberland. Dat huwelijk werd 21 december 1878 gesloten. Hierna vestigde Zijne Majesteit zijn hoop op prinses Elisabeth, zijn nicht, dochter van de groothertog en de groothertogin van Saksen-Weimar. Deze prinses (de huidige echtgenote van hertog Johan Albert van Württemberg) was geboren 28 februari 1854. Zij was dus 24 jaar, 37 jaar jonger dan de koning. Wij kwamen 7 juli om 10 uur in de morgen te Weimar aan. De groothertog, de groothertogin en geheel hun hof wachtten de koning aan het station op. Hoewel Zijne Majesteit zich over zijn zwager en zuster uitliet in termen die blijk gaven van weinig genegenheid (Zijne Majesteit noemde hen 'mijn zuster la Chattemitte' en 'mijn zwager de circusartiest!') was de ontmoeting zeer hartelijk. De koning stortte zich op de groothertogin en omhelsde haar terwijl hij haar tegen zich aan drukte. Het had tot resultaat dat de prinses in de lucht spartelde met de achterkant van haar benen ontbloot en dat haar hoed in haar nek viel. Arme prinses, zij leek daarna zeer verslagen toen zij zó aan spot was blootgesteld. Alles ging goed tussen HKH en ons tot de dag waarop de koning ons zei dat hij zijn huwelijksplannen geopenbaard had en dat de groothertog en de groothertogin de prinses vrij lieten over de kwestie te beslissen zoals zij dat verkoos, maar dat zij er zich nog niet over had uitgesproken. Dat was daags voor ons vertrek. De prinses kwam met haar ouders binnen voor het middagmaal en voor het diner. Zij zag er ernstig uit en in plaats van Alewijn en mij vrolijk goedendag te zeggen zoals zij tot nu toe gedaan had, negeerde zij ons volledig; anderen dan wij namen naast haar plaats aan tafel. De koning zei ons de volgende dag in de trein dat HKH zijn verzoek niet had ingewilligd maar dat zij zich het recht voorbehield zich er later definitief over uit te spreken. Zijne Majesteit sprak daar met ons over alsof het een ander betrof dan hij. Hij leek het heel gewoon te vinden dat de prinses zo geantwoord had en hij, die eertijds zo vurig was in zijn bewoordingen, getuigde van zijn bewondering voor de prinses en zag er bijzonder weinig teleurgesteld uit over de omwenteling die zijn huwelijksaanzoek had ondergaan. (...) Toch ving ik op zekere dag een gedeelte op over de conversatie van Zijne Majesteit met prins Herman van Saksen-Weimar, waarbij de koning zijn oor welwillend te luister legde tijdens de lofuitingen die Zijne Hoogheid deed over de dochters van de prins van Waldeck en Pyrmont.

28 ZACHTROZE JAPONNEN

28 juli 1878

C.H.F. GRAAF DUMONCEAU, ADJUDANT VAN WILLEM III

Willem III ontdekt nog meer jonge prinsessen: in het piepkleine vorstendommetje Waldeck-Pyrmont bevinden zich Pauline en haar nog jongere zuster, de negentienjarige Emma. In juli 1878 wordt hij gastvrij door hun ouders ontvangen.

De koning had mij naar Pyrmont laten telegraferen om aan te kondigen dat hij naar de vorst van Waldeck en Pyrmont kwam die, ongetwijfeld verrast over dit voornemen, antwoordde dat de geringheid van het paleis hem deed aarzelen Zijne Majesteit te kunnen ontvangen. Maar als de koning zich eenmaal iets in het hoofd had gezet keek hij niet zo nauw en ik moest de speciale trein bestellen. Ik begrijp nu nog niet hoe ik erin geslaagd ben de stationschef de reisroute aan te duiden die genomen moest worden om in Pyrmont te komen, dat zo ver verwijderd lag van de grote wegen.

28 juli. Intussen verliep alles naar wens. Om 1 uur 's nachts vertrokken we van Stuttgart. We kwamen tegen het vallen van de avond aan op het station van Pyrmont, waar we verscheidene autoriteiten zagen, onder andere twee officieren met pluimen op de helm. Een van hen was vorst George Victor van Waldeck en Pyrmont, de andere zijn adjudant majoor van Heinitz, die tot mijn grote verwondering het woord tot mij richtte in het Nederlands. (NB Daar hij in ons Indië had willen dienen had hij enige tijd doorgebracht als soldaat bij het depot te Harderwijk. Hij was een heel knappe man, goedhartig en voorkomend, maar hij leek mij nogal zelfingenomen). De vorst was ook vergezeld van zijn secretaris, mijnheer von Stockhausen, een zachtaardige en vriendelijke man die goed Frans sprak, maar een beetje naar zijn woorden moest zoeken. De vorst nam de koning bij zich in het eerste rijtuig en in volle vaart gingen wij op weg. Wij kwamen aan bij het paleis waar wij via een brug door een grote poort reden alsof wij een fort binnenkwamen. Wij werden in een grote salon ontvangen, waar de vorstin moeder Helena, geboren prinses van Nassau, op een sofa zat met haar dochters prinses Pauline en prinses Emma, die meteen een goede indruk op ons maakten, wat de volgende morgen nog meer bleek. Ik vergezelde de koning op een wandeling die hij met de prinsessen maakte op de omwalling van het kasteel, waar zich een lindeboom bevindt, die in de hele landstreek beroemd is door, naar ik meen, een historisch feit uit de Dertigjarige Oorlog. Ook nam ik deel aan een soort balspel met de koning en de prinsessen, die keurig gekleed waren. Zij droegen zachtroze japonnen en matelots, die zij koket opgezet hadden. Aanvankelijk hield de koning zich bezig met prinses Pauline (de latere vorstin van Bentheim). Daarna bespeurde ik ineens duidelijk, dat hij verrukt was van prinses Emma, die knapper was. Zij was toen slank en goedgebouwd en haar jongemeisjesgezichtje verried schranderheid en een grote goedheid.

29 HUWELIJK

9 januari 1878

AUGUST WILLEM PHILIP WEITZEL, MINISTER VAN OORLOG
ONDER WILLEM III

*Op 7 januari 1878 treden Willem III en Emma van Waldeck-Pyrmont
met elkaar in het huwelijk.*

Eergisteren, de 7de van deze maand, werd te Arolsen het huwelijk
van de koning voltrokken. De vlag woei hier [in Holland] van alle
publieke gebouwen. Aan de uitnodiging van de burgemeesters aan
de inwoners om uit hun woningen hetzelfde te doen, was slechts
matig gevolg gegeven. Aan de voorgevel van het paleis van de prins
van Oranje, die in Parijs woont, waren die dag de gordijnen voor de
ramen weggenomen en de rolluiken gesloten, zoals bij een sterfge-
val. De dag voor en de dag na de voltrekking van zijn vaders huwelijk, was alles in normale toestand. Prins Alexander had al op de 6de
de residentie verlaten. Prins Hendrik is ziek geworden, hij heeft in
lichte graad de mazelen en heeft met zijn echtgenote niet aanwezig
kunnen zijn bij de huwelijksplechtigheid te Arolsen. Mr. Speelman
neemt aan dat de koelheid die de natie tentoonspreidt alleen het
gevolg is van de blijkbaar nog altijd bestaande droefheid wegens het
verlies van koningin Sophie, maar meent dat men die 'ziekelijke gevoeligheid' niet moet overdrijven. De koning offert zich op, door op
zijn leeftijd nog voor troonopvolgers te willen zorgen, en wij moeten tonen hem daar dankbaar voor te zijn.

30 BOULEVARDPRINS

1879

ONBEKENDE REDACTEUR

Als prins Wiwil op 39-jarige leeftijd overlijdt, wordt hij liefdevol herdacht in een Franse krant.

Met het verscheiden van de prins van Oranje is een van de meest curieuze verschijningen van Parijs verdwenen. Men ziet niet iedere dag een koninklijke hoogheid die zich dusdanig tot boulevard-mens laat naturaliseren, dat hij een ijzeren stoel op het terras van Bignon verkiest boven alle kastelen van zijn vaderland. De prins was een van de meest Parijse figuren geworden die het asfalt sinds de afgelopen twintig jaar hebben gesierd; zoals hij ook het Frans en zelfs het Parisien tot in de perfectie beheerste, zonder enig accent. Niets in zijn verschijning wees op zijn buitenlandse afkomst. Hij was al behoorlijk jong naar Parijs gekomen, op een leeftijd dat men van niets anders droomt dan zich te amuseren. (...) Men kende de prins van Oranje maar nauwelijks, hoewel iedereen langs de boulevards zich wentelde in de gedachte met hem op intieme voet te verkeren. Hij was aanvankelijk makkelijk, zoals alle Parijzenaars, zonder de minste arrogantie, toegankelijk voor iedereen, een aardige jongen, zolang men maar niet te ver ging en aardig gezelschap voor hem was. (...) De prins was dus altijd buiten, waar men zich amuseerde in het theater, voor Bignon, op de renbaan en in de clubs, waar hij werkelijk geliefd was; hij wilde altijd dat men hem niet anders behandelde dan de minder prominente leden van de club, hij speelde zoals iedereen speelde in Parijs, met veel of weinig inzet, al naar gelang de situatie, maar meestal zette hij een nederige louis in. Het was, dacht ik, in de kring van de Rue Royale, dat de prins van Oranje, toen hij een andere prins van den bloede 50.000 francs zag inzetten, (...) uitriep: 'Wel heb ik jou daar, mijn vriend! U speelt dit spel op zijn ambassadeurs!' (...)

Verder weet ik nog een incident met de prins van Oranje waar geen van zijn biografen een woord over hebben gezegd, en dat misschien wel de sleutel is tot dit bestaan dat door de prins tot op rijpe leeftijd veel te luidruchtig is voortgezet. Vorige zomer, op een van de mooie meren van Oostenrijk, waar ik te gast was op een elegant jacht, had ik de eer om te worden voorgesteld aan de gravin x, (...) een van de meest complete schoonheden die men zich kan voorstellen. De prins van Oranje had deze mooie vrouw [Mathilde van Limburg Stirum] vijf of zes jaar geleden ontmoet en was hopeloos verliefd op haar geworden, zodat hij met haar wilde trouwen. (...) De prins had de vrouw van zijn dromen ontmoet, de vrouw die hij waardig vond om naast hem op de Hollandse troon te zitten. Maar de kille en onvermurwbare staatsraison verzette zich tegen deze verbintenis. Niets kon haar doen buigen, smeekbedes, noch dreigementen. Voor de troon wordt men niet ongestraft geboren. Als men een koninklijke prins is, is men niet meer meester over zijn lot dan de ergste pauper. Het gevecht was lang en genadeloos van beide kanten: het hart van de prins van Oranje werd verslagen door de etiquette en dat bracht hem groot verdriet. Opnieuw stortte hij zich roekeloos in het Parijse plezier, dit keer minder uit lust dan om afleiding te vinden. Het is hierom dat hij koppig de hand van alle prinsessen heeft geweigerd en zwoer om vrijgezel te blijven tot het einde.

31 KRAAMKAMER

1879

AUGUST WILLEM PHILIP WEITZEL, MINISTER VAN OORLOG
ONDER WILLEM III

*De koning heeft vóór zijn huwelijk bepaald dat zijn nieuwe vrouw Emma
in de tiende maand na de bruiloft een kind moet krijgen.*

Hij [de koning] heeft er vanaf het begin op gerekend bij zijn tweede vrouw een kind te verwekken. Dit wordt van zo veel geloofwaardige zijden verzekerd, dat men redelijkerwijs niet mag twijfelen aan de waarheid van het feit. Gisteren nog verzekerde mij de heer mr. Luyben, burgemeester van 's-Hertogenbosch en lid der Tweede Kamer, dat een van zijn vrienden, een man van volkomen goeder trouw, het uit 's konings eigen mond had vernomen. Op zichzelf bewijst dat nog niets anders dan een grote mate van zelfvertrouwen bij een man van 62 jaren; overigens is het niet zeldzaam op die leeftijd nog vader te worden. Het kan dus ook geen volslagen ongerijmdheid worden genoemd dat hij reeds voor het huwelijk bepaalde dat de bevalling op Het Loo zou plaatshebben en dat hij daar wel dadelijk de kraamkamer aanwees. Erger is het, dat hij ook de tijd der bevalling tevoren zou hebben bepaald en wel in de tiende maand na het sluiten der echtvereniging. Dit laatste schijnt hem een grote teleurstelling te hebben berokkend want er moeten afdoende bewijzen zijn dat aan een bevalling in de tiende maand niet valt te denken. Ook hierin wordt een der redenen gezien van zijn ergerlijke kwade luim in deze dagen.

32 KOOPMANSGEEST

S. GREIDANUS, HOFARTS

Met de berekenende natuur van haar echtgenoot leert de nieuwe koningin Emma snel leven.

Zolang de koning op Soestdijk vertoefde, moesten de groenten en vruchten van Het Loo komen, hoewel de tuinen [op Soestdijk] meer dan genoeg oogst en groenten opleverden. Maar de vruchten enz. van Soestdijk werden in Baarn verkocht, omdat ZM als goed koopman had uitgerekend dat hij in Baarn meer voor zijn producten betaald kreeg dan in Apeldoorn, en dus moest het hof oude groenten eten en werden de verse in Baarn aan de deur geveild. Er werd verkocht op weekboekje. De koning zag zelf die boekjes na, en was niet zuinig met aanmerkingen als hij zag dat mevrouw die of die minder gekocht had dan de vorige week. Hij moest dan van de tuinknecht tekst en uitleg hebben waarom er niet zoveel was verkocht. Op een zomerse dag wandelde ZM met zijn gemalin in de vruchtentuin, terwijl de tuinbaas was geroepen om uitleg te geven over van alles. Toevallig trof het, dat de eerste perzik rijp was en baas verzocht aan de koning toestemming om die eerste vrucht aan HM aan te bieden. Dit werd genadiglijk toegestaan, maar intussen zag de koning op enige afstand een man staan, en vroeg hij de tuinbaas: 'Wie is dat?' 'Dat is Letter, sire.' 'Wat komt die doen?' 'Die man koopt groenten en vruchten van ons.' 'Ook perziken?' 'Ja, sire.' Daarop neemt ZM zijn gemalin de perzik weer uit de hand en zegt aan baas v.d. Geest: 'Klanten gaan voor!' en niet Emma kreeg de perzik, maar baas Letter, die nolens volens als klant de eerste perzik moest nemen.

33 GEBOORTE

september 1880

HENRIËTTE VAN DE POLL

Anderhalf jaar na de huwelijkssluiting, op 31 augustus 1880, wordt prinses Wilhelmina geboren. De feestelijke gebeurtenis leidt tot stress bij de hofhouding.

De koningin heeft verkwikkend geslapen en bevindt zich redelijk wel; de jonggeboren prinses is zeer rustig. Dit is het bulletin van vandaag, dat dr. Vinkhuijzen ons zo even zelf gebracht heeft. Het moet een allerliefst dik kindje zijn dat veel op de koningin lijkt. Hoe heerlijk dat die gewichtige gebeurtenis nu eindelijk voorbij is! Het zal wel veel mensen tegengevallen zijn dat het een meisje is. Voor ons volk is het misschien jammer, voor de ouders is dunkt mij het bezit van een meisje wel zo gezellig. Men zegt dan ook dat de koning en de koningin zeer gelukkig zijn. (...) Om zes uur gingen wij eten en pas toen wij van tafel kwamen, hoorden wij op de gang van de werkvrouw dat er een prinses geboren was. Dit was stellig een groot verzuim, vooral tegenover de grootmeesteres. (...) Een ogenblik daarna kwam mr. Schimmelpenninck om ons met de gelukkige gebeurtenis te feliciteren. Hij werd meteen overvallen met de klachten dat men het ons niet ordentelijk had laten annonceren. Hij was verbaasd om Elise [van Ittersum, hofdame] zo te horen redeneren, ik geloof niet hij dat ooit achter haar gezocht had. Au fond had zij gelijk, maar naar mijn idee was zij veel te heftig en het maakte op mij een zeer onaangename indruk dat op een moment dat iedereen dankbaar en gelukkig moest zijn dat alles zo goed afgelopen was, zulk een verzuim tegen de etiquette de vreugde kwam storen.

34 KEULSE POTTENMEID

27 november 1885

CONRAD BUSKEN HUET, SCHRIJVER EN JOURNALIST
VOOR HET *ALGEMEEN DAGBLAD VAN NEDERLANDSCH-
INDIË*. DE EINDREDACTEUR VAN DE KRANT WERD
WEGENS DIT STUK DOOR DE RECHTBANK IN BATAVIA
TOT GEVANGENISSTRAF VEROORDEELD WEGENS
MAJESTEITSSCHENNIS

Volgens sommigen heeft de monarchie in Nederland inmiddels zijn langste tijd gehad.

Als men mr. Van Houten gelooft, lid van de Tweede Kamer in Nederland, dan zal het niet lang duren voor het Huis van Oranje in dezelfde situatie verkeert als het Huis van Orléans. De Oranjedochters zullen gewilde echtgenoten blijven voor buitenlandse prinsen van de tweede rang; maar in het land zelf zal de dynastie afgedaan hebben. (...) Weliswaar voegt de schrijver erbij dat hij het 'een ongeluk voor Nederland zou rekenen, als de monarchie der Oranjes, gelijk die der Bourbons en der Orléansen, bezweek onder haar fouten'. Maar niets van wat hij verder zegt, doet verwachten dat de monarchie der Oranjes NIET bezwijken zal. Stilzwijgend geeft hij te verstaan dat men koning Willem III te beschouwen heeft als een afgeleefd man, aan het lijntje gehouden door minister Heemskerk. Niet alles wat in Nederland werkelijk gebeurt wordt door de Nederlandse bladen openlijk verhaald of erkend; en aangezien die kortzichtige of niet-openhartige organen het voornaamste richtsnoer van mijn lezers zijn (die bij hetgeen in Nederland gebeurt toch ook belang hebben), wil ik naar mijn beste vermogen het publiek in Indië trachten voor te lichten. (...) Naar waarheid geeft mr. Van Houten te verstaan dat koning Willem III tegenwoordig gehouden wordt voor hetgeen de Hollanders in hun schilderachtige volkstaal 'een in de pijp gebrande nachtkaars' noemen. 'C'est un homme fini' zeggen zij de Fransen na. Koningin Emma heeft talrijke vijanden. Haar Duitse afkomst is velen een doorn in het oog. Zij kunnen het niet verkroppen dat deze berooide jonge vrouw, die zij zonder omwegen een Keulse pottenmeid noemen, haar jeugd uit eerzucht heeft weggeworpen aan een afgeleefde man. Voor de kleine Wilhelmina wordt niets gevoeld. Toen onlangs voorgesteld werd de dag van 31 augustus, verjaardag van het prinsesje, te verheffen tot een nationale feestdag, was de onverschilligheid algemeen. 'In een koningsgezind land,' schrijven de jonge redacteuren van de Nieuwe Gids, 'had het denkbeeld opgang kunnen maken; bij ons lachte men er om.' Werkelijk viel de motie deerlijk in het water.

35 WITTE PANTALONS

juni-juli 1884

HENRIËTTE VAN DE POLL

Met de dood van kroonprins Alexander in de zomer van 1884 verliest Willem III zijn derde en laatste zoon. Toch is zijn humeur prima.

U begrijpt dat de onverwachte dood van de prins van Oranje allerlei zorgen meebracht. Ik had vooral heel veel brieven voor de koningin te beantwoorden, en moest vervolgens zorgen in de zware rouw te komen. Dit laatste kon nogal makkelijk daar ik gelukkig alles bij mij had; ik heb op mijn Engelse japon het moiré geremplaceerd door krip; hij ziet er nu nog al netjes uit en ik hoop het ermee te kunnen doen tot onze terugkomst in ons land. (...)

(22 juli 1884) Het galadiner vrijdag [ter gelegenheid van de dood van prins Alexander] was zeer geamuseerd, de koning scheen in een best humeur en praatte druk, hij zag er zeer goed en opgewekt uit. Ik heb zelden zo gesouffreerd van [geleden onder] de warmte, de dames waren alle in hoge kasjmier met krip gegarneerde japonnen en droegen krippen voiles op het hoofd. Na het eten hebben wij twee uur moeten staan, de koning heeft zeer beleefd met alle vreemden gesproken, vooral zeer lang met graaf Bismarck, zij stonden elkaar in het oor te schreeuwen alsof zij beiden doof waren, en tussenbeide was het of zij elkaars neus wilden afhappen. Ik vroeg aan iemand waarover die drukke conversatie toch ging, en hoorde toen: 'Over witte pantalons.'

36 GETOB MET DE KONING

26 februari 1889

HENRIËTTE VAN DE POLL

Als de koning rond zijn zeventigste ziek wordt, gaan zijn geestvermogens nog verder achteruit.

Met de koning is het tegenwoordig weer vreselijk getob; zijn verstand is nog totaal afwezig en daarbij is hij zeer onhandelbaar. Hij gebruikt weinig voedsel, maar toch verminderen zijn krachten nauwelijks. Vanmiddag komt professor Rosenstein weer, men is zeer benieuwd wat die ervan zeggen zal. Gisteren is er een ziekenoppasser uit Den Haag gekomen, men weet echter niet of de koning die om zich heen dulden zal. Zaterdag moest de koningin mij iets zeggen en liet mij daarom komen, in de kamer grenzend aan de slaapkamer van de koning. Ik moest vlak bij de tussendeur komen staan, omdat HM de Koning niet alleen durfde te laten, en ik kon dus alles horen wat de koning zei. Hij lag in zijn eenzaamheid onophoudelijk te praten zonder dat men de woorden verstaan kon. Ik werd er helemaal akelig van en had grote moeite mijn aandacht te bepalen bij wat de koningin mij zei. Ik vind het akelig dat iedereen zich zo bezighoudt met die rouw, want wat heeft hij toch nog veel jonge mensen overleefd.

37 STERFBED

1890

C.H.F. GRAAF DUMONCEAU, ADJUDANT VAN WILLEM III

Ik hoorde de koning babbelen, babbelen en zich beklagen. Men dacht helemaal niet aan een onmiddellijk gevaar. Later in de avond ben ik weer naar boven naar mijn kamer gegaan, terwijl de koningin weer terug was bij de koning. Een ogenblik later liet Hare Majesteit mij roepen. Zij was geschrokken van de plotseling opgetreden zwakheid van de pols van de koning. Dokter Vlaanderen had het eveneens geconstateerd. Hare Majesteit verzocht mij dokter Roessingh te Deventer te telegraferen met het verzoek zo snel mogelijk naar Het Loo te komen en gebruik te maken van een hofrijtuig dat hem gezonden zou worden. Ik doolde door het paleis op zoek naar een lakei om de order naar de stallen te brengen. Heel het paleis [Noordeinde] leek verlaten. De wind huilde op onheilspellende wijze en deed de lampen in de gang waarvan een deur openstond, flikkeren (de houten gang). Buiten viel een harde en koude regen. Ik vond geen bediende, noch een fournier van de stallen. Ik rende, ik rende totdat ik ten leste in de houten gang de ordonnansofficier baron Van Tuyll van Serooskerken (de huidige generaal) ontmoette, die ik mijn probleem vertelde. Onmiddellijk liet hij een rijtuig inspannen. Hij liet tegen de koetsier zeggen dokter Roessingh te gaan zoeken op het adres dat ik aangaf, terwijl hij de paarden zo snel mogelijk moest laten rennen. Het bevel moet heel goed zijn opgevolgd, want de koningin en ik, die bij de koning waren gebleven, waren verrast toen wij dokter Roessingh veel eerder zagen komen dan we voor mogelijk hadden gehouden. Na een kort overleg tussen de doktoren Vlaanderen en Roessingh gaven ze onderhuidse injecties aan de koning en dienden hem mosterdpleisters aan de benen toe. Mijnheer Roessingh was onder de indruk van het resultaat van die remedies. Hij stelde de koningin gerust over de toestand waarin de koning zich op dat moment bevond. Hare Majesteit ging toen weer naar bed, terwijl zij mij verzocht haar bij het minste alarm te laten waarschuwen door haar garderobière [kamenier]. Ik ging zitten in een fauteuil in een salon naast de slaapkamer des konings, waarvan de verbindingsdeur open bleef, terwijl dokter Roessingh naast het bed van de koning zat. De stilte keerde terug; ik was ingedommeld. Plotseling vroeg de dokter mij bij hem te komen, ik haastte mij de kamer in. Ik zag de koning tweemaal een beweging met de mond maken alsof hij de hik had en dat was het einde! Toen ging ik naar beneden en vroeg de garderobière de koningin te zeggen dat ik haar wilde spreken. Hare Majesteit verscheen heel snel. Ik herinner mij niet of ik haar zei dat de koning gestorven was of dat zij het afleidde uit mijn gelaatsuitdrukking. Zij ging de kamer van de koning binnen en daar liet zij zich, voor zover ik mij herinner, zonder enige komedie van smart te maken, heel eenvoudig gaan terwijl zij de dode aankeek met een diep trieste blik en ze liet overvloedig tranen vloeien zonder een woord te zeggen. Na dit moment van stille overpeinzing richtte zij zich op, de praktische vrouw bij uitstek, en gaf ze alle orders die de omstandigheden vroegen. De koning was gestorven in de nacht van zaterdag op zondag (de 23ste) tegen halftwee in de nacht. [Wat het tijdstip betreft vergist Dumonceau zich, zoals in het volgende stuk blijkt.] Het was dus niet eerder dan de volgende morgen dat de dringendste maatregelen konden worden uitgevoerd. Zo moesten alle autoriteiten gewaarschuwd worden. Ik moest enige adjudanten verzoeken om de beurt met mij te komen waken bij het stoffelijk overschot des konings, dat was afgelegd in de grote zaal van het paleis, boven de vestibule. Men legde het eerst op een soort praalbed omgeven met witte bloemen. Toen de timmerman Mouton uit Den Haag de kist had geleverd, legde men de overledene daarin. Men kon zijn gelaatstrekken blijven zien door een opening, voorzien van een ruit, die men had aangebracht boven de plaats waar het gelaat van Zijne Majesteit rustte. Wij verbleven het grootste deel van de tijd in de salon rechts van de grote zaal, als men de rug naar de 'Cour' draait. Wij schreven daar van 's morgens tot 's avonds om het treurige nieuws links en rechts mede te delen, en beantwoordden de talrijke telegrammen die van alle kanten kwamen.

38 ONTBINDINGSVLEKKEN

1890

LIJFARTS VINKHUIJZEN

Lijfarts Vinkhuijzen licht de medische doopceel van Willem III.

Zijne Majesteit de Koning was van kinds af aan goed ontwikkeld, sterk van bouw en vlug van beweging; weinig gekoesterd, hard opgevoed en streng onderwezen in begrip van krijgsdienst en krijgstucht. Slechts zelden ongesteld, alleen vatbaar voor verkoudheden, vooral bij opkomende sneeuwbuien en mistig weer, was Zijne Majesteit nog zeldzamer ziek; op een keelontsteking op jeugdige leeftijd na waarvan brede littekens op de amandelklieren bleven bestaan. Matig en sober van dagelijks dieet en gehard tegen lichaamsinspanning op jacht of in het veld, kreeg hij pas in 't jaar 1872 de eerste klachten, die op graveel en nierkoliek wezen. Zijne Majesteit was wel een volhardend ruiter maar zat niet gemakkelijk te paard en had zich in de zomer van 1870 ontzettend ingespannen bij zijn verkenningstochten als Neerlands leger te velde was verzameld. Zeer waarschijnlijk is die overspanning het begin geworden van het er op volgende ziekbed. Het verdient bijzondere vermelding dat Zijne Majesteit nooit aan jicht, nooit aan reumatische koortsen heeft geleden, wel licht verkouden werd, maar nooit lang hoestte; en was dit al eens het geval, dan duidde de klank van het hoesten, evenals gewoonlijk die van de stem, de grote luchtcapaciteit van zijn longen aan en het ongestoord zijn van alle ademhalingswerktuigen. Onder aanbevolen en stipt opgevolgde wijzigingen in het dagelijkse leven, bleef de dreigende ziekte dragelijk en scheen zelfs bij tijden geheel te verdwijnen; maar hij kwam omstreeks het jaar 1881 met meerdere hevigheid terug, terwijl scheikundige onderzoekingen steeds een overdaad van aridum uricum of van uraten aangaven. In de beide volgende zomers werd een bronkuur te Wildungen gevolgd, aanvankelijk met gunstige uitslag. Maar na enige maanden rust, kregen de oorspronkelijke ziekteverschijnselen opnieuw de bovenhand; vooral in het jaar 1884 dat velerlei beproeving medebracht; toen Zijne Majesteit een kuur in Karlsbad onderging (...) In november daaropvolgend werd de koning vrij plotseling door een vliesvormige keelontsteking aangetast, wellicht was het einde oktober, bij welke gelegenheid professor Rosenstein voor de eerste maal zijn gewaardeerde raad aan de gewone artsen van Zijne Majesteit de Koning verleende. Na deze periode is van tijd tot tijd wel eens korte beterschap, maar geen schijnbaar herstel ingetreden. Afkeer van beweging en van buitenlucht, lusteloosheid met slaperigheid, gebrek aan eetlust met dorst bleven zo niet altijd heersende, toch afwisselend verschijnen. De hoeveelheid van uraten nam af, microscopisch onderzoek bevestigde nog meer het nierlijden, suikerziekte stelde zich in, bloedontmenging dreigde meermalen te ontstaan en in februari 1889 was de intellectuele levenssfeer zodanig gedaald en verward, dat Zijne Majesteit niet in staat werd zijn gewichtige bezigheden als gewoonlijk te volbrengen. In het begin van april omstreeks de 8ste, begon die toestand opnieuw te verbeteren, en de 3e mei nam de koning de teugels van bewind weer in handen; hetgeen nu eens moeilijk, dan weer gemakkelijk onder afwisseling van rust en van onrust aanhield tot 25 september 1890, toen de hoge lijder door het ziekteverloop geheel buiten staat raakte het regeringsbeleid te blijven uitoefenen. Materieel was de suikerziekte bijna geheel verdwenen, doch de eigenaardige verschijnselen van nierverzwering en blaascatarhe hielden aan en alle geestvermogens werden gestoord. De verrichtingen van de overige organen en van de lichaamskrachten bleven voldoende tot onderhoud van 't leven, toen opnieuw plotseling en hevig uricemie ontstond door het ophouden der nierafscheiding, op zaterdag 22 november 1890 in de namiddag; zodanig dat dr. Roessingh te Deventer die nacht nog tot bijstand werd geroepen, en dat Zijne Majesteit de Koning uiteindelijk onbewust en zonder lichaamssmart des morgens ten 5 ure 45 minuten op 23 november

1890 overleed. Onder het nemen van gepaste hygiënische maatregelen werd zesendertig uren na het overlijden overgegaan tot het afleggen van het koninklijk lijk, waaraan zich reeds enige ontbindingsvlekken vertoonden, en den 26ste in de laatste hulk geplaatst.

39 CHAOTISCHE BEGRAFENIS

4 december 1890

C.H.F. GRAAF DUMONCEAU, ADJUDANT VAN WILLEM III

De begrafenis van Willem III moet snel plaatsvinden omdat koningin Emma de viering van het Sinterklaasfeest er niet door wil laten bederven. De ceremonie mondt uit in een chaos.

De begrafenis des konings had donderdag 4 december plaats. Het plaatsen van de kist op de lijkwagen ging gepaard met buitengewoon lugubere omstandigheden. Het was bedroevend wat men daar in de vestibule van het paleis zag. De kist was zó zwaar dat men haar op een gegeven ogenblik over het marmer moest laten glijden hetgeen een vreemd geluid veroorzaakte dat leek op een smartenkreet. Een van de dames (freule Van I.) [Elise van Ittersum] die de treurige plechtigheid meemaakte in het gevolg van de koningin-regentes, raakte er zo van onder de indruk dat ik haar een kreet van ontzetting hoorde uitroepen. Het was vreselijk, al die mannen (onderofficieren van verscheidene wapens) zich te zien inspannen, werken en op gedempte toon overleggen wat zij moesten doen, allemaal in een halve duisternis. De zwarte rouwkleden en de draperieën van die kleur die de kist bedekten, veroorzaakten een enigszins onaangename lucht, die er extra toe bijdroeg deze ceremonie treurig en indrukwekkend te maken. Toen de stoet bij de gemeentegrens was aangekomen werd er een moment halt gehouden om mensen die tot daartoe te voet waren gegaan in de gelegenheid te stellen plaats te nemen in rijtuigen; rijtuigen van allerlei soort die de stalmeester van de koningin, baron Snouckaert van Schauburg, daar had laten komen zonder de mensen te laten weten (hij verklaarde daar geen tijd voor te hebben gehad) in welk rijtuig zij moesten stappen. Dat werd een complete chaos en zeer betreurenswaardig, met name tegenover de buitenlanders. Ik stapte in waar ik kon en ik bevond mij in een groot soort 'car-à-banc' [janplezier] met een zeer heterogene sortering van mensen. Aangekomen voor de kerk te Delft, moesten wij daar zeer lang wachten. De tweede architect der paleizen, Delia, die de manoeuvre commandeerde, slaagde er niet in de kist uit de lijkwagen te laten zakken; vervolgens moest hij ornamenten laten weghalen om haar de kerk binnen te laten gaan. Alle buitenlandse vorsten verteerden van ongeduld omdat zij in de strenge kou in gala moesten wachten. De hele chaos die die dag ontstond weet men aan de weigering van de koningin-regentes de begrafenis vast te stellen op een latere datum. Zij wilde er niet over horen spreken, ook met de bedoeling, meen ik mij te herinneren, om het volk niet het genoegen te ontnemen op de 6e het St. Nicolaasfeest te vieren. De stalmeester Snouckaert gaf onophoudelijk te kennen dat er nieuwe rijtuigen besteld moesten worden; hij liet er komen uit Rotterdam, Leiden; vervolgens waste hij zijn handen in onschuld over wat er gebeurde en liet de zaken op hun beloop. Hij was nog blij dat hij op eigen gezag, toen hij vernam dat het einde van de koning naderde, de lijkwagen had besteld, want anders zou het onmogelijk zijn geweest op tijd klaar te zijn.

Woord van dank

Onze dank gaat uit naar prof. dr. J.Th.M. Bank, prof. dr. J.A. Borne-wasser en prof. dr. N. C. F. van Sas. Zij hebben ons manuscript willen lezen, ons voor fouten en onnauwkeurigheden willen behoeden, en ons gewezen op interessante literatuur en/of bronnen. Zonder hun deskundige hulp hadden we dit boek niet durven uitbrengen. Daarnaast zijn we dank verschuldigd aan prof. ing. N. de Boer en dr. Th. H. von der Dunk voor hun adviezen en/of verwijzingen naar bijzondere bronnen. Drs. W. Hugenholtz heeft een tipje van de sluier willen oplichten van een bij hem berustend, nog niet eerder gepubliceerd archief van de ex-minister van Koloniën, J.C.H. Baud.

In het bijzonder willen wij de medewerkers van het Koninklijk Huisarchief bedanken, die ons op zeer nauwgezette wijze uiterst behulpzaam waren bij het opsporen en verwerken van ooggetuigen-stukken. Wij danken ook HM de Koningin, die ons toestemming gaf om haar archief, dat ook een familiearchief is, te raadplegen.

Ook danken wij de medewerkers van de Koninklijke Bibliotheek in Den Haag, het Algemeen Rijksarchief in Den Haag en de gemeentearchieven van Amsterdam en Zeist. Tot slot danken wij uitgever Mai Spijkers, die ons voorstelde om dit boek te schrijven en de medewerkers van Uitgeverij Prometheus/Bert Bakker, met name Marieke van Oostrom, die ons tijdens het schrijven steunde met commentaar en praktische adviezen.

Noten

1   Bornewasser, J.A., in: *Nassau en Oranje in de Nederlandse geschiedenis*, onder redactie van Tamse, C.A. (Alphen aan den Rijn 1979), p. 242.

2   Schutte, G.J., in: *Nassau en Oranje*, p. 223, 224.

3   Bornewasser in: *Nassau en Oranje*, p. 233.

4   Haar enige andere zoon, Frederik, was in 1799 plotseling overleden.

5   Het Huis van Oranje stierf met de dood van Willem III in 1702 in directe lijn weliswaar uit, maar Willem III benoemde de Friese stadhouder Johan Willem Friso tot zijn erfgenaam, waardoor de prinsentitel overging op de tak Nassau-Dietz, die ook afstamde van de eerste prins van Oranje, de leider van de opstand tegen de Spanjaarden, Willem de Zwijger. Er waren stadhouderloze tijdperken (1650-1672) en (1702-1720), maar vanaf 1747 werd het stadhouderschap erfelijk verklaard en kreeg het Huis van Oranje in de republiek een haast monarchale positie.

6   Fraser, A., *Marie Antoinette, the journey* (Londen 2001), p. 265-266.

7   Van Sas, N.C.F., *De metamorfose van Nederland 1750-1900* (Amsterdam 2004), p. 230.

8   Bornewasser, in: *Nassau en Oranje*, p. 235.

9   Deze transactie verliep via zijn vader, die officieel nog hoofd van de familie was.

10 Naber, J., *De correspondentie van de stadhouderlijke familie* ('s-Gravenhage 1931-1936), deel v, p. 12.

11 Colenbrander, H.T., *Gedenkstukken der algemeene geschiedenis van Nederland van 1795 tot 1840*, deel 5, brief d.d. 28 oktober 1806. ('Je n'étais plus maître de ma personne'.)

12 Naber, *De correspondentie van de stadhouderlijke familie*, deel v, p. xiv.

13 Bornewasser in: *Nassau en Oranje*, p. 240.

14 Wellington dankte aan die succesvolle veldtocht zelf ook zijn naamsverandering: generaal Wellesley werd nadat hij de Franse generaal

Massena in Spanje had verslagen, verheven tot hertog van Wellington.

15 Colenbrander, *Gedenkstukken der algemeene geschiedenis van Nederland van 1795 tot 1840*, deel 6, Bathurst aan Wellington, 20 april 1813.

16 Colenbrander, *Gedenkstukken der algemeene geschiedenis van Nederland van 1795 tot 1840*, deel 6, Wellington aan Bathurst, 18 mei 1813.

17 Bornewasser in: *Nassau en Oranje*, p. 241.

18 Zoals ook de houding van het overgrote deel van de Nederlanders tijdens de Duitse bezetting wel is gekarakteriseerd.

19 Van Wijnen, H., *De macht van de kroon* (Amsterdam 2000), p. 118.

20 Schutte in: *Nassau en Oranje*, p. 210.

21 Bornewasser in: *Nassau en Oranje*, p. 243.

22 Van Wijnen, H., *De macht van de kroon*, p. 125.

23 Bornewasser in: *Nassau en Oranje*, p. 239.

24 Van Zanten, J., *Schielijk, Winzucht, Zwaarhoofd en Bedaard*, politieke discussie en oppositievorming 1813-1840 (Amsterdam 2004), p.76.

25 Van Sas, *De metamorfose van Nederland 1750-1900*, p. 465.

26 Da Costa, I., *Bezwaren tegen de geest der eeuw* (Leiden 1823), p. 42-59.

27 Van Wijnen, *De macht van de kroon*, p. 123.

28 Ook niet alle ministers lieten zich zomaar voor zijn karretje spannen. Van Sas, N.C.F., *De metamorfose van Nederland 1750-1900*, p. 419-420.

29 Idem, p. 465.

30 Idem, p. 421.

31 Volgens de polemist J.G. le Sage ten Broek. Zie Bornewasser in: Nassau en Oranje, p. 250.

32 Zie ooggetuige 13 in hoofdstuk 1.

33 Bosscha, J., *Het leven van Willem den Tweeden, koning der Nederlanden en Groot-Hertog van Luxemburg* (Amsterdam 1852), p. 228.

34 Aspinal, A., *Letters of the princess Charlotte* (Londen 1949). Volgens Aspinal blijkt uit brieven dat Charlotte een paar dagen eerder 'hopeloos verliefd' was geworden op de negentienjarige prins Frederik van Pruisen. Zie: Introduction, p. XVII.

35 Colenbrander, H.T., *Gedenkstukken der algemeene geschiedenis van Nederland van 1795 tot 1840*, deel 7, lord Malmesbury aan Fagel, 1 juli 1814.

36 Zie ooggetuige 12 in hoofdstuk 2.

37 Aspinal, *Letters of the princess Charlotte*, 27 juli 1814.

38 Naber, J., *De correspondentie van de stadhouderlijke familie* ('s-Gravenhage 1931-1936), deel V, p. 270.

39 Bosscha, *Het leven van Willem den Tweeden*, p. 314.

40 Zie ooggetuige 4 in hoofdstuk 3.

41 Colenbrander, H.T., *Willem II, Koning der Nederlanden* (Amsterdam 1938), p. 30.

42 Bosscha, *Het leven van Willem den Tweeden*, p. 232.

43 Zie ooggetuige 10 in hoofdstuk 2.

44 Bosscha, *Het leven van Willem den Tweeden*, p. 359.

45 Idem, p. 359.

46 Bruining, G., *Het verheugde Nederland bij de aankomst van het jeugdige vorstenpaar in de Noordelijke en Zuidelijk provincies* (Leiden 1817), p. 40. 'Gaarne hadden zij de verheugde burgemeester gelegenheid geschonken om hen op de Nederlandse bodem te verwelkomen, maar zij stelden zich voor (...) met welk een ongeduld ZM de Koning hen misschien verbeidde.'

47 Idem, p. 64.

48 Bornewasser in: *Nassau en Oranje in de Nederlandse geschiedenis*, onder redactie van Tamse, C.A. (Alphen aan den Rijn 1979), p. 277.

49 Bosscha, *Het leven van Willem den Tweeden*, p. 236.

50 Idem, p. 348.

51 Naber, J., *Correspondentie van de stadhouderlijke familie* ('s-Gravenhage 1931-1936), deel V, p. 260.

52 Colenbrander, H.T., *Willem II, Koning der Nederlanden* (Amsterdam 1938), p. 41.

53 Bosscha, J., *Het leven van Willem den Tweeden, koning der Nederlanden en Groot-Hertog van Luxemburg* (Amsterdam 1852), p. 225.

54 Zie ooggetuige 14 in hoofdstuk 2.

55 Bornewasser in: *Nassau en Oranje in de Nederlandse geschiedenis*, onder redactie van Tamse, C.A. (Alphen aan den Rijn 1979), p. 284.

56 Van Zanten, J., *Schielijk, Winzucht, Zwaarhoofd en Bedaard, politieke discussie en oppositievorming 1813-1840* (Amsterdam 2004), p. 93.

57 Bornewasser in: *Nassau en Oranje*, p. 281, 282.

58 Aldrich, R., *Van alle tijden, in alle culturen. Wereldgeschiedenis van de homoseksualiteit* (Amsterdam 2006).

59 Mathijssen, M., *De gemaskerde eeuw* (Amsterdam/Antwerpen 2002), p. 21-78.

60 Van Zanten., *Schielijk, Winzucht, Zwaarhoofd en Bedaard*, p. 98.

61 Idem, p. 94-99.

62 Colenbrander, *Willem II, Koning der Nederlanden*, p. 50.

63 Van Zanten, *Schielijk, Winzucht, Zwaarhoofd en Bedaard*, p. 94-99.

64 In het proefschrift van J. van Zanten, waarin de chantageaffaire wordt

onthuld, zijn deze woorden abusievelijk gelezen als 'avontuurlijke lusten'. De precieze reden van de chantage was tot op heden daarom onduidelijk.

65 Zie ooggetuige 4 in hoofdstuk 3.

66 Haasse, H. en Jackman, W., *Een vreemdelinge in Den Haag* (Amsterdam 1984), p. 61: brief van Sophie aan lady Malet 16 april 1847.

67 Meeter, E., *Willem I, Willem II. Kranten, kerkers en koningen* (Soesterberg 2002), p. 176.

68 Bornewasser in: *Nassau en Oranje*, p. 282.

69 Bosscha, *Het leven van Willem den Tweeden*, p. 409.

70 Idem, p. 383.

71 Koninklijk Huisarchief, Willem I, A35-V4.

72 Van Sas, N.C.F., *Metamorfose van Nederland 1750-1900* (Amsterdam 2004), p. 464.

73 *Gedenkschriften van den graaf Van der Duyn van Maasdam en van den baron Van der Capellen, bijeenverzameld, gerangschikt en uitgegeven door hunnen vriend baron C.F. Sirtema van Grovestins* (Amsterdam 1857), p. 96.

74 Idem, p. 96.

75 Idem, p. 135.

76 In een brief op 13 oktober 1830, schrijft de koning aan prins Willem dat hij hem 'zwijgende toestemming' geeft om van de momenten die zich voordoen te profiteren om in de zuidelijke provincies de macht over te nemen. Zie: Colenbrander, H.T., *Willem II, Koning der Nederlanden* (Amsterdam 1938), p. 71.

77 'Wreed en zinloos', noemde de tsaar van Rusland, die het verhaal van zijn zuster vernam, deze actie van de koning in een brief d.d. 16-28 november 1830 aan Anna Paulowna. In: Jackman, S.W., *De Romanow relaties* (Baarn 1987).
Zie ook: *Gedenkschriften van den graaf Van der Duyn van Maasdam*, p. 159.

78 Op 24 oktober 1830. *Gedenkschriften van den graaf Van der Duyn van Maasdam*, p. 159.

79 Jackman, *De Romanov relaties*, brief Anna Paulowna aan tsaar Nicolaas I, 2 november 1830.

80 De verering van Van Speijk nam dusdanige vormen aan dat zijn uit de Schelde geviste lichaamsresten op sterk water werden gezet en in potjes werden bewaard. Later werd op paleis Soestdijk een verzameling aangelegd van deze parafernalia. Zie: *Mémoires van Frederik Harman van de Poll*, gemeentearchief Zeist.

81 Bornewasser in: *Nassau en Oranje in de Nederlandse geschiedenis*, onder redactie van Tamse, C.A. (Alphen aan den Rijn 1979), p. 265.

82 Idem, p. 266.

83 Katholiek en Belgisch althans van vaders kant. Haar moeder, Suzanna Hartsinck, was een Amsterdamse protestantse regentendochter.

84 Na de dood van Willem II was de ex-luitenant in Indië en later journalist, Regnerus Livius van Andringa de Kempenaer (1804-1854) een van de schuldeisers die dreigden met het bekendmaken van geheimen als zij niet betaald kregen. Van Andringa de Kempenaer dreigde een onthullend boek te publiceren als hem niet vóór 1 december 1853 geld zou worden verstrekt om 'stil naar Amerika te kunnen vertrekken'. Hij raakte een jaar later vermist, nadat hij inderdaad per boot naar Amerika was vertrokken. Zijn boek is nooit gepubliceerd. Zie: Roppe, L., *Een omstreden huwelijk* (Katerlee 1963), p. 294.

85 Idem, p. 108.

86 Op 7 maart 1841 schreef de minister van de Hervormde Eredienst Van Zuylen opgelucht aan zijn vriend Van der Hoop dat de 'zeer verontrustende berichten' dat de oude koning en zijn nieuwe vrouw naar Den Haag kwamen achterhaald waren: 'De oude koning zal niet volharden in zijn voorgenomen reis.' In: Colenbrander, *Willem II, Koning der Nederlanden*, p. 126.

87 De staatskas had een tekort van 34 miljoen gulden in 1841. Zie: Colenbrander, *Willem II, Koning der Nederlanden*, p. 122.

88 Bornewasser, in: *Nassau en Oranje*, p. 256.

89 *Old days in diplomacy, recollections of a closed century, by the eldest daughter of the late Sir Edward Cromwell Disbrowe* (Londen 1903), p. 266-268.

90 Bosscha, J., *Het leven van Willem den Tweeden, koning der Nederlanden en Groot-Hertog van Luxemburg* (Amsterdam 1852), p. 636.

91 Idem, p. 665.

92 Van dat bedrag nam Willem I tien miljoen voor zijn rekening. Zie: Bornewasser in: *Nassau en Oranje in de Nederlandse geschiedenis*, onder redactie van Tamse, C.A. (Alphen aan den Rijn 1979), p. 270.

93 Bosscha, *Het leven van Willem den Tweeden*, p. 667-668.

94 Bornewasser, in: *Nassau en Oranje*, p. 285.

95 Bosscha, *Het leven van Willem den Tweeden*, p. 694-695.

96 Bij hongeropstanden in Groningen en Leeuwarden werden in 1846 mensen neergeschoten 'alsof het dolle honden' waren. *Hydra* 1, jaargang 1847.

97 'Weinig gekoesterd, hard opgevoed en streng onderwezen', vatte de lijfarts van die zoon, de latere koning Willem III, die aanpak samen. Zie ooggetuige 35, hoofdstuk 6.

98 Willem II ging niet zover dat hij van godsdienst veranderde, of het moet in het geheim zijn geweest. Toen de oorlog met België voorbij was, verbleef hij nog vaak in zijn paleis in Tilburg, waar hij hecht bevriend raakte met bisschop Johannes Zwijsen. Het gerucht ging dat Zwijsen hem op zijn sterfbed tot katholiek heeft gewijd. Feit is dat Willem II er de voorkeur aan gaf om ter kerke te gaan in zijn eigen paleis, in plaats van in de kale protestantse kerk. Zie: Bosscha, *Het leven van Willem den Tweeden*, p. 661.

99 Zie ooggetuige 4 in hoofdstuk 3.

100 Van Sas, N.C.F., *De metamorfose van Nederland 1750-1900* (Amsterdam 2004), p. 472.

101 Bornewasser in: *Nassau en Oranje*, p. 299.

102 Van der Wijck, H.W.M., *De Nederlandse Buitenplaats* (Delft 1974), p. 215.

103 Bornewasser in: *Nassau en Oranje*, p. 299.

104 Colenbrander, H.T., *Willem II*, Koning der Nederlanden (Amsterdam 1938), p. 174.

105 Zie ooggetuige 18 in hoofdstuk 6.

106 Rapport over de lessen en het gedrag van de prinsen sinds oktober 1829 tot april 1830, KHA, Archief Willem III.

107 Zie ooggetuige 18 in hoofdstuk 4.

108 Zie hoofdstuk 2.

109 Mathijsen, M., *De gemaskerde eeuw* (Amsterdam/Antwerpen 2007), p. 39.

110 Zie ooggetuige 14 in hoofdstuk 4.

111 Van Sas, *De metamorfose van Nederland*, p. 476.

112 Bosscha, *Willem II koning der Nederlanden*, p. 200.

113 Bornewasser in: *Nassau en Oranje*, p. 303.

114 Haasse, H. *Een vreemdelinge in Den Haag* (Amsterdam 1984), brief d.d. januari 1849 (exacte dag onbekend).

115 Idem, brief d.d. 22 maart 1849.

116 Idem, brief d.d. 18 mei 1849.

117 Tamse, C.A., in: *Nassau en Oranje in de Nederlandse geschiedenis*, onder redactie van Tamse, C.A. (Alphen aan den Rijn 1979), p. 310.

118 In een brief aan tsaar Nicolaas I, d.d. 20 april 1849. Jackman, S.W., *De Romanow relaties* (Baarn 1987), p. 207.

119 Haasse, *Een vreemdelinge in Den Haag*, brief d.d. 8 mei 1849.

120 Bevaart, W., *Nederlandse Defensie* (Amsterdam 1993), p. 26.

121 Idem, p. 29-32.

122 Haasse, *Een vreemdelinge in Den Haag*, brief d.d. 15 augustus 1850.

123 Idem, 8 mei 1850.

124 Brief Henriëtte van de Poll aan haar moeder, 17 november 1880, gemeentearchief Zeist.

125 Tamse in: *Nassau en Oranje*, p. 346.

126 Brief Marianne aan mevrouw Falck, 17 maart 1844. ARA. Familiearchief Falck.

127 Zie: Hermans, D. en Hooghiemstra, D., *Vertel dit toch aan niemand. Leven aan het hof.* (Amsterdam 2005).

128 Dumonceau, C.H.F., *Sire...* (II), Herinnering aan ZM Koning *Willem III, periode 1827-1877*, vertaald en bewerkt door R.W.A.M. Cleverens (Middelburg 1987), p. 21-23.

129 'Profiterend van een goed moment heb ik de koning vaak doen terugkeren tot betere gevoelens jegens personen en heb zaken weten te voorkomen die anders betreurenswaardig zouden zijn geweest', stelde Dumonceau tevreden over zichzelf vast. In: *Sire..., Herinnering aan* ZM Koning *Willem III en* HM *Koningin Emma, periode 1877-1890*, vertaald en bewerkt door R.W.A.M. Cleverens (Middelburg 1989), p. 21-23.

130 Bevaart, *Nederlandse Defensie*, p. 27.

1231 Boogman, J.C., *Rondom 1848* (Bussum 1978), p. 163-169 en p.172.

132 Fasseur, C. , *Wilhelmina, de jonge koningin* (Amsterdam 1998), p. 28, 29.

133 Haasse, *Een vreemdelinge in Den Haag*, brief d.d. 3 mei 1850.

134 Idem, brief d.d. 21 oktober 1850.

135 Idem, brief d.d. 21 april 1849.

136 Marianne aan mevrouw Falck 17 maart 1844. Familiearchief Falck. ARA.

137 Haasse, *Een vreemdelinge in Den Haag*, brief d.d. 29 maart 1853.

138 Jackman, *De Romanow relaties*, brief Anna Paulowna aan tsaar Nicolaas I, 20 april 1849.

139 Aantekeningen lady Malet na gesprek met Sophie in 1864, in: Haasse, *Een vreemdelinge in Den Haag*, p. 85.

140 'Mijn innigste wens is weer een kind te hebben'. Haasse, *Een vreemdelinge in Den Haag*, brief d.d. 18 juli 1850.

141 Haasse, *Een vreemdelinge in Den Haag*, brief d.d. 29 november 1867.

142 De particulier secretaris van Wilhelmina, Thijs Booy, citeerde deze opmerking van Wilhelmina over haar vader. Zie: Booy, T., *Het is stil op Het Loo* (Amsterdam 1963), p. 103.

143 Zie: Lauts, U.G., *Eenige oogenblikken uit het leven van koning Willem II* (Kampen 1863).

144 Haasse, *Een vreemdelinge in Den Haag*, brief d.d.5 maart 1861.
145 Henriëtte van de Poll aan haar moeder, brief d.d. 10 april 1880. Gemeentearchief Zeist.
146 Haasse, *Een vreemdelinge in Den Haag*, brief d.d. 7 december 1858.
147 Idem, 5 december 1876.
148 Idem, 11 februari 1873.
149 Idem, 5 december 1876.
150 Idem, 11 februari 1873.
151 Dumonceau, *Sire...* (II), p. 12.
152 Idem, p. 34.
153 Idem, p. 37.
154 Prins der Nederlanden, Alexander, *Een vermoedelijk slotwoord* (Leiden 1879), p. 19.

Bronnen

1 'Hij zou in alle vroegte moeten opstaan'

1 Volksregering
Archief Willem I, KHA A35-VI-21.

2 Studieplan
Archief Wilhelmina van Pruisen, KHA A32-321 of 324.

3 Boottocht
Hallema, A., *Koning Willem II* (Assen 1949), p. 16-18.

4 Smeekbede
Archief Willem I, KHA A35-XIX-13a.

5 Wijn en meubels
Colenbrander, H.T., *Gedenkstukken der algemene geschiedenis van Nederland van 1795 tot 1840*, deel 5.

6 Vliegend vaandel
Brieven en gedenkschriften van Gijsbert Karel van Hogendorp, deel V ('s-Gravenhage 1887), p. 21-23.

7 Prins aan de wal
Rapport over het leven van Jacobus Pronk, KHA A35-XVIII-36.

8 Onbekende Oranjetelg
H. van A., *Uit de gedenkschriften van een voornaam Nederlandsch beambte over de tweede helft der achttiende en het begin der negentiende eeuw. Medegedeeld door Mr. H. van A.* (Tiel 1882), p. 266.

9 Wachten op de prins
Brieven en gedenkschriften van Gijsbert Karel van Hogendorp, deel v, p. 39-40.

10 Geestdrift
Colenbrander, *Gedenkstukken*, deel vii, 1813-1815, p. 2-3.

11 Contradictio in terminis
H. van A., *Uit de gedenkschriften van een voornaam Nederlandsch beambte*, p. 267.

12 Familiehereniging
Brownlow, Emma countess of, *Slight reminiscences of a septuagenarian from 1802 to 1815* (Londen 1867), p. 35-37.

13 'To do'-lijstje
Colenbrander, *Gedenkstukken*, deel vii.

14 De prins werkt dag en nacht
Colenbrander, *Gedenkstukken*, deel vii, 1813-1815, p. 471-472.

15 Wenende grijsaards
's Gravenweert, J. van, *Amsterdam gedurende het verblijf van Zijne Koninklijke Hoogheid den souvereinen vorst der Vereenigde Nederlanden, geschetst in eenen brief* (Amsterdam 1814), p. 4, p. 18-19, p. 23.

16 Vermoeiende preek
Brownlow, *Slight reminiscences of a septuagenarian*, p. 53-55.

17 Ruime toelage
Brieven en gedenkschriften van Gijsbert Karel van Hogendorp, deel v, p. 88 en 89.

18 Tafelgeld
Brieven en gedenkschriften van Gijsbert Karel van Hogendorp, deel v, p. 79, 80.

19 Theeavond
Brownlow, *Slight reminiscences of a septuagenarian*, p. 39-42.

20 Teugels
Uit de gedenkschriften van een voornaam Nederlandsch beambte, p. 271.

21 Rijk en arm op audiëntie
Marmier, Xavier, *Lettres sur la Hollande* (Parijs 1841).

2 'Ik word zo gekweld dat mijn hoofd het niet meer doet'

1 Extreem onaantrekkelijke prins
Aspinall, A., *Letters of the princess Charlotte 1811-1817* (Londen 1949), p. 72.

2 Verloving
Aspinall, *Letters of the princess Charlotte*, p. 92-93.

3 Raar land
Aspinall, *Letters of the princess Charlotte*, p. 101.

4 Diplomaat pusht huwelijk
Colenbrander, H.T., *Gedenkstukken*, deel VII, De vestiging van het koninkrijk, 1813-1815, p. 117-118.

5 Lastige wensen
Colenbrander, *Gedenkstukken*, deel VII, 1813-1815, p. 578.

6 Grijze rijtuigpaarden
Naber, J., *Correspondentie van de stadhouderlijke familie*, deel V (Den Haag 1936), p. 252.

7 De prins krijgt de bons
Colenbrander, *Gedenkstukken*, deel VII, 1813-1815, p. 149.

8 Ware zegen
Naber, *Correspondentie van de stadhouderlijke familie*, deel V, p. 254.

9 Britse woede
Colenbrander, *Gedenkstukken*, deel VII, 1813-1815, p. 156-157.

10 Prins in tranen
Brownlow, Emma countess of, *Slight reminiscences of a septuagenarian from 1802 to 1815* (Londen 1867), p. 106-108.

11 Mager en bleek
Colenbrander, *Gedenkstukken*, deel VII, 1813-1815, p. 154 -156.

12 Kapers op de kust
Colenbrander, *Gedenkstukken*, deel VII, 1813-1815, p. 157.

13 Bommm bommm!
Wasser, P., *Aantekeningen van een veteraan, dato 16 augustus 1815, die onder den Prins van Oranje in 's prinsen klein leger in de velden van Waterloo gestreden heeft* (1863), p. 9-15.

14 Zwakheid overwinnen
Colenbrander, *Gedenkstukken*, deel VII, 1813-1815, p. 779.

15 Tsaar biedt zuster aan
Archief Willem II, KHA A40-11-5.

16 Prins aanvaardt huwelijksvoorstel
Colenbrander, *Gedenkstukken*, deel VII, p. 784.

17 Bruiloftmarathon
Bruining, G., *Het verheugde Nederland bij de aankomst van het te Sint Petersburg gehuwde jonge vorstenpaar in de noordelijke en zuidelijke provincies des koninkrijks en de blijde geboorte der koninklijke telg uit dien heilvollen echt* (Leiden 1817), p. 19-22.

18 Onbeschrijflijk rijke tooi
Bruining, *Het verheugde Nederland*, p. 73-75.

19 Hollands hof in Rusland
Coppens, T., *Marie Cornélie. Dagboek van haar reis naar het hof van Sint-Petersburg 1824-1825* (Amsterdam, 2003). 'Schurftige schapen' p. 119, 'Rijke Russen' p.127, 'Wespentailles' p. 128-129.

3 'U gaat nu zúlke afschuwelijke dingen horen'

1 Commando
Colenbrander, H.T., *Gedenkstukken der algemene geschiedenis van Nederland van 1795 tot 1840*, deel VIII, 1815-1825, p. 27, 28.

2 Koning halsoverkop naar Brussel
Colenbrander, H.T., *Gedenkstukken*, deel VIII, 1815-1825, p. 362.

3 Prins wil macht
Colenbrander, *Gedenkstukken*, deel VIII, 1815-1825, p. 362, 363.

4 Klachten over de schoonfamilie
Jackman, S.W., *De Romanov relaties. De privé correspondentie van de tsaren Alexander I, Nicolaas I en de grootvorsten Constantijn en Michael met hun zuster koningin Anna Paulowna 1817-1855* (Baarn 1987), p. 39-47.

5 Verzoening
Colenbrander, *Gedenkstukken*, deel VIII, 1815-1825, p. 80-81.

6 'Beetje dom'
Colenbrander, *Gedenkstukken*, deel VIII, 1815-1825, p. 385, 386.

7 'Jonge gek'
Colenbrander, *Gedenkstukken*, deel VIII, 1815-1825, 24 juni 1823.

8 Staatsgeheim
Colenbrander, *Gedenkstukken*, deel VIII, 1815-1825, p. 367-397.

9 'Onnatuurlijke lusten'
Verslag d.d. 5 november 1819 van minister van Justitie Van Maanen. KHA, A35-XVIII-64a.
NB Het stuk verkeert in slechte staat; er ontbreken onder aan de bladzijden stukken tekst vanwege scheuren en gaten in het papier.

10 Redding van eer, vrouw en kinderen
Politieverhoor van Boers op 6 november 1819, KHA A35 XVIII 64a.

11 Boze waard
De beschrijving door Johan Adam Range van de arrestatie van Boers, KHA, A35, XVIII 64a.

12 Geheimzinnigheid
Colenbrander, *Gedenkstukken*, deel VIII, 1815-1825, p. 397-398.

13 Familiegeheimen
KHA, Willem II. Brief Alting Siberg d.d. 15 april 1865.

14 Eerherstel
Colenbrander, *Gedenkstukken*, deel VIII, 1815-1825, p. 421, 422.

15 Waarschuwing
Colenbrander, H.T., *Willem II, Koning der Nederlanden* (Amsterdam 1938), p. 53.

16 Vrije mensen
Familiearchief De Constant de Rebecque, Algemeen Rijksarchief.

17 Walgelijk gedrag
Colenbrander, *Gedenkschriften*, deel VIII, 1815-1825, p. 448-449.

18 Valse vrolijkheid
Colenbrander, *Gedenkstukken*, deel IX, 1825-1830, p. 925.

19 Inbraak
Verslag van de inspectie van de plaats delict, ongesigneerd en ongedateerd. Misschien geschreven door de minister van Justitie zelf, op 27 september 1829 of kort daarna. Zie: Hallema, A., *Koning Willem II* (Assen 1949), p. 118-121.

20 Verdachte vriend
Colenbrander, *Gedenkschriften*, deel IX, 1825-1830, p. 383.

21 Samenzweerders in livrei
KHA, Willem II.

22 Slechte beveiliging
Colenbrander, H.T., *Willem II, Koning der Nederlanden*, p. 63.

23 Ontvoering
De Brauw, J., *Herinneringen eener reize naar Nieuw York, gedaan in de jaren 1831 en 1832; benevens eenige bijzonderheden omtrent Constant Polari, thans in 's-Hage gedetineerd, als beschuldigd met den diefstal der juweelen van H.K.H. mevrouw de prinses van Oranje* (Leiden 1833).

24 Bekentenis
Verslag der teregtzitting van het hof van Assises, provincie Holland (zuiderkwartier), gehouden den zevenden maart 1834, inzake van Constant Polari beschuldigd van diefstal in het paleis van HKH den prins en de prinses van Oranje te Brussel (Den Haag 1834).

25 Koninklijke genade
Verslag der terechtzitting van het hof van Assises, p. 86-95.

4 'Te goeder trouw kon dit geen regeren genoemd worden'

1 Onvrede
Colenbrander, H.T., *Gedenkstukken der algemene geschiedenis van Nederland van 1795 tot 1840*, deel VIII, 1815-1825, p. 442-443.

2 Tranen plengen
Colenbrander, *Gedenkstukken*, deel VIII, 1815-1825, p. 443.

3 Moreel van de natie
Colenbrander, *Gedenkstukken*, deel VIII, 1815-1825, p. 444.

4 Cadeautafel
KHA, prinses Marianne

5 Ontketende Belgen
Belgian Events, a publication of the Belgian Embassy in London. Special edition: 175 years of Belgian Independence, a British perspective (december 2005), p. 4.

6 Dood en verderf in België
Willem den Koppigen, ingedrongen Koning der Nederlanden, aanleiding gevende tot den opstand der Belgen in 1830; met een omstandig verhaal van de vier roemweerdige dagen, groote voorvallen en gevolgen (1833), p. 435-437, 496-501.

7 Prins ruikt kans
Colenbrander, H.T., *Willem II, Koning der Nederlanden* (Amsterdam 1938), p. 70.

8 Doekje voor het bloeden
Colenbrander, *Gedenkstukken*, deel X, 1830-1840, p. 176-177.

9 Uitgefloten
Sirtema van Grovestins, C.F., *Gedenkschriften van de graaf Van der Duyn van Maasdam* (Amsterdam 1857), p. 198.

10 Zelfdestructie
Sirtema van Grovestins, *Gedenkschriften*, p. 190-191.

11 Het molentje van Leopold van Saxen-Coburg
Arnhemsche Courant, 26 juli 1831.

12 Onhaalbare zaak
Colenbrander, *Gedenkstukken*, deel x, 1830-1840, p. 496.

13 Familiebelangen
Colenbrander, *Gedenkstukken*, deel x, 1830-1840, p. 399-400.

14 Ontrouw in geheimschrift
Archief prinses Marianne, KHA A39-11-25.

15 Koninklijke verliefdheid
Disbrowe, lady Emma, *Old days in diplomacy, recollections of a closed century, by the eldest daughter of the late Sir Edward Cromwell Disbrowe* (Londen 1903), p. 266-268.

16 Stokende zoon
Roppe, L., *Een omstreden huwelijk* (Hasselt 1962), p. 52.

17 Schokkende geruchten
Algemeen Handelsblad, 28 september 1839.

18 Doodvonnis
Tamse, C.A. (red.), Koningin Sophie 1818-1877: jeugdherinneringen in Biedermeierstijl van een Nederlandse vorstin uit Wurtemberg (Zutphen 1984), p. 62-72.

19 Polonaise
Disbrowe, *Old days in diplomacy*, p. 268-270.

20 Ferme oude koning
Marmier, *Lettres sur la Hollande* (Parijs 1841), p. 103.

21 Amen
Roppe, *Een omstreden huwelijk*, p. 162.

22 Hardvochtigheid
Idem, p. 216-217.

23 Ex-koning neemt voorrang
Disbrowe, *Old days in diplomacy*, p. 279-281.

24 Verbazing op de vismarkt
Disbrowe, *Old days in diplomacy*, p. 289-290.

25 Plotselinge dood
Algemeen Handelsblad, 15 december 1843.

26 Krachtig lijk
Boudwijn, *De begrafenis van Willem 1 te Delft*. Archief Knuttel, Koninklijke
Bibliotheek Den Haag.

5 'Ik wil dat zo, ik wil daarbovenop een bloementuin'

1 Inhuldiging
Disbrowe, lady Emma, *Old days in diplomacy, recollections of a closed century, by
the eldest daughter of the late Sir Edward Cromwell Disbrowe* (Londen 1903),
p. 280-288.

2 Taal- en stijlfouten in de troonrede
Arnhemsche Courant, 24 oktober 1840.

3 Sigaar
Dingelstedt, F., *Jusqu'á la mer. Erinnerungen an Holland* (Leipzig 1847), p.
184-185.

4 Geheimzinnig spook
Meeter, E., *Willem 1, Willem 11: kranten, kerkers en koningen* (Soesterberg
2002), p. 109-111. (Oorspronkelijk: *Holland, Its Institutions, Its Press, Kings
and Prisons*, Londen 1857.)

5 Materieel gezichtspunt
Dagboekaantekeningen van minister Baud. Privébezit van Wouter Hugenholtz, directeur van het NIAS te Wassenaar.

6 Koning wil bloementuin
KHA A40, XV, 43.

7 Gevaarlijke prinses
Disbrowe, *Old days in diplomacy*, p. 296.

8 Tactloze kroonprins
Colenbrander, H.T., *Willem 11, Koning der Nederlanden* (Amsterdam 1938),
p. 174.

9 Dreigende menigte
Disbrowe, *Old days in diplomacy*, p. 299-302.

10 Koning overstag
Haasse, H., *Een vreemdelinge in Den Haag: uit de brieven van Koningin Sophie
der Nederlanden aan lady Malet* (Amsterdam 1984), p. 67.

11 Van conservatief tot liberaal in 24 uur
Colenbrander, *Willem 11*, p. 201.

12 Thorbecke tevreden
Archief Thorbecke, ARA, inventarisnummer N951.

13 Eindelijk rust
Jackman, S.W., *De Romanov relaties. De privé correspondentie van de tsaren
Alexander I, Nicolaas I en de grootvorsten Constantijn en Michael met hun zuster
koningin Anna Paulowna 1817 1855* (Baarn 1970), p. 201.

14 Weg des hemels
KHA, prinses Marianne.

15 Sterfbed
Poelhekke, J.J., 'De tsarendochter en de molenaarszoon', in: *Archieven van
de geschiedenis van de katholieke kerk in Nederland*, jaargang 1960.

16 Gillende weduwe
Schotel, G.D.J, *De Dood des Konings, brief aan dr. H.P. Timmers, predikant te 's-Gravenhage* (Den Bosch 1849).

17 Help mij!
Jackman, *De Romanow relaties*, p. 210-211.

18 Onduidelijke bezittingen
Testament Willem II, ARA inventarisnummer XXX53.

6 'Vindt u hem niet precies een gek?'

1 Noodzakelijke loyaliteit
Haasse, H., *Een vreemdelinge in Den Haag : uit de brieven van Koningin Sophie der Nederlanden aan Lady Malet* (Amsterdam 1984), p. 75.

2 Iemand zíjn
Idem, p. 76.

3 Onvoorstelbaar gemene schoonmoeder
Idem, p. 77.

4 Slecht huwelijk
Idem, p. 51.

5 Moeilijk kiezen
ARA, collectie De Casembroot, dagboek De Casembroot jaar 1852.

6 Scheidingsvoorwaarden
Archief Willem III, KHA A45-II-16.
NB van deze punten inzake de scheiding tussen Willem III en Sophie zijn meerdere versies, met daarin diverse doorhalingen met potlood, toevoegingen en correcties. Die zijn in deze tekst weggelaten. De genoemde voorwaarden zijn nooit officieel geworden, omdat er geen echtscheiding heeft plaatsgehad.

7 Onredelijke behandeling
Brief prinses Marianne, 15 maart 1879, KHA A39-V-6.

8 Taifoen
Boels, H., De Jong, J. en Tamse, C.A. (red.), *Eer en fortuin. Leven in Nederland en Indië 1842-1900* (Amsterdam 2003), p. 194, 195.

9 Koning wil Tweede Kamer belegeren
Tamse, C.A., *Mémoires van een enfant terrible. Politieke herinneringen van de Zeeuwse liberale afgevaardigde mr. Daniel van Eck aan vijfendertig jaar Kamerlidmaatschap, 1849-1884* (Middelburg 1975), p. 72, 85, 102.

10 Prikkelbaarheid
Archief Weitzel, dagboekaantekeningen jaar 1875, ARA.

11 Koningsmoord I
'Uit het leven van koning Gorilla', in: Bos, D., *Willem III, koning Gorilla* (Soesterberg 2002), p. 4-8.

12 Koningsmoord II
Eernstma, H., *Roman Hagois* (Bolsward 1998), p. 20-22.
NB Homme Eernstma was het pseudoniem van Feijo Schelto van Heemstra. Hij was de zoon van Cornelis Schelto Van Heemstra, particulier secretaris van koningin Emma en Wilhelmina en oud-officier van de inlichtingendienst. Hij schreef zijn boek op basis van het levensverhaal van zijn moeder, Annie Schimmelpeninck.

13 Wandluizen
Kopie van de memoires van hofarts Greidanus. KHA Willem III, A45-VIIIe-5.
NB Op 1 juli 1862 ontving Willem III een Japanse delegatie op paleis Noordeinde. Op 7 juli 1862 bood hij hun een diner aan in de galerijzaal.

14 Betamelijkheid
Memoires Weitzel, ARA, 1875.

15 Verkeerde soepterrine
KHA, Willem III, memoires S. Greidanus.

16 Tjoek tjoek
Brief van Henriëtte van de Poll aan haar moeder, 9 november 1880, Gemeentearchief Zeist, Archief Van de Poll.

17 Deserteur
Memoires Greidanus, KHA A45-VIIIe-5.

18 Verzachtende omstandigheden
Idem.

19 Sollicitatiegesprek
Dagboek De Casembroot, jaar 1849, ARA collectie De Casembroot.

20 Verwaarloosde prins
Idem.

21 Zelfbevlekking
Idem, 1854.

22 Jeunesse doreé
Memoires Weitzel, 1874, ARA. Zie ook Van 't Veer, P. *Maar Majesteit!* (Amsterdam 1968), p. 105-106.

23 Treurige plechtigheid
Arnhemsche Courant, 22 juni 1877.

24 Charmante vrouw
Dumonceau, C.H.F., *Sire... Herinneringen aan Z.M. koning Willem III*, deel II 1877-1890 (Middelburg 1989), p. 5-9.

25 Huisvesting van Emilie d'Ambre
Memoires Weitzel, A.W.P. jaar 1877, ARA.

26 Wraak
Memoires S. Greidanus, KHA A45-VIIIe-5.

27 Onthutst nichtje
Dumonceau, *Sire...*, deel II, p. 17-21.

28 Zachtroze japonnen
Idem, p. 21-23.

29 Huwelijk
Memoires Weitzel, jaar 1878, ARA.

30 Boulevardprins
Uit onbekende Franse krant. Algemeen Rijksarchief. Collectie Constant de Rebecque. Inv. nr. 17.

31 Kraamkamer
Memoires Weitzel, jaar 1879, ARA.

32 Koopmansgeest
Memoires S. Greidanus, KHA A45-VIIIe-5.

33 Geboorte
Brief Henriëtte van de Poll aan haar moeder, 1 september 1880, Gemeentearchief Zeist.

34 Keulse pottenmeid
Algemeen Dagblad van Nederlandsch-Indië, 27 november 1885.

35 Witte Pantalons
Brief Henriëtte van de Poll aan haar moeder, 22 juli 1884, Gemeentearchief Zeist.

36 Getob met de koning
Idem, 26 februari 1889.

37 Sterfbed
Dumonceau, *Sire...*, deel II, p. 100-104.

38 Ontbindingsvlekken
Medische geschiedenis van Willem III door dr. H.J. Vinkhuijzen. KHA A45-IV-I.

39 Chaotische begrafenis
Dumonceau, *Sire...*, deel II, p. 104-105.

Register